고등
국어
HIGH SCHOOL

실전기출
문제은행

2A
2학기중간

신사고 | 민현식

이 책의 **단원 구성**

1A

1. 문학, 쓰기, 읽기와의 첫 만남
1 문학의 숲과 나무 2 쓰기와 읽기로 만나는 세상

2. 상황과 대상에 맞게 표현하기
1 마음을 나누는 대화 2 정확하고 효과적인 표현

1B

3. 삶을 담은 문학, 삶을 담아 쓰기
1 서정 갈래의 이해 2 서사 갈래의 이해
3 극 갈래의 이해 4 교술 갈래의 이해와 글쓰기

4. 교양 있고 사려 깊은 언어생활
1 올바른 발음과 표기 2 다양한 의사소통의 모습

2A

5. 생각을 나누는 시간
1 어떻게 읽을까 2 토론과 논증 3 힘 있는 설득

6. 나의 문학, 나의 꿈
1 문학을 보는 다양한 눈 2 책으로 찾는 길

7. 우리 문학의 전통과 가치
1 우리의 노래 2 우리의 이야기

2B

8. 국어의 어제와 오늘
1 국어의 변천과 발전 2 담화 관습과 의사소통 문화

9. '통'하는 국어 생활
1 해결의 열쇠, 독서 2 협력하는 의사소통

10. 잘 읽고 잘 쓰는 법
1 똑똑하게 매체 읽기 2 글쓰기의 정석

실전기출 문제은행

이 책의 구성 및 특징

교과서 확인학습

- 교과서 핵심내용 해설 및 확인 문제
- 교과서 지문의 핵심내용 파악, 어휘 및 구문 풀이
- O,X 문제 및 서답형 문제 학습

객관식 기본문제

- 기초단계 기출문제 제시 및 풀이능력 체크
- 각 단원의 핵심문제 제시
- 교과서 기반의 기본적인 학습능력 제공

객관식 심화문제

- 중상급 난이도 기출문제 제시 및 오답풀이
- 전국 고등학교 중요 기출문제 엄선 및 풀이
- 변별력 있는 문제 중심으로 기출유형 분석
- 교과서 밖 연계지문 활용 고난도 문제풀이

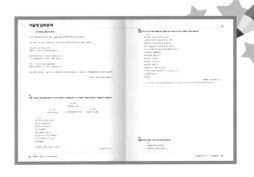

서술형 심화문제

- 서술형 기출문제 제시 및 풀이능력 향상
- 배점 높은 서술형 문제의 적중도를 높임

단원별 종합평가

- 단원별 학습 후 모의시험을 통한 수준평가
- 각 단원의 최종 점검 및 학습 마무리

《Contents

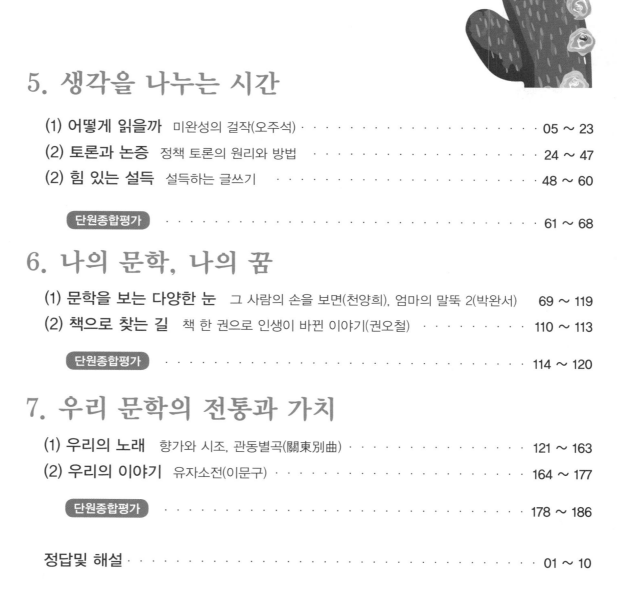

5. 생각을 나누는 시간

(1) 어떻게 읽을까 　미완성의 걸작(오주석) · · · · · · · · · · · · · · · · · · 05 ～ 23
(2) 토론과 논증 　정책 토론의 원리와 방법 · · · · · · · · · · · · · · · 24 ～ 47
(2) 힘 있는 설득 　설득하는 글쓰기 · · · · · · · · · · · · · · · · · · · 48 ～ 60

　　단원종합평가　 · 61 ～ 68

6. 나의 문학, 나의 꿈

(1) 문학을 보는 다양한 눈 　그 사람의 손을 보면(천양희), 엄마의 말뚝 2(박완서)　　69 ～ 119
(2) 책으로 찾는 길 　책 한 권으로 인생이 바뀐 이야기(권오철) · · · · · · · · 110 ～ 113

　　단원종합평가　 · 114 ～ 120

7. 우리 문학의 전통과 가치

(1) 우리의 노래 　향가와 시조, 관동별곡(關東別曲) · · · · · · · · · · · · 121 ～ 163
(2) 우리의 이야기 　유자소전(이문구) · · · · · · · · · · · · · · · · · · 164 ～ 177

　　단원종합평가　 · 178 ～ 186

정답및 해설 · 01 ～ 10

5

생각을 나누는 시간

(1) 어떻게 읽을까

미완성의 걸작(오주석)

(2) 토론과 논증

정책 토론의 원리와 방법

(3) 힘 있는 설득

설득하는 글쓰기

미완성의 걸작

여기 마흔을 넘긴 한 남자의 초상화가 있다. 그것도 자기 얼굴을 자신이 직접 그린 자화상이다. 어떤 인물이었는지는 나중에 살펴보겠지만 공재 윤두서(1668~1715)이다. 이분의 눈매는 상당히 매서워 첫인상만으로도 보는 이를 압도한다. 또 활활 타오르는 듯한 수염은 내면 깊은 곳으로부터 기(氣)를 *발산하는 듯하다. 그렇게 작품을 계속 바라보노라면 점차 으스스한 느낌이 들고 결국은 어느 순간 *섬뜩한 공포감에 사로잡히기까지 한다.

윤두서 '자화상'의 첫인상

이 사람은 누구인가? 무인(武人)인가? 그는 어려서부터 *용력(勇力)이 남달랐으며 일찍이 출중한 무예를 갖추었던 인물인지도 모른다. 그리고 어떠한 극한 상황에서도 침착성을 잃지 않았던 *냉엄(冷嚴)한 성품의 장군이었는지도 모른다. 아니, 어쩌면 그는 너무나도 비극적인 최후를 맞이했던 인물인지도 모른다. 첫인상은 이렇게 보는 이의 기억 속에 강렬한 에너지의 *낙인을 찍어 오래도록 지속되면서 천만 가지 *상념(想念)의 뿌리가 된다. 그러나 첫인상은 그다지 믿을 만한 것이 못 되는 경우도 많다. 인상이 반드시 그 인물로부터 나오거나 결정되는 것이 아니기 때문이다.

첫인상이 믿을 만하지 못한 이유

그가 입은 옷이며 그를 둘러싼 주위 배경이라든가 그 장소의 독특했던 빛의 흐름 등등 여러 가지 외적 요소가 거기에 더해지기도 하는 것이다.

첫인상에 영향을 주는 외적 요소들

그러므로 다시 한 번 찬찬히 '자화상'을 살펴보기로 하자. 아무런 *선입관이나 *편견을 갖지 않고서 말이다. 인물

독자에게 직접 이야기하는 듯한 문체

은 정면상이다. 그러므로 정확한 좌우 대칭을 이룬다. 얼굴은 단순한 타원형이며 이목구비가 매우 단정하다. 좌우 대칭의 정면상은 입체감을 갖기 어렵다. 그러나 얼굴 전체에서 바깥으로 뻗어 난 수염이 표정을 화면 위로 떠오르게 한다. 더하여 새까만 *탕건 끝이 부드러운 곡선을 이루며 휘어져 있어 머리 전체의 부피감을 요령 있게 표현해 준다. 그런데 극사실로 그려진 이 작품 속의 인물은 놀랍게도 귀가 없다. 목과 상체도 없다. 마치 두 줄기 긴 수염만이 기둥

'자화상'의 인물 외양 묘사의 특이점

인 양 양쪽에서 머리를 떠받들고 있는 것처럼 보인다. 어쩌면 옥에 갇혀 *칼을 쓴 인물처럼 머리만 따로 허공에 들려 있는 듯하다. 머리는 화면의 상반부로 치켜 올라갔다. 덩달아 탕건의 윗부분이 잘려 나갔다. 눈에 가득 보이는 것이라고는 귀가 없는 사실적인 얼굴 표현뿐인데 그 시선은 정면을 뚫어져라 응시하고 있다. 이러한 초상이 무섭지 않다면 오히려 이상한 일이다.

---

*발산: 감정 따위를 밖으로 드러내어 해서함. 또는 분위기 따위를 한껏 드러냄
*섬뜩한: 갑자기 소름이 끼치도록 무섭고 끔찍한
*용력: 씩씩한 힘. 또는 뛰어난 역량
*냉엄한: 태도나 행동이 냉정하고 엄한
*낙인: 쇠붙이로 만들어 불에 달구어 찍는 도장
*상념: 마음속에 품고 있는 여러 가지 생각

*선입관: 어떤 대상에 대하여 이미 마음속에 가지고 있는 고정적인 관념이나 관점
*편견: 공정하지 못하고 한쪽으로 치우친 생각
*탕건: 벼슬아치가 갓 아래 받쳐 쓰던 관의 하나
*칼: 죄인에게 씌우던 형틀. 두껍고 긴 널빤지의 한 끝에 구멍을 뚫어 죄인의 목을 끼우고 비녀장을 질렀음

이윤두서의 '자화상'은 우리나라 초상화 가운데서 최고의 걸작, *불후의 명작이라고 일컬어지며 국보 제240호로

지정되어 있다. 여기서 이 작품에 대해 질문을 하나 던져 보자. <u>도대체 작품 속의 인물이 윤두서라는 사실은 누가 어</u>

　　　　　　　　　　　　　　　　　　　　　　'자화상'속 인물이 윤두서라는 사실이 어떻게 밝혀졌는가에 대한 필자의 의문

<u>떻게 확인한 것인가? 화면상에는 이분이 누구인지 알려 주는 글씨가 한 자도 없다.</u> 윤두서에게는 아들 윤덕희, 손자

　　　　　　　　　필자가 의문을 가진 이유

윤용 등 그림을 잘 그렸던 자손들이 있었다. 만약 현 작품이 다만 후손들의 입을 통해서만 공재 초상이라고 전해 내

　　　　　　　　　　　　　　　　　　　　　　　　　　　　　　　　　　윤두서의 호

려왔다면, 혹시라도 *무정한 세월의 흐름 속에서 본의 아니게 잘못 전해진 것일 수도 있다. 더구나 작품에는 가로 접

힌 금이 같은 간격으로 열일곱 줄이나 보인다. 이것은 작가가 종이를 둘둘 말아 둔 상태에서 그대로 납작하게 눌려

생긴 금이다. <u>그렇다면 이 작품은 완성된 것이 아니다. 그러므로 물론 족자로 *표구(表具)되지도 않았다.</u> 갑자기 작

　　　　　　　　　　　　　　　　　　　　　　　　　　'자화상'이 미완성작일 가능성에 대한 추정

업이 중단된 채 오랫동안 여러 종이 뭉치 속에 섞여 있다가 뒤늦게야 후손들이 발견한 것일지도 모른다.

---

*불후: 썩지 아니함이라는 뜻으로, 영원토록 변하거나 없어지지 아니함을 비유적으로 이르는 말
*무정한: 남의 사정에 아랑곳없는
*표구: 그림의 뒷면이나 테두리에 종이 또는 천을 발라서 꾸미는 일

이상의 의문점들은 먼저 '자화상'을 꼼꼼히 살펴보고, 또 옛 분들이 남긴 윤두서에 대한 기록을 자세히 대조해봄으로써 풀어 나갈 수 있다. 먼저 윤두서와 절친했던 이하곤(1677~1724)이라는 분의 글, '윤두서가 그린 작은 자화상에 붙이는 *찬문[尹孝彦自寫小眞贊]'을 살펴보기로 한다. 효언(孝彦)은 윤두서의 자이다.

조선 후기의 문인화가이자 평론가

> 여섯 자도 되지 않는 몸으로 온 세상을 초월하려는 뜻을 지녔구나! 긴 수염이 나부끼고 안색은 붉고 윤택하니, 보는 사람
> 인물의 외양에 대한 내용
> 들은 그가 도사나 검객이 아닌가 의심할 것이다. 그러나 그 진실하게 삼가고 물러서서 겸양하는 풍모는 역시 홀로 행실을 가
> 인물의 내면에 대한 내용
> 다듬는 군자라고 하기에 부끄러움이 없다.

찬문에 묘사된 인물의 생김생김은 분명 윤두서의 '자화상' 속 그것과 같다. 그런데 글에는 "홀로 *행실을 가다듬는
이모저모로 살펴본 생김새
군자"로서 "진실하게 삼가고 물러서서 *겸양하는 풍모"를 보인다고 설명된 '자화상'의 첫인상이 어째서 무섭기까지
하다는 말인가? 일찍이 *감식안(鑑識眼)이 높았던 고(故) 최순우 전 국립 박물관장은 윤두서의 '자화상'을 처음 대했
을 때의 인상을 회고하면서 거의 충격적이었다고 고백한 바 있다. 물론 앞서 말한 이 그림의 비정상적인 *구도와 과
'자화상'의 첫인상이 충격적이었던 이유
감하기 이를 데 없는 생략에서 나온 감상이었다. 그 때문에 '자화상'은 그 놀라운 사실적인 묘사에도 불구하고, 아니
묘사가 사실적인 만큼 더욱더, 몽환 중에 떠오른 영상처럼 섬뜩하게 느껴졌던 것이다.

그런데 현재 이 작품에서 보이는 충격적인 회화 효과는 결코 조선 시대 사대부들이 추구하던 윤리 도덕이나 거기
귀와 목, 상체가 생략됨
에 근거한 당시의 *미감(美感)과 맞아떨어지는 것이 아니다. 공자는 "*효경(孝經)"의 첫머리에서 "신체는 터럭과 피
신체발부(身體髮膚)
부까지 다 부모님으로부터 받은 것이니 감히 다치고 상하게 할 수 없다. 이것이 효도의 시작이다. 그리고 몸을 세워
수지부모(受之父母)   불감훼상(不敢毁傷)   효지시야(孝之始也)   입신행도(立身行道)
도를 행하여 후세까지 이름을 드날림으로써 부모님을 드러나게 할 것이니, 이것이 효도의 마지막이니라."라고 하였
양명어후세(揚名於後世)   이현부모(以顯父母)   효지종야(孝之終也)
다. 그러므로 귀를 떼어 내고 신체를 생략한 그림을 그린다는 것은 도저히 사대부가 할 수 있는 일이 아니다. 앞에서
'자화상'의 현상이 작가가 의도한 결과물이 아니라 우연히 작업이 중단되었기 때문에 나타난 것이라고 추측한 까닭은
당대 사대부들의 유교적 가치관으로 볼 때 신체의 일부를 생략하는 것은 불가능하기 때문
바로 이 때문이었다.

*찬문: 서화의 옆에 글제로 써넣는 시(詩), 가(歌), 문(文) 따위의 글
*행실: 실지로 드러나는 행동
*겸양하는: 겸손한 태도로 남에게 양보하거나 사양하는
*감식안: 어떤 사물의 가치나 진위 등을 구별하여 알아내는 눈
*구도: 그림에서 모양, 색깔, 위치 따위의 짜임새
*미감: 아름다움에 대한 느낌
*효경: 공자가 제자인 증자에게 전한 효도에 관한 논설 내용을 기록한 책. 유교 경전의 하나임

그런 의심을 품고 있던 1995년 가을, 국립 박물관에서 개최 예정인 '단원 김홍도전'을 준비하면서 *백방으로 관련 자료를 찾던 바쁜 와중에 뜻밖에도 58년 전 윤두서 '자화상'의 옛 사진을 발견하게 되었다. 그것은 1937년 <u>조선사 편수회</u>에서 편집하고 조선 총독부가 발행한 "조선 사료집진속(朝鮮史料集眞續)"이라는 책의 제3집 속에 들어 있었다.

일제가 한국 역사를 그들의 통치 목적에 부합하도록 편찬하기 위해 설치한 한국사 연구 기관

옛 사진 속의 윤두서의 모습은 지금 작품과는 크게 달랐다. <u>그의 몸 부분이 선명하게 그려져 있었던 것이다.</u> 그 결과

현존하는 '자화상'과 다른 모습

현 상태에서 몸 없이 얼굴만 따로 떠 있는, 거의 충격적이라고 부를 만큼 지나치게 강하고 날카롭기만 한 '자화상' 속 윤두서의 생김새가 원래는 훨씬 어질어 보이는 얼굴에 침착하고 단아한 분위기를 띠고 있었다는 사실을 알게 되었다.

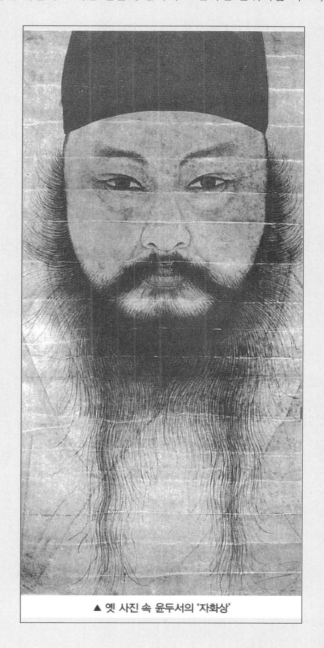

▲ 옛 사진 속 윤두서의 '자화상'

*백방: 여러 가지 방법, 또는 온갖 수단과 방도

그렇다! 이것이 바로 조선의 선비다. 조선 선비라면 어디까지나 원만하게 *중용(中庸)의 미감을 지켜 나가야 그 학문인 성리학의 정신에 걸맞다. 윤두서는 옛 사진 속에서 *도포를 입고 있었다. 단정하게 여민 옷깃과 정돈된 옷 주름선은 완만한 굴곡을 갖는 고르고 *기품 있는 선으로 이루어졌다. 넓은 깃에 깨끗한 *동정을 달았으므로 딱딱한 동정과 부드러운 천 사이에는 살짝 주름이 잡혔다. 그 동정과 깃의 턱이 진 이중 구조는 인물을 포근하게 감싸 안듯이 얼굴을 받쳐 주고 있다. 그리고 화면 아래 좌우 구석은 주인공이 편안한 자세로 앉았을 때 생기는 자잘한 주름으로 마무리되었다. 그러나 가장 두드러진 차이점은 안면에서 배어나는 인자함이었다. 너무나도 따뜻해 보이는 감성적인 얼굴과 총명하기 이를 데 없는 눈빛이 거기 있었던 것이다.

원래 있었던 윤두서 '자화상' 사진 속의 상반신 윤곽선이 그 후 어떻게 해서 감쪽같이 없어졌을까? 비밀은 몸이 유
_{현존하는 '자화상'이 얼굴만 남아 있는 이유}
탄(柳炭)으로 그려진 데에 있었다. 유탄이란 요즘의 스케치 연필에 해당하는 것으로 버드나무 가지로 만든 가는 숯이다. 이것은 화면에 달라붙는 점착력이 약해서 쉽게 지워진다. 그래서 소묘하다가 수정하기에 편리하므로 통상 밑그
_{유탄의 특징}
림을 잡을 때 사용한다. 그런데 '자화상'의 경우, 주요 부분인 얼굴부터 먹선을 올려 정착시키고 몸체는 우선 유탄으
_{유탄의 용도}　　　　　　　　　　　　　　　　　_{'자화상'은 완성되지 않은 작품이었음}
로만 형태를 잡는 과정에서 그 몸에 미처 먹선을 올리지 않은 상태, 즉 미완성의 상태로 전해 오다가 언젠가 그 부분이 지워져 버린 것이다. 아마도 미숙한 표구상이 구겨진 작품을 펴고 때를 빼는 과정에서 표면을 심하게 문질러 유탄
_{'자화상'의 상반신 윤곽이 사라진 이유에 대한 추측}
자국을 아예 지워 버리게 된 것 같다. 자세히 보면 옛 사진에서는 두드러져 보이는 종이 바탕의 꺾인 자국이 현 상태
_{필자의 추측의 근거}
에서는 부드럽게 *눅어 있다. 그렇게 문지르는 동안 원작품이 가졌던 풍부한 질감, 특히 안면의 부드러운 질감이 희생되고 뼈대가 되는 선적인 요소만 남게 된 것이다.

이제 지금껏 조선 초상화의 최고 걸작이며 파격적인 구도를 가진 완성작이라고 생각되어 온 '자화상'은 미완성작임이 확인되었다. 그래서 귀가 없었던 것이다. 또 완벽하게 마무리된 수염에 반하여 눈동자 선이 너무 진하고 약간 *생경해 보이는 것도 그 때문이었다. 하지만 미완성작임이 드러났다고 해서 실망할 것은 없다. 작품의 예술성도 미완성
_{'자화상'은 완벽한 예술성을 갖추었음}
이라고는 절대 말할 수 없기 때문이다. '자화상'은 완벽하다.

*중용: 지나치거나 모자라지 아니하고 한쪽으로 치우치지도 아니한, 떳떳하며 변함이 없는 상태나 정도
*도포: 예전에, 통상예복으로 입던 남자의 겉옷
*기품: 인격이나 작품 따위에서 드러나는 고상한 품격
*동정: 한복의 저고리 깃 위에 조금 좁은 듯하게 덧대어 꾸미는 하얀 헝겊 오리
*눅어: 굳거나 뻣뻣하던 것이 무르거나 부드러워져
*생경해: 익숙하지 않아 어색해

*미켈란젤로는 일찍이 '노예상'을 조각하면서 미처 다 쪼아 내지 못한 대리석 조각을 남겼다. 그런데 이 미완성작은 오히려 드물게 보는 걸작이라고 평가된다. <u>다듬어지지 않은 돌이라는 작품 재질과 그로부터 영혼이 깃든 형상을</u>

미켈란젤로의 '노예상'이 걸작이라고 평가되는 이유

<u>이끌어 내려는 작가 의식 사이에 말할 수 없이 팽팽한 긴장감이 감돌고 있기 때문이다.</u>

▲ 미켈란젤로, '노예상'

그와 같이 '자화상' 또한 미완성작이지만 오히려 그 덕분에 <u>마지막 손질이 더해지지 않은, 작가 자신에 대한 *심</u>

'자화상'이 완벽한 예술성을 갖추었다고 평가한 이유

<u>오한 상념이 전개되는 과정, 그리고 생생한 자기 성찰의 흔적을 그대로 보여 준다.</u> 그렇다면 미켈란젤로나 윤두서는 어쩌면 똑같이 미완성작 속에서 더 이상 손댈 수 없는 완전성을 *감지하고서 그 이상의 작업을 스스로 포기했던 것인지도 모른다.

*심오한: 사상이나 이론 따위가 깊이가 있고 오묘한
*감지: 느끼어 앎

⊙ 핵심정리

갈래	비평문(미술 비평)
성격	논리적, 분석적, 해석적, 묘사적
제재	윤두서의 그림 '자화상'
주제	미완성 속에 높은 예술적 가치를 지닌 운두서 '자화상'
특징	• 대상에 대한 논리적 분석과 해석의 과정을 통해 글을 전개함 • 대상을 세밀하게 묘사함 • 대상에 대한 의문을 제기하고 이를 해결해 나가는 추론적 기법을 활용함 • 독자에게 직접 이야기하는 듯한 문체를 구사하여 친근감을 줌

확인학습 ···

01 대상에 대한 의견을 반박하는 글이다.   O☐ ×☐

02 예술 작품의 가치를 분석하여 비평하는 글이다.   O☐ ×☐

03 사건 경위를 신속하게 전달하기 위한 글이다.   O☐ ×☐

04 어떤 일의 과정이나 결과를 알리기 위한 글이다.   O☐ ×☐

05 극사실의 화법으로 그려져 있다.   O☐ ×☐

06 미완성작으로 전해 왔을 것으로 추정된다.   O☐ ×☐

07 족자로 표구되지 않은 상태로 전승되었다.   O☐ ×☐

08 정면을 뚫어져라 응시하는 모습을 보여 준다.   O☐ ×☐

09 후손들의 입을 통해 공재의 초상임이 입증되었다.   O☐ ×☐

10 자료의 출처를 밝힘으로써 대상에 대한 신뢰감을 주고 있다.   O☐ ×☐

11 구체적인 예를 제시하여 추상적인 개념에 대한 이해를 돕고 있다.   O☐ ×☐

12 시간의 흐름에 따른 대상의 변모 과정을 상세하게 고찰하고 있다.   O☐ ×☐

13 대상에 대한 상반된 견해를 비교한 후 절충적인 대안을 제시하고 있다.   O☐ ×☐

14 전문가의 말을 인용하여 필자의 관점에 대한 새로운 시각을 제공하고 있다.   O☐ ×☐

15 윤두서 '자화상'은 족자로 만들어져 전해져 왔다.   O☐ ×☐

16 윤두서의 자손들 역시 그림에 대한 재능이 있었다.   O☐ ×☐

17 윤두서 '자화상'은 사실적인 묘사가 뛰어난 작품이다.   O☐ ×☐

18 윤두서 '자화상'은 귀중한 문화적 가치를 지니고 있다.   O☐ ×☐

19 윤두서의 절친인 이하곤의 찬문에 '자화상'에 대한 정보가 담겨 있다.   O☐ ×☐

[01~04] 다음 글을 읽고 물음에 답하시오.

여기 마흔을 넘긴 한 남자의 초상화가 있다. 그것도 자기 얼굴을 자신이 직접 그린 자화상이다. 어떤 인물이었는지는 나중에 살펴보겠지만 공재 윤두서(1668~1715)이다. 이분의 눈매는 상당히 매서워 첫인상만으로도 보는 이를 압도한다. 또 활활 타오르는 듯한 수염은 내면 깊은 곳으로부터 기(氣)를 발산하는 듯하다. 그렇게 작품을 계속 바라보노라면 점차 ⊙으스스한 느낌이 들고 결국은 어느 순간 섬뜩한 공포감에 사로잡히기까지 한다.

이 사람은 누구인가? 무인(武人)인가? 그는 어려서부터 용력(勇力)이 남달랐으며 일찍이 출중한 무예를 갖추었던 인물인지도 모른다. 그리고 어떠한 극한 상황에서도 침착성을 잃지 않았던 냉엄(冷嚴)한 성품의 장군이었는지도 모른다. 아니, 어쩌면 그는 너무나도 비극적인 최후를 맞이했던 인물인지도 모른다. 첫인상은 이렇게 보는 이의 기억 속에 강렬한 에너지의 낙인을 찍어 오래도록 지속되면서 천만 가지 상념(想念)의 뿌리가 된다. 그러나 첫인상은 그다지 믿을 만한 것이 못 되는 경우도 많다. 인상이 반드시 그 인물로부터 나오거나 결정되는 것이 아니기 때문이다. 그가 입은 옷이며 그를 둘러싼 주위 배경이라든가 그 장소의 독특했던 빛의 흐름 등등 여러 가지 외적 요소가 거기에 더해지기도 하는 것이다.

그러므로 다시 한 번 찬찬히 '자화상'을 살펴보기로 하자. 아무런 선입관이나 편견을 갖지 않고서 말이다. 인물은 정면상이다. 그러므로 정확한 좌우 대칭을 이룬다. 얼굴은 단순한 타원형이며 이목구비가 매우 단정하다. 좌우 대칭의 정면상은 입체감을 갖기 어렵다. 그러나 얼굴 전체에서 바깥으로 뻗어 난 수염이 표정을 화면 위로 떠오르게 한다. 더하여 새까만 탕건 끝이 부드러운 곡선을 이루며 휘어져 있어 머리 전체의 부피감을 요령 있게 표현해 준다. 그런데 극사실로 그려진 이 작품 속의 인물은 놀랍게도 귀가 없다. 목과 상체도 없다. 마치 두 줄기 긴 수염만이 기둥인 양 양쪽에서 머리를 떠받들고 있는 것처럼 보인다. 어쩌면 옥에 갇혀 칼을 쓴 인물처럼 머리만 따로 허공에 들려 있는 듯하다. 머리는 화면의 상반부로 치켜 올라갔다. 덩달아 탕건의 윗부분이 잘려 나갔다. 눈에 가득 보이는 것이라고는 귀가 없는 사실적인 얼굴 표현뿐인데 그 시선은 정면을 뚫어져라 응시하고 있다. 이러한 초상이 무섭지 않다면 오히려 이상한 일이다.

윤두서의 '자화상'은 우리나라 초상화 가운데서 최고의 걸작, 불후의 명작이라고 일컬어지며 국보 제240호로 지정되어 있다. 여기서 이 작품에 대해 질문을 하나 던져 보자. ⓒ도대체 작품 속의 인물이 윤두서라는 사실은 누가 어떻게 확인한 것인가? 화면상에는 이분이 누구인지 알려 주는 글씨가 한 자도 없다. 윤두서에게는 아들 윤덕희, 손자 윤용 등 그림을 잘 그렸던 자손들이 있었다. 만약 현 작품이 다만 후손들의 입을 통해서만 공재 초상이라고 전해 내려왔다면, 혹시라도 무정한 세월의 흐름 속에서 본의 아니게 잘못 전해진 것일 수도 있다. 더구나 작품에는 가로 접힌 금이 같은 간격으로 열일곱 줄이나 보인다. 이것은 작가가 종이를 둘둘 말아 둔 상태에서 그대로 납작하게 눌려 생긴 금이다. 그렇다면 이 작품은 완성된 것이 아니다. 그러므로 물론 족자로 표구(表具)되지도 않았다. 갑자기 작업이 중단된 채 오랫동안 여러 종이 뭉치 속에 섞여 있다가 뒤늦게야 후손들이 발견한 것일지도 모른다.

01 이 글의 서술상 특징으로 가장 적절한 것은?

① 대상에 대한 여러 사람의 평가를 인용하고 있다.
② 대상에 대한 필자의 느낌을 주관적으로 드러내고 있다.
③ 대상에 대한 부정적 인식을 바탕으로 비판하고 있다.
④ 시간의 흐름에 따라 대상에 대한 인식의 변화 과정을 제시하고 있다.
⑤ 논리적인 근거를 들어 대상에 대한 비판적인 시각을 드러내고 있다.

02 윤두서 '자화상'에 대한 설명으로 적절하지 <u>않은</u> 것은?

① 족자로 표구되지 않은 채 남은 미완성의 작품이다.

② 인물의 얼굴을 사실적으로 그려 낸 작품이다.

③ 우리나라 초상화 가운데 명작으로 평가받고 있다.

④ 정면상에 정확한 좌우대칭을 이루고 있어 입체감이 상실되었다.

⑤ 머리는 화면의 상반부로 치켜 올라가 탕건의 윗부분이 잘려 나갔다.

03 필자가 ⊙과 같이 생각한 이유로 가장 적절한 것은?

① 자신이 직접 자기 얼굴을 그린 자화상이기 때문이다.

② 작품에 가로 접힌 금이 같은 간격으로 그려져 있었기 때문이다.

③ 목과 귀, 상체가 없이 정면을 뚫어지게 응시하고 있기 때문이다.

④ 그가 용력이 남다르고 출중한 무예를 갖춘 인물이라 생각했기 때문이다.

⑤ 단순한 타원형의 얼굴에 이목구비가 매우 단정하게 그려져 있기 때문이다.

04 필자가 ⓒ과 같은 의문을 갖게 된 이유가 나타난 문장을 찾아 처음과 끝의 두 어절씩 쓰시오.

[01~10] 다음 글을 읽고, 물음에 답하시오.

여기 마흔을 넘긴 한 남자의 초상화가 있다. 그것도 자기 얼굴을 자신이 직접 그린 자화상이다. 어떤 인물이었는지는 나중에 살펴보겠지만 공재 윤두서(1668~1715)이다. 이분의 눈매는 상당히 매서워 첫인상만으로도 보는 이를 압도한다. 또 활활 타오르는 듯한 수염은 내면 깊은 곳으로부터 기(氣)를 발산하는 듯하다. 그렇게 작품을 계속 바라보노라면 점차 으스스한 느낌이 들고 결국은 어느 순간 섬뜩한 공포감에 사로잡히기까지 한다.

이 사람은 누구인가? 무인(武人)인가? 그는 어려서부터 ⓐ용력(勇力)이 남달랐으며 일찍이 출중한 무예를 갖추었던 인물인지도 모른다. 그리고 어떠한 극한 상황에서도 침착성을 잃지 않았던 ⓑ냉엄(冷嚴)한 성품의 장군이었는지도 모른다. 아니, 어쩌면 그는 너무나도 비극적인 최후를 맞이했던 인물인지도 모른다. 첫인상은 이렇게 보는 이의 기억 속에 강렬한 에너지의 ⓒ낙인을 찍어 오래도록 지속되면서 천만 가지 ⓓ상념(想念)의 뿌리가 된다. 그러나 첫인상은 그다지 믿을 만한 것이 못 되는 경우도 많다. 인상이 반드시 그 인물로부터 나오거나 결정되는 것이 아니기 때문이다. 그가 입은 옷이며 그를 둘러싼 주위 배경이라든가 그 장소의 독특했던 빛의 흐름 등등 여러 가지 외적 요소가 거기에 더해지기도 하는 것이다.

그러므로 다시 한 번 찬찬히 '자화상'을 살펴보기로 하자. 아무런 ⓔ선입관이나 편견을 갖지 않고서 말이다. 인물은 정면상이다. 그러므로 정확한 좌우 대칭을 이룬다. 얼굴은 단순한 타원형이며 이목구비가 매우 단정하다. 좌우 대칭의 정면상은 입체감을 갖기 어렵다. 그러나 얼굴 전체에서 바깥으로 뻗어 난 수염이 표정을 화면 위로 떠오르게 한다. 더하여 새까만 탕건 끝이 부드러운 곡선을 이루며 휘어져 있어 머리 전체의 부피감을 요령 있게 표현해 준다. 그런데 극사실로 그려진 이 작품 속의 인물은 놀랍게도 귀가 없다. 목과 상체도 없다. 마치 두 줄기 긴 수염만이 기둥인 양 양쪽에서 머리를 떠받들고 있는 것처럼 보인다. 어쩌면 옥에 갇혀 칼을 쓴 인물처럼 머리만 따로 허공에 들려 있는 듯하다. 머리는 화면의 상반부로 치켜 올라갔다. 덩달아 탕건의 윗부분이 잘려 나갔다. 눈에 가득 보이는 것이라고는 귀가 없는 사실적인 얼굴 표현뿐인데 그 시선은 정면을 뚫어져라 응시하고 있다. 이러한 초상이 무섭지 않다면 오히려 이상한 일이다.

윤두서의 '자화상'은 우리나라 초상화 가운데서 최고의 걸작, 불후의 명작이라고 일컬어지며 국보 제240호로 지정되어 있다. 여기서 이 작품에 대해 질문을 하나 던져 보자. 도대체 작품 속의 인물이 윤두서라는 사실은 누가 어떻게 확인한 것인가? 화면상에는 이분이 누구인지 알려 주는 글씨가 한 자도 없다. 윤두서에게는 아들 윤덕희, 손자 윤용 등 그림을 잘 그렸던 자손들이 있었다. 만약 현 작품이 다만 후손들의 입을 통해서만 공재 초상이라고 전해 내려왔다면, 혹시라도 무정한 세월의 흐름 속에서 본의 아니게 잘못 전해진 것일 수도 있다. 더구나 작품에는 가로 접힌 금이 같은 간격으로 열일곱 줄이나 보인다. 이것은 작가가 종이를 둘둘 말아 둔 상태에서 그대로 납작하게 눌려 생긴 금이다. 그렇다면 이 작품은 완성된 것이 아니다. 그러므로 물론 족자로 표구(表具)되지도 않았다. 갑자기 작업이 중단된 채 오랫동안 여러 종이 뭉치 속에 섞여 있다가 뒤늦게야 후손들이 발견한 것일지도 모른다.

이상의 의문점들은 먼저 '자화상'을 꼼꼼히 살펴보고, 또 옛 분들이 남긴 윤두서에 대한 기록을 자세히 대조해봄으로써 풀어 나갈 수 있다. 먼저 윤두서와 절친했던 이하곤(1677~1724)이라는 분의 글, '윤두서가 그린 작은 자화상에 붙이는 찬문[尹孝彦自寫小眞贊]'을 살펴보기로 한다. 효언(孝彦)은 윤두서의 자이다.

찬문에 묘사된 인물의 생김생김은 분명 윤두서의 '자화상' 속 그것과 같다. 그런데 글에는 "홀로 행실을 가다듬는 군자"로서 "진실하게 삼가고 물러서서 겸양하는 풍모"를 보인다고 설명된 '자화상'의 첫인상이 어째서 무섭기까지 하다는 말인가? 일찍이 감식안(鑑識眼)이 높았던 고(故) 최순우 전 국립 박물관장은 윤두서의 '자화상'을 처음 대했을 때의 인상을 회고하면서 거의 충격적이었다고 고백한 바 있다. 물론 앞서 말한 이 그림의 비정상적인 구도와 과감하기 이를 데 없는 생략에서 나온 감상이었다. 그 때문에 '자화상'은 그 놀라운 사실적인 묘사에도 불구하고, 아니 묘사가 사실적인 만큼 더욱 더, 몽환 중에 떠오른 영상처럼 섬뜩하게 느껴졌던 것이다.

그런데 현재 이 작품에서 보이는 충격적인 회화 효과는 결코 조선 시대 사대부들이 추구하던 윤리 도덕이나 거기에 근거한 당시의 미감(美感)과 맞아떨어지는 것이 아니다. 공자는 "효경(孝經)"의 첫머리에서 "신체는 터럭과 피부까지 다 부모님으로부터 받은 것이니 감히 다치고 상하게 할 수 없다. 이것이 효도의 시작이다. 그리고 몸을 세워 도를 행하여 후세까지 이름을 드날림으로써 부모님을 드러나게 할 것이니, 이것이 효도의 마지막이니라."라고 하였다. 그러므로 귀를 떼어 내고 신체를 생략한 그림을 그린다는 것은 도저히 사대부가 할 수 있는 일이 아니다. 앞에서 '자화상'의 현상이 작가가 의

도한 결과물이 아니라 우연히 작업이 중단되었기 때문에 나타난 것이라고 추측한 까닭은 바로 이 때문이었다.

그런 의심을 품고 있던 1995년 가을, 국립 박물관에서 개최 예정인 '단원 김홍도전'을 준비하면서 백방으로 관련 자료를 찾던 바쁜 와중에 뜻밖에도 58년 전 윤두서 '자화상'의 옛 사진을 발견하게 되었다. 그것은 1937년 조선사 편수회에서 편집하고 조선 총독부가 발행한 "조선 사료집진속(朝鮮史料集眞續)"이라는 책의 제3집 속에 들어 있었다. 옛 사진 속의 윤두서의 모습은 지금 작품과는 크게 달랐다. 그의 몸 부분이 선명하게 그려져 있었던 것이다. 그 결과 현 상태에서 몸 없이 얼굴만 따로 떠 있는, 거의 충격적이라고 부를 만큼 지나치게 강하고 날카롭기만 한 '자화상' 속 윤두서의 생김새가 원래는 훨씬 어질어 보이는 얼굴에 침착하고 단아한 분위기를 띠고 있었다는 사실을 알게 되었다.

그렇다! 이것이 바로 조선의 선비다. 조선 선비라면 어디까지나 원만하게 중용(中庸)의 미감을 지켜 나가야 그 학문인 성리학의 정신에 걸맞다. 윤두서는 옛 사진 속에서 도포를 입고 있었다. 단정하게 여민 옷깃과 정돈된 옷 주름 선은 완만한 굴곡을 갖는 고르고 기품 있는 선으로 이루어졌다. 넓은 깃에 깨끗한 동정을 달았으므로 딱딱한 동정과 부드러운 천 사이에는 살짝 주름이 잡혔다. 그 동정과 깃의 턱이 진 이중 구조는 인물을 포근하게 감싸 안듯이 얼굴을 받쳐 주고 있다. 그리고 화면 아래 좌우 구석은 주인공이 편안한 자세로 앉았을 때 생기는 자잘한 주름으로 마무리되었다. 그러나 가장 두드러진 차이점은 안면에서 배어나는 인자함이었다. 너무나도 따뜻해 보이는 감성적인 얼굴과 총명하기 이를 데 없는 눈빛이 거기 있었던 것이다.

원래 있던 ⓑ 윤두서 '자화상' 사진 속의 상반신 윤곽선이 그 후 어떻게 해서 감쪽같이 없어졌을까? 비밀은 몸이 유탄(柳炭)으로 그려진 데에 있었다. 유탄이란 요즘의 스케치 연필에 해당하는 것으로 버드나무 가지로 만든 가는 숯이다. 이것은 화면에 달라붙는 점착력이 약해서 쉽게 지워진다. 그래서 소묘하다가 수정하기에 편리하므로 통상 밑그림을 잡을 때 사용한다. 그런데 '자화상'의 경우, 주요 부분인 얼굴부터 먹선을 올려 정착시키고 몸체는 우선 유탄으로만 형태를 잡는 과정에서 그 몸에 미처 먹선을 올리지 않은 상태, 즉 미완성의 상태로 전해 오다가 언젠가 그 부분이 지워져 버린 것이다. 아마도 미숙한 표구상이 구겨진 작품을 펴고 때를 빼는 과정에서 표면을 심하게 문질러 유탄 자국을 아예 지워 버리게 된 것 같다. 자세히 보면 옛 사진에서는 두드러져 보이는 종이 바탕의 꺾인 자국이 현 상태에서는 부드럽게 누어 있다. 그렇게 문지르는 동안 원작품이 가졌던 풍부한 질감, 특히 안면의 부드러운 질감이 희생되고 뼈대가 되는 선적인 요소만 남게 된 것이다.

이제 지금껏 조선 초상화의 최고 걸작이며 파격적인 구도를 가진 완성작이라고 생각되어 온 '자화상'은 미완성작임이 확인되었다. 그래서 귀가 없었던 것이다. 또 완벽하게 마무리된 수염에 반하여 눈동자 선이 너무 진하고 약간 생경해 보이는 것도 그 때문이었다. 하지만 미완성작임이 드러났다고 해서 실망할 것은 없다. 작품의 예술성도 미완성이라고는 절대 말할 수 없기 때문이다. '자화상'은 완벽하다. 미켈란젤로는 일찍이 '노예상'을 조각하면서 미처 다 쪼아 내지 못한 대리석 조각을 남겼다. 그런데 이 미완성작은 오히려 드물게 보는 걸작이라고 평가된다. 다듬어지지 않은 돌이라는 작품 재질과 그로부터 영혼이 깃든 형상을 이끌어 내려는 작가 의식 사이에 말할 수 없이 팽팽한 긴장감이 감돌고 있기 때문이다. 그와 같이 '자화상' 또한 미완성작이지만 오히려 그 덕분에 마지막 손질이 더해지지 않은, 작가 자신에 대한 심오한 상념이 전개되는 과정, 그리고 생생한 자기 성찰의 흔적을 그대로 보여 준다. 그렇다면 미켈란젤로나 윤두서는 어쩌면 똑같이 미완성작 속에서 더 이상 손댈 수 없는 완전성을 감지하고서 그 이상의 작업을 스스로 포기했던 것인지도 모른다.

01 윗글에 대한 설명으로 적절하지 않은 것은?

① 대상에 대한 논리적 분석과 해석의 과정을 통해 글을 전개하였다.

② 대상을 세밀하게 묘사하였다.

③ 대상에 대한 의문을 제기하고 이를 해결해 나가는 추론적 기법을 활용하였다.

④ 독자에게 직접 이야기하는 듯한 문체를 구사하여 친근감을 주었다.

⑤ 다른 대상과 비교하여 가설을 입증하고 있다.

02 Ⓐ에 대한 설명으로 적절하지 <u>않은</u> 것은?

① 이 작품의 인물은 귀, 목, 상체가 없다.
② 정확한 좌우 대칭을 이루는 정면상이다.
③ 작품의 우측 하단에 그림을 그린 사람이 명시되어 있다.
④ 이 작품은 국보 제240호로 지정되어 있다.
⑤ 머리가 상반부로 치켜 올라가 탕건이 잘렸다.

03 다음 중 이 글의 필자가 Ⓐ의 인물이 윤두서라는 사실이 어떻게 밝혀졌는가에 대해 의문을 가진 이유로 가장 적절한 것은?

① 화면에 기록된 인물에 대한 정보가 일부 훼손되었기 때문에
② 화면상의 인물에 대한 여러 사람들의 견해가 어긋나기 때문에
③ 그림에 사용된 재료가 인물이 살았던 시대에 사용되지 않았기 때문에
④ 화면상에 인물에 대한 정보가 전혀 나타나 있지 않기 때문에
⑤ 작가가 작품에 정확한 이름을 기록했기 때문에

04 ⓐ~ⓔ의 사전적 의미로 적절하지 <u>않은</u> 것은?

① ⓐ : 씩씩한 힘, 또는 뛰어난 역량
② ⓑ : 태도나 행동이 냉정하고 엄한
③ ⓒ : 씻기 어려운 부끄럽고 욕된 평판을 비유적으로 이르는 말
④ ⓓ : 마음속에 품고 있는 여러 가지 생각
⑤ ⓔ : 어떤 대상에 대하여 이미 마음속에 가지고 있는 고정정적인 관념이나 관점

05 '자화상'에 대한 글쓴이의 생각으로 가장 적절하지 <u>않은</u> 것은?

① '자화상'은 완성되지 못한 것은 아닐까?
② 국보로 지정되기에는 아쉬움이 남는 것은 아닐까?
③ '자화상'의 회화 효과는 조선 시대 사대부들이 추구하던 윤리 도덕이나 그에 근거한 미감과 맞지 않다.
④ 작품을 통해 작가 자신에 대한 심오한 상념이 전개되는 과정을 보여준다.
⑤ '자화상'의 첫인상은 무섭기까지 하다.

06 ⓑ에 대한 설명으로 적절하지 <u>않은</u> 것은?

① 현존하는 '자화상'과 달리 몸 부분이 선명하게 그려져 있다.
② 화면 아래 좌우 구석이 자잘한 주름으로 마무리되었다.
③ 옥에 갇혀 칼을 쓴 인물처럼 머리만 따로 허공에 드려 있는 듯하다.
④ 따뜻해 보이는 감성적인 얼굴과 총명한 눈빛으로, 안면에서 인자함이 배어난다.
⑤ 단정하게 여민 옷깃과 정돈된 옷 주름 선은 완만한 굴곡을 갖는 고르고 기품 있는 선으로 이루어진다.

07 윗글의 내용과 일치하지 <u>않는</u> 것은?

① 옛 사진 속의 '자화상'은 현존하는 '자화상'과 달리 상반신의 윤곽선이 그대로 남아 있었다.
② 윤두서의 '자화상'이 높은 예술성을 갖추고 있다고 평가받는 이유는 작품의 형식적 완성도가 높기 때문이다.
③ 그림에서 정확한 좌우 대칭의 전면상은 입체감을 갖기 어렵다
④ '이하곤'은 윤두서와 절친했다.
⑤ 윤두서의 '자화상'은 우리나라 초상화 가운데서 단연 돋보이는 최고의 걸작으로 평가받고 있다.

08 이 작품의 내용전개 방식으로 적절한 것은?

① 독자에게 직접 이야기하는 듯한 문체가 나타난다.
② 여러 이론의 우열을 가리며 특정 이론을 구체적으로 서술하고 있다.
③ 구체적 사례를 제시하며 이론의 한계를 설명하고 있다.
④ 새로운 이론의 등장 배경을 소개하며 학자들의 견해를 밝히고 있다.
⑤ 문제를 제기한 후 그 원인을 다양한 측면에서 논리적으로 분석하고 있다.

09 다음 중 읽기 방법에 대한 설명으로 적절하지 <u>않은</u> 것은?

① 읽기의 방법은 전, 중, 후 각 과정에 맞게 고정되어 있다.
② 읽기 전, 중, 후에서 활용할 수 있는 방법은 여러 가지가 있다.
③ 일기 중 활동을 통해 독자는 글의 핵심을 놓치지 않고 꼼꼼히 읽을 수 있다.
④ 읽기 후 활동을 통해 독자는 글의 내용을 깊이 있게 이해하고 확장할 수 있다.
⑤ 읽기의 전, 중, 후에서 어떤 읽기 방법을 선택했는지에 따라 읽기의 결과가 달라질 수 있다.

10 읽기 목적에 따른 읽기 방법에 대한 설명으로 적절하지 <u>않은</u> 것은?

① 지식, 정보 얻기 : 핵심어를 중심으로 주요 내용을 요약하며 읽기
② 깨달음이나 즐거움을 얻기 : 글에서 감동적인 부분을 찾아 그 내용을 내면화하며 읽기
③ 깨달음이나 즐거움을 얻기 : 전체 내용을 훑어 읽으면서 필요한 정보를 파악하기
④ 주장의 적절성 평가하기 : 글에서 공감하거나 반박할 부분을 찾아 필자의 생각을 평가하며 읽기
⑤ 지식, 정보 얻기 : 정보의 근거나 자료의 출처를 파악하며 읽기

[11~20] 다음 글을 읽고, 물음에 답하시오.

(가) 여기 마흔을 넘긴 한 남자의 ㉠초상화가 있다. 그것도 자기 얼굴을 자신이 직접 그린 자화상이다. 어떤 인물이었는지는 나중에 살펴보겠지만 공재 윤두서이다. 이분의 눈매는 상당히 매서워 첫인상만으로도 보는 이를 압도한다. 또 활활 타오르는 듯한 수염은 내면 깊은 곳으로부터 기(氣)를 발산하는 듯하다. 그렇게 작품을 계속 바라보노라면 점차 으스스한 느낌이 들고 결국은 어느 순간 섬뜩한 공포감에 사로잡히기까지 한다.

(나) 이 사람은 누구인가? 무인(武人)인가? 그는 어려서부터 용력(勇力)이 남달랐으며 일찍이 출중한 무예를 갖추었던 인물인지도 모른다. 그리고 어떠한 극한 상황에서도 침착성을 잃지 않았던 냉엄(冷嚴)한 성품의 장군이었는지도 모른다. 아니, 어쩌면 그는 너무나도 비극적인 최후를 맞이했던 인물인지도 모른다. 첫인상은 이렇게 보는 이의 기억 속에 강렬한 에너지의 낙인을 찍어 오래도록 지속되면서 천만 가지 상념(想念)의 뿌리가 된다. (㉡) 첫인상은 그다지 믿을 만한 것이 못 되는 경우도 많다. 인상이 반드시 그 인물로부터 나오거나 결정되는 것이 아니기 때문이다. 그가 입은 옷이며 그를 둘러싼 주위 배경이라든가 그 장소의 독특했던 빛의 흐름 등등 여러 가지 외적 요소가 거기에 더해지기도 하는 것이다.

(다) 그러므로 다시 한 번 찬찬히 '자화상'을 살펴보기로 하자. 아무런 선입관이나 편견을 갖지 않고서 말이다. 인물은 정면상이다. 그러므로 정확한 좌우 대칭을 이룬다. 얼굴은 단순한 타원형이며 이목구비가 매우 단정하다. 좌우 대칭의 정면상은 입체감을 갖기 어렵다. 그러나 얼굴 전체에서 바깥으로 뻗어 난 수염이 표정을 화면 위로 떠오르게 한다. 더하여 새까만 탕건 끝이 부드러운 곡선을 이루며 휘어져 있어 머리 전체의 부피감을 요령 있게 표현해 준다. 그런데 극사실로 그려진 이 작품 속의 인물은 놀랍게도 귀가 없다. 목과 상체도 없다. 마치 두 줄기 긴 수염만이 기둥인 양 양쪽에서 머리를 떠받들고 있는 것처럼 보인다. 어쩌면 옥에 갇혀 칼을 쓴 인물처럼 머리만 따로 허공에 들려 있는 듯하다. 머리는 화면의 상반부로 치켜 올라갔다. 덩달아 탕건의 윗부분이 잘려 나갔다. 눈에 가득 보이는 것이라고는 귀가 없는 사실적인 얼굴 표현뿐인데 그 시선은 정면을 뚫어져라 응시하고 있다. 이러한 초상이 무섭지 않다면 오히려 이상한 일이다.

(라) 윤두서의 '자화상'은 우리나라 초상화 가운데서 최고의 걸작, 불후의 명작이라고 일컬어지며 국보 제240호로 지정되어 있다. 여기서 이 작품에 대해 질문을 하나 던져 보자. 도대체 작품 속의 인물이 윤두서라는 사실은 누가 어떻게 확인한 것인가? 화면상에는 이분이 누구인지 알려 주는 글씨가 한 자도 없다. 윤두서에게는 아들 윤덕희, 손자 윤용 등 그림을 잘 그렸던 자손들이 있었다. 만약 현 작품이 다만 후손들의 입을 통해서만 공재 초상이라고 전해 내려왔다면, 혹시라도 무정한 세월의 흐름 속에서 본의 아니게 잘못 전해진 것일 수도 있다. 더구나 작품에는 가로 접힌 금이 같은 간격으로 열일곱 줄이나 보인다. 이것은 작가가 종이를 둘둘 말아 둔 상태에서 그대로 납작하게 눌러 생긴 금이다. 그렇다면 이 작품은 완성된 것이 아니다. 그러므로 물론 족자로 표구(表具)되지도 않았다. 갑자기 작업이 중단된 채 오랫동안 여러 종이 뭉치 속에 섞여 있다가 뒤늦게야 후손들이 발견한 것일지도 모른다.

(마) 이상의 의문점들은 먼저 '자화상'을 꼼꼼히 살펴보고, 또 옛 분들이 남긴 윤두서에 대한 기록을 자세히 대조해봄으로써 풀어 나갈 수 있다. 먼저 윤두서와 절친했던 이하곤(1677~1724)이라는 분의 글, '윤두서가 그린 작은 자화상에 붙이는 찬문[尹孝彦自寫小眞贊]'을 살펴보기로 한다. 효언(孝彦)은 윤두서의 자이다.

(바) 여섯 자도 되지 않는 몸으로 온 세상을 초월하려는 뜻을 지녔구나! 긴 수염이 나부끼고 안색은 붉고 윤택하니, 보는 사람들은 그가 도사나 검객이 아닌가 의심할 것이다. 그러나 그 진실하게 삼가고 물러서서 겸양하는 풍모는 역시 홀로 행실을 가다듬는 군자라고 하기에 부끄러움이 없다.

(사) 찬문에 묘사된 인물의 생김생김은 분명 윤두서의 '자화상' 속 그것과 같다. 그런데 글에는 "홀로 행실을 가다듬는 군자"로서 "진실하게 삼가고 물러서서 겸양하는 풍모"를 보인다고 설명된 '자화상'의 첫인상이 어째서 무섭기까지 하다는 말인가? 일찍이 ⓐ감식안(鑑識眼)이 높았던 고(故) 최순우 전 국립 박물관장은 윤두서의 '자화상'을 처음 대했을 때의 인상을 회고하면서 거의 충격적이었다고 고백한 바 있다. 물론 앞서 말한 이 그림의 비정상적인 구도와 과감하기 이를 데 없는 생략에서 나온 감상이었다. 그 때문에 '자화상'은 그 놀라운 사실적인 묘사에도 불구하고, 아니 묘사가 사실적인 만큼 더욱더, 몽환 중에 떠오른 영상처럼 섬뜩하게 느껴졌던 것이다.

(아) 그런데 현재 이 작품에서 보이는 충격적인 회화 효과는 결코 조선 시대 사대부들이 추구하던 윤리 도덕이나 거기에 근거한 당시의 ⓑ미감(美感)과 맞아떨어지는 것이 아니다. 공자는 "ⓒ효경(孝經)"의 첫머리에서 "ⓓ신체는 터럭과 피부까지 다 부모님으로부터 받은 것이니 감히 다치고 상하게 할 수 없다. 이것이 효도의 시작이다. 그리고 몸을 세워 도를 행하여 후세까지 이름을 드날림으로써 부모님을 드러나게 할 것이니, 이것이 효도의 마지막이니라."라고 하였다. 그러므로 귀를 떼어 내고 신체를 생략한 그림을 그린다는 것은 도저히 사대부가 할 수 있는 일이 아니다. 앞에서 '자화상'의 현상이 작가가 의도한 결과물이 아니라 우연히 작업이 중단되었기 때문에 나타난 것이라고 추측한 까닭은 바로 이 때문이었다.

(자) 그런 의심을 품고 있던 1995년 가을, 국립 박물관에서 개최 예정인 '단원 김홍도전'을 준비하면서 백방으로 관련 자료를 찾던 바쁜 와중에 뜻밖에도 58년 전 윤두서 '자화상'의 옛 사진을 발견하게 되었다. 그것은 1937년 조선사 편수회에서 편집하고 조선 총독부가 발행한 "조선 사료집진속(朝鮮史料集眞續)"이라는 책의 제3집 속에 들어 있었다. 옛 사진 속의 윤두서의 모습은 지금 작품과는 크게 달랐다. 그의 몸 부분이 선명하게 그려져 있었던 것이다. 그 결과 현 상태에서 몸 없이 얼굴만 따로 떠 있는, 거의 충격적이라고 부를 만큼 지나치게 강하고 날카롭기만 한 '자화상' 속 윤두서의 생김새가 원래는 훨씬 어질어 보이는 얼굴에 침착하고 단아한 분위기를 띠고 있었다는 사실을 알게 되었다.

(차) 그렇다! 이것이 바로 조선의 선비다. 조선 선비라면 어디까지나 원만하게 ⓓ중용(中庸)의 미감을 지켜 나가야 그 학문인 성리학의 정신에 걸맞다. 윤두서는 옛 사진 속에서 도포를 입고 있었다. 단정하게 여민 옷깃과 정돈된 옷 주름 선은 완만한 굴곡을 갖는 고르고 기품 있는 선으로 이루어졌다. 넓은 깃에 깨끗한 ⓔ동정을 달았으므로 딱딱한 동정과 부드러운 천 사이에는 살짝 주름이 잡혔다. 그 동정과 깃의 턱이 진 이중 구조는 인물을 포근하게 감싸 안듯이 얼굴을 받쳐 주고 있다. 그리고 화면 아래 좌우 구석은 주인공이 편안한 자세로 앉았을 때 생기는 자잘한 주름으로 마무리되었다. 그러나 가장 두드러진 차이점은 안면에서 배어나는 인자함이었다. 너무나도 따뜻해 보이는 감성적인 얼굴과 총명하기 이를 데 없는 눈빛이 거기 있었던 것이다.

(카) 원래 있었던 윤두서 '자화상' 사진 속의 상반신 윤곽선이 그 후 어떻게 해서 감쪽같이 없어졌을까? 비밀은 몸이 ⓕ유탄(柳炭)으로 그려진 데에 있었다. 유탄이란 요즘의 스케치 연필에 해당하는 것으로 버드나무 가지로 만든 가는 숯이다. 이것은 화면에 달라붙는 점착력이 약해서 쉽게 지워진다. 그래서 소묘하다가 수정하기에 편리하므로 통상 밑그림을 잡을 때 사용한다. 그런데 '자화상'의 경우, 주요 부분인 얼굴부터 먹선을 올려 정착시키고 몸체는 우선 유탄으로만 형태를 잡는 과정에서 그 몸에 미처 먹선을 올리지 않은 상태, 즉 미완성의 상태로 전해 오다가 언젠가 그 부분이 지워져 버린 것이다. 아마도 미숙한 표구상이 구겨진 작품을 펴고 때를 빼는 과정에서 표면을 심하게 문질러 유탄 자국을 아예 지워 버리게 된 것 같다. 자세히 보면 옛 사진에서는 두드러져 보이는 종이 바탕의 꺾인 자국이 현 상태에서는 부드럽게 녹아 있다. 그렇게 문지르는 동안 원작품이 가졌던 풍부한 질감, 특히 안면의 부드러운 질감이 희생되고 뼈대가 되는 선적인 요소만 남게 된 것이다.

(타) 이제 지금껏 조선 초상화의 최고 걸작이며 파격적인 구도를 가진 완성작이라고 생각되어 온 '자화상'은 미완성작임이 확인되었다. 그래서 귀가 없었던 것이다. 또 완벽하게 마무리된 수염에 반하여 눈동자 선이 너무 진하고 약간 생경해

보이는 것도 그 때문이었다. 하지만 미완성작임이 드러났다고 해서 실망할 것은 없다. 작품의 예술성도 미완성이라고는 절대 말할 수 없기 때문이다. '자화상'은 완벽하다. 미켈란젤로는 일찍이 '노예상'을 조각하면서 미처 다 쪼아 내지 못한 대리석 조각을 남겼다. 그런데 이 미완성작은 오히려 드물게 보는 걸작이라고 평가된다. 다듬어지지 않은 돌이라는 작품 재질과 그로부터 영혼이 깃든 형상을 이끌어 내려는 작가 의식 사이에 말할 수 없이 팽팽한 긴장감이 감돌고 있기 때문이다. 그와 같이 '자화상' 또한 미완성작이지만 오히려 그 덕분에 마지막 손질이 더해지지 않은, 작가 자신에 대한 심오한 상념이 전개되는 과정, 그리고 생생한 자기 성찰의 흔적을 그대로 보여 준다. 그렇다면 미켈란젤로나 윤두서는 어쩌면 똑같이 미완성작 속에서 더 이상 손댈 수 없는 완전성을 감지하고서 그 이상의 작업을 스스로 포기했던 것인지도 모른다.

11 위와 같은 글에 대한 설명으로 가장 적절한 것은?

① 전문가들이 제시하는 가치 판단의 기준에 따라 문학 작품을 선택하여 읽고, 분석이나 설명의 근거를 찾아 평가하는 활동이다.
② 문학, 음악, 미술, 연극, 영화, 드라마 등 다양한 대상의 내용과 구성 등을 분석하고 비평하는 글이다.
③ 어떤 사실이나 현상, 가치 등에 대해 자신의 주장을 논리적으로 쓴 글이다.
④ 객관적이고 구체적인 정보를 바탕으로 독자의 지적 수준에 맞게 정확하고 명료하게 써야 하는 글이다.
⑤ 어떤 문제에 대하여 개인이나 기관에 문제 해결을 요구하거나 제안하고자 쓰는 글이다.

12 글쓴이가 언급한 ㉮의 첫인상과 상념으로 적절하지 않은 것은?

① 작품 속 인물의 눈매가 상당히 매서워 압도당한다.
② 활활 타오르는 듯한 수염은 내면 깊은 곳으로부터 기를 발산하는 듯하다.
③ 작품 계속 보면 점차 으스스한 느낌이 들고 결국에는 섬뜩한 공포감에 사로잡힌다.
④ 그림 속 인물에 대한 여러 가지 추측을 하게 된다.
⑤ 화가의 눈에 비친 윤두서의 모습을 있는 그대로 사실적으로 나타내었다.

13 글쓴이가 생각한 '자화상'의 인물 외양 묘사의 특이점에 대한 설명으로 가장 적절한 것은?

① 크지 않은 몸에서 온 세상을 초월하려는 뜻이 느껴진다.
② 인물의 귀와 목, 상체가 없고 머리가 상반부로 치켜 올라가 탕건이 잘려있어서 극사실로 그려진 화법과 배치된다.
③ 수염과 안색을 통해 도사나 검객이라는 생각이 든다.
④ 윤두서의 아들이 그렸기 때문에 인물의 특징이 잘 나타나있다.
⑤ 윤두서의 실제 모습과는 다르게 묘사된 부분이 많다.

14 ㉮에 들어갈 내용으로 가장 적절한 접속어는?

① 예를 들어　　　② 그러나　　　③ 그래서　　　④ 그러므로　　　⑤ 또한

15 이 글에서 (바) 단락의 역할로 가장 적절한 것은?

① '자화상'에 대한 글쓴이의 의문을 해결하는 단서가 된다.
② 통념에 대한 반박을 할 수 있게 한다.
③ 예상되는 반론에 대한 반박의 근거로 활용하고 있다.
④ 특정 이론이 가진 문제점의 구체적 사례로 활용되고 있다.
⑤ 시간의 흐름에 따라 대상이 발달하는 과정의 한 부분으로 활용되고 있다.

16 ㉯를 표현한 한자성어로 알맞은 것은?

① 신체발부 수지부모　　　② 입신행도 양명어후세　　　③ 불감훼상 효지시야
④ 이현부모 효지종야　　　⑤ 신체발부 효지시야

17 다음 중 〈보기〉의 내용과 가장 부합하는 단락은?

┤ 보기 ├

　　윤두서는 당쟁으로 어지러운 현실 속에서도 학문을 게을리하지 않았고, 당파성에 초연하였으며 인간적인 욕망을 극복하고자 하였다. 그가 그림을 그릴 때는 먼저 대상을 면밀히 관찰하고, 털끝 하나까지 그 참모습에 의심이 없다고 생각하였을 때 비로소 붓을 들었다고 전해진다. 또 그려진 그림이 터럭 하나라도 참모습과 다르면 즉시 찢어 버렸다고 한다.

① (다)　　　② (라)　　　③ (마)　　　④ (바)　　　⑤ (아)

18 ⓐ~ⓔ의 사전적 의미로 적절하지 <u>않은</u> 것은?

① ⓐ : 어떤 사물의 가치나 진위 등을 구별하여 알아내는 눈

② ⓑ : 아름다움에 대한 느낌, 또는 아름다운 느낌

③ ⓒ : 공자가 제자인 증자에게 전한 효도에 관한 논설 내용을 기록한 책

④ ⓓ : 지나치거나 모자라지 아니하고 한쪽으로 치우치지도 아니한, 떳떳하며 변함이 없는 상태나 그 정도

⑤ ⓔ : 남의 어려운 처지를 자기 일처럼 알아주거나 가엾게 여기는 마음

19 다음 중 ㉺에 대한 설명으로 적절하지 <u>않은</u> 것은?

① 윤두서의 '자화상'의 몸을 그리는데 사용되었다.

② 점착력이 약해서 쉽게 지워진다.

③ 수정하기에 편리해 통상 밑그림을 잡을 때 사용된다.

④ 그림의 풍부한 질감을 효과적으로 나타낼 때 사용된다.

⑤ 현대의 스케치 연필에 해당하는 것으로 버드나무 가지로 만든 가는 숯이다.

20 이 글을 읽은 후 '윤두서'에 대해 정리한 내용으로 적절하지 <u>않은</u> 것은?

① 비극적인 최후를 맞이했던 인물이다.

② 아들 윤덕희와 손자 윤용 등은 그림을 잘 그렸다.

③ '이하곤'과 매우 친하게 지냈다.

④ 키는 약 180cm정도로 안색은 붉고 윤택했다.

⑤ 호는 '공재'이고 자는 '효언'이다

정책 토론의 원리와 방법

사회에 문제가 생겼을 때 적절한 시기에 해결 방안을 마련하지 않으면 피해가 커져 심각한 상황이 발생하게 된다. 이때 공동체는 새로운 해결 방안으로 현재의 문제를 충분히 해결할 수 있는지, 해결 방안으로 말미암아 예상하지 못한 부작용이 발생하지는 않을지 등을 면밀히 살펴보아야 한다. 정책 토론의 본질적인 목적은 정책적 변화와 관련하여 중요하게 다루어야 할 쟁점들을 찬성과 반대로 나누어 *엄정(嚴正)하게 따져 보는 데에 있다.

새로운 해결 방안을 검토할 때 고려할 사항
정책 토론의 목적

입증 책임의 원리

정책 토론의 논제는 '현재 상태'를 기준으로 하여 어떤 제도나 정책의 변화를 요구하는 것이다. 토론에서는 찬성 측이 현재 상태에 대한 변화를 주장하므로, 찬성 측에 *입증 책임이 있다. 이때 입증 책임이란 주장이 수용되도록 증명해야 하는 책임을 의미한다. 그리고 반대 측은 찬성 측의 주장을 쟁점에 따라 면밀히 검토하며 *반박하는 역할을 맡게 된다.

정책 토론의 논제 진술 방향
찬성 측의 역할
'입증 책임'의 개념
반대 측의 역할

주장만 하고 입증을 하지 않는 것은 무책임한 일이다. 올바른 설득을 위해서는 자신의 주장에 입증 책임을 지려는 태도가 필요하다.

쟁점별 논증 구성 방법

효과적으로 토론을 하기 위해서는 논제에 따라 쟁점을 분석하여 논증해야 한다. 입증 책임이 있는 찬성 측이 첫 번째 입론에서 제도나 정책의 변화를 주장하며 논제와 관련해 반드시 짚어야 할 쟁점들이 있는데, 이를 '필수 쟁점'이라고 한다. 찬성 측 첫 번째 입론에서 찬반 양측이 공유해야 할 쟁점들이 언급되지 않는다면, 반대 측이 이에 관해 질문하고 반박할 수 있는 기회가 제한되어 중요한 *사안들이 충분히 검토되지 않는 문제가 발생할 수 있다.

'필수 쟁점'의 개념
찬성 측 첫 번째 입론에서 필수 쟁점이 언급되어야 하는 이유

---

*엄정하게: 날카롭고 공정하게
*입증: 어떤 증거 따위를 내세워 증명함
*반박: 어떤 의견, 주장, 논설 따위에 반대하여 말함
*사안: 법률이나 규정 따위에서 문제가 되는 일이나 안

정책 논제의 필수 쟁점은 다음과 같다. 찬성 측은 <u>현재 존재하는 문제가 심각하므로</u> <u>찬성 측에서 제시한 방안으로</u>
　　　　　　　　　　　　　　　　　　　　　　　　'문제' 쟁점　　　　　　　　　　　　'해결 방안' 쟁점
<u>해결할 것을 주장한다.</u> 반대 측은 <u>현재의 문제가 심각하지 않으며,</u> <u>찬성 측이 제시한 해결 방안으로는 문제를 해결할</u>
　　　　　　　　　　　　　　'문제' 쟁점　　　　　　　　　　　　　　'해결 방안' 쟁점
<u>수 없음을 주장한다.</u> 이와 더불어 <u>해결 방안의 이익과 비용을 논의</u>하게 된다. 즉, '문제 → 해결 방안 → 이익/비용'의
　　　　　　　　　　　　　　　'이익/비용' 쟁점
쟁점별로 논증이 구성된다.

찬성 측	필수 쟁점	반대 측
• 문제가 중대하며 피해가 심각하다. • 문제는 지속되며 시급하게 조치해 　야 한다.	→ 문제 ←	• 문제가 중대하지 않으며 피해가 심각 　하지 않다. • 문제는 자연스럽게 해결되며 시급한 　조치가 필요 없다.
• 해결 방안으로 문제가 해결된다. • 해결 방안이 실행 가능하다.	→ 해결 방안 ←	• 해결 방안으로 문제가 해결된다는 보 　장이 확실하지 않다. • 해결 방안이 실행이 가능하지 않다.
비용보다 효과 및 이익이 더 크다.	→ 이익/비용 ←	효과 및 이익보다 비용이 더 크다.

설득력 있는 논증 구성

합리적인 설득을 위해서는 논증이 매우 중요하므로 좋은 논증을 구성하는 것은 토론의 핵심이다. 이유나 근거 없
이 단순하게 주장만 제시하는 것은 설득력이 부족하다. 설득력 있는 논증을 하기 위해서는 다음과 같이 주장을 분명
하게 진술하고 그 진술을 뒷받침할 수 있는 구체적인 이유와 근거를 제시해야 한다.

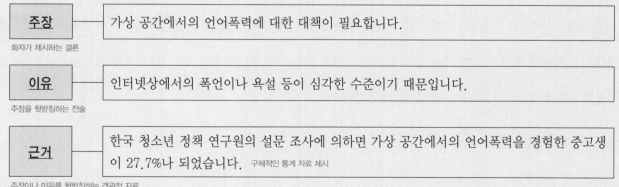

주장
화자가 제시하는 결론
가상 공간에서의 언어폭력에 대한 대책이 필요합니다.

이유
주장을 뒷받침하는 진술
인터넷상에서의 폭언이나 욕설 등이 심각한 수준이기 때문입니다.

근거
주장이나 이유를 뒷받침하는 객관적 자료
한국 청소년 정책 연구원의 설문 조사에 의하면 가상 공간에서의 언어폭력을 경험한 중고생
이 27.7%나 되었습니다. 구체적인 통계 자료 제시

설탕세를 부과해야 한다

사회자: 안녕하십니까? 오늘 토론의 논제는 '설탕세를 부과해야 한다'입니다. 최근 설탕과 관련해 건강 문제가 *대두되면서
<u>토론의 논제</u>

설탕에 세금을 부과해야 한다는 입장과 이에 반대하는 입장이 팽팽히 맞서고 있습니다. 오늘은 네 분의 토론자를 모시고

이에 관해 토론해 보도록 하겠습니다. 먼저 찬성 측 첫 번째 토론자의 입론으로 토론을 시작하겠습니다.

찬성 1: 본격적인 토론에 앞서 논제와 관련된 개념을 정의하고자 합니다. <u>설탕세란 과일과 같은 천연 당을 제외하고 설탕이나</u>
이 토론에서의 '설탕세'의 개념

<u>액상 과당 같은 당이 함유된 식품에 당 함유량에 따라 차등을 두어 부과하는 세금을 말합니다.</u>

　문제　최근 당 섭취 증가에 따른 건강 문제가 심각합니다. <u>당 섭취는 각종 질병의 발생 위험을 높입니다.</u> 식품 의약
문제　　　　　　　　　　　　　　　　　　　　문제의 심각성 1

품 안전처에 따르면 <u>가공식품으로부터 일일 권장 열량의 10% 이상 당류를 섭취한 사람이 그렇지 않은 사람보다 비만 발생</u>
근거 - 통계 자료

<u>위험은 39%, 고혈압 발생 위험은 66% 높다고 합니다.</u> 또한 과도한 당 섭취로 의료비 부담이 증가하고 있습니다. <u>국민 건</u>
문제의 심각성 2

<u>강 보험 공단의 연구에 의하면 지난 8년간 비만 관련 사회적 비용은 2.2배 증가했습니다. 또 고혈압, 당뇨 등 만성 질환</u>
근거 - 통계 자료

<u>진료비는 국내 전체 진료비 중 35%를 차지합니다.</u> 이러한 추세라면 당 섭취에 따른 문제가 점차 커질 것이므로 조치가 시
문제의 지속성과 시급한 조치의 필요성

급합니다.

　해결 방안　이 문제를 해결하기 위해 저희는 설탕세 부과를 주장합니다. <u>설탕세를 부과하면 가격이 오른 당 함유 식품의</u>
해결 방안　　　　　　　　　문제 해결 가능성 - 설탕세 부과로 당 섭취에 따른 건강 문제를 해결할 수 있음

<u>소비가 감소해 국민의 당 섭취량이 자연스럽게 줄게 됩니다.</u> 또한 식품 제조 업체는 제품 가격 상승과 그에 따른 소비 감

소를 피하기 위해 자연히 식품에 첨가하는 당을 줄이게 됩니다. <u>설탕세는 현재 제품마다 표시하고 있는 당 함유량에 따라</u>
실행 가능성 - 설탕세는 실행 가능함

<u>그램당 기준을 정하여 부과하면 되므로 과세 기준 마련이 용이합니다.</u> 법제화만 된다면 즉시 시행이 가능합니다.

　이익/비용　설탕세를 부과하면 우선 <u>비만, 당뇨병 등의 질병을 예방하여 국민 건강 증진에 도움이 됩니다.</u> 또한 <u>질병 관</u>
이익 및 효과 1

<u>리에 드는 비용을 줄일 수 있어 가정 경제 및 국가 재정에 도움이 됩니다.</u> 이처럼 <u>설탕세는 법제화 비용보다 질병에 따른</u>
이익 및 효과 2　　　　　　　　　　　　　　　　　　　　　　　이익 〉 비용

<u>사회적 비용 절감 효과가 크므로 반드시 도입해야 합니다.</u>

*대두: 어떤 세력이나 현상이 새롭게 나타남

사회자: 이어서 반대 측 토론자의 반대 신문이 있겠습니다.

반대 2: 설탕세를 부과하면 자연스럽게 당 섭취량이 감소한다고 하셨는데, 직접적인 인과 관계를 입증할 수 있습니까?
<small>설탕세와 당 섭취 간의 인과 관계에 대한 질문 → 찬성 측의 해결 방안의 논리적 허점을 지적하고자 함</small>

찬성 1: 세계 보건 기구(WHO)의 보고서에 따르면 당이 포함된 음료에 20%의 설탕세를 부과하면 이에 비례하는 소비 감소 효과가 있다고 합니다.

반대 2: 저가의 수입 식품이나 인공 감미료 등으로 고가의 가당 식품을 대체할 가능성이 높은데, 오히려 교육이나 홍보가 바람직하지 않을까요?
<small>설탕세의 실효성에 대한 질문 → 찬성 측이 제시한 해결 방안의 문제점을 지적하고자 함 / 반대 측의 대안</small>

찬성 1: 교육이나 홍보 정책의 성공 사례는 확인하지 못했습니다.

사회자: 다음으로 반대 측 첫 번째 토론자의 입론이 있겠습니다.

반대 1: 　문제　 설탕세 부과의 핵심 논리가 비만이나 당뇨병 같은 질병을 예방하고 국민 건강을 증진한다는 것인데요. 당 섭취는 질병 발생의 가장 큰 원인이라고 보기 어렵습니다. 비만의 주요 원인은 고지방, 정제된 탄수화물, 운동 부족, 불규칙한 식사로,
<small>당 섭취로 인한 질병 발생 문제는 심각하지 않음</small>
보건 복지부도 '국민 공통 식생활 지침'을 통해 "아침밥을 꼭 먹자, 과식을 피하고 활동량을 늘리자." 등을
<small>근거 - 권위 있는 기관의 자료 인용</small>
*권고하고 있습니다. 또한 당뇨병은 당을 많이 섭취하여 발생하는 것이 아닙니다. 왜냐하면 당뇨병은 탄수화물의 대사를 조절하는 *인슐린이 부족해서 생기는 병이기 때문입니다. 즉, 당 섭취가 국민 건강을 위협한다고 볼 수 없습니다. 그리고
<small>문제 - 당 섭취로 인한 건강 문제가 심각하지 않음</small>
정부에서 아무것도 안 하고 있는 것은 아닙니다. 식품 의약품 안전처는 학교 내의 탄산음료 판매를 제한하고 식품에 당류
<small>정부 차원의 당 섭취 제한 노력이 이루어지고 있음</small>
표시를 강화했는데요, 이러한 정책상의 권고가 얼마나 효과적인지는 미국의 사례를 통해 알 수 있습니다. 미국에서는 어린
<small>사례 제시</small>
이 대상 자판기에 열량이나 당 등 영양 성분에 따라 진열 칸의 색을 구분해 음료를 배치했는데, 당 함유량이 가장 많은 빨간 칸의 음료 매출이 6개월 만에 62.1%에서 44.3%로 감소했습니다. 즉, 당 섭취 문제는 단순 권고만으로도 자연스럽게
<small>문제는 자연스럽게 해결되며, 시급한 조치가 필요하지 않음</small>
해결될 수 있습니다.

　해결 방안　 찬성 측에서는 설탕세를 부과하면 당 섭취량이 줄어 국민 건강에 도움이 된다고 하셨습니다. 그러나 이러한 찬성 측의 논리에 따르면 나트륨 과다 섭취 문제와 관련해 소금세를 부과하는 등 건강에 악영향을 미치는 모든 식품에 세
<small>실행 가능성 1 세금 부과의 어려움</small>
금을 부과해야 하는데, 이는 현실적으로 불가능합니다. 또 일상적으로 먹는 음식에 세금을 부과하는 것에 대한 사회적 거
<small>실행 가능성 2 사회적 거부감</small>
부감도 높습니다.

　이익/비용　 설탕세의 부과는 사람들이 외국의 저렴한 가당 식품을 구입하거나, 인공 감미료 등 건강에 좋지 않은 음식을
<small>비용 1</small>
섭취하는 부작용을 낳을 수 있습니다. 또 식품 업체가 가격을 인상하면 소비자의 경제적 부담만 늘게 됩니다. 그러므로 설
<small>비용 2</small>
탕세 부과는 불필요합니다.
<small>이익 〈 비용</small>

*권고: 어떤 일을 하도록 권함, 또는 그런 말　　　　　　　　*인슐린: 탄수화물 대사를 조절하는 호르몬 단백질

사회자: 이어서 찬성 측 토론자의 반대 신문이 있겠습니다.

찬성 1: 보건 복지부가 권고한 식생활 지침에 당 섭취에 관한 내용도 있지 않나요?
<small>인용한 자료에 대한 질문 → 반대 측 근거의 허점을 지적함</small>

반대 1: "덜 짜게, 덜 달게, 덜 기름지게 먹자."나 "단 음료 대신 물을 충분히 마시자."라는 항목도 있습니다. 다만 건강을 해

하는 주요인이 설탕은 아니라는 것을 말씀드리고자 한 것입니다.

찬성 1: 간식, 탄산음료 등의 섭취를 줄이자는 식습관 개선 권고는 오래전부터 해 왔지만 큰 효과가 없었습니다. 설탕세를 부
<small>반대 측의 대안이 효과가 없었음을 지적함</small>

과하는 것이 국민 건강 증진에 더욱 효과적인 방안이 아닐까요?

반대 1: 미국의 사례만 보더라도 단순 권고만으로도 효과가 있습니다. 무조건 세금으로 규제하는 것은 섣부른 판단이라고 생

각합니다.

사회자: 찬성 측 두 번째 토론자의 입론이 있겠습니다.

찬성 2: 설탕세는 부과해야 합니다. 비만 관련 국민 건강 문제가 심각하기 때문입니다. 보건 복지부의 건강 실태 조사 결과에
<small>근거 - 통계 자료</small>

의하면 우리나라의 평균 비만율은 2008년 21.6%에서 2014년 25.3%로, 연간 약 0.6퍼센트포인트씩 상승했습니다. 또한

경제 협력 개발 기구(OECD)에 따르면 우리나라 5~17세의 과체중 비율은 남자 26.4%, 여자 14.1%로, 남자의 경우 경제

협력 개발 기구 회원국 평균인 24.3%보다 높습니다. 이는 6~11세의 46.6%, 12~18세의 44%가 가공식품으로부터 당류

를 권고 기준 이상으로 섭취하였다는 국민 건강 영양 조사의 결과와 무관하지 않습니다.

　　반대 측에서는 서민들의 경제적 부담이 늘지 않겠느냐고 우려하셨지만, 설탕세로 당 함유 식품 가격이 오르면 이러한
<small>설탕세 부과로 서민들의 경제적 부담이 증가하지 않음</small>

식품에 대한 소비가 줄게 되므로 오히려 반대 측에서 우려하신 결과는 나타나기 어렵습니다. 건강 문제가 날로 심각해지는

현 상황에서 문제 해결을 개인의 자유에 맡기고 단순히 권고만 하는 것은 국가가 역할을 제대로 못 하는 것이라 할 수 있
<small>단순 권고만으로는 문제 해결이 어려우므로 국가가 설탕세를 부과하는 적극적 조치를 해야 함</small>

습니다. 그러므로 설탕세를 부과해야 합니다.

사회자: 반대 측 토론자의 반대 신문이 있겠습니다.

반대 1: 비만율이 높다고 하셨는데, 비만의 원인이 설탕뿐입니까?
<small>사실 확인</small>

찬성 2: 설탕뿐이라고 할 수는 없지만, 비만은 당 섭취와 밀접한 관련이 있습니다.
<small>위의 사실 확인을 통해 찬성 측으로 하여금 설탕만이 비만의 원인이 아님을 스스로 인정하도록 함</small>

반대 1: 비만의 원인이 설탕만이 아니라는 것을 인정하셨습니다. 비만은 나트륨 섭취와도 관련이 있습니다. 우리 국민의 일일

나트륨 섭취량은 세계 보건 기구(WHO)의 일일 권장량의 두 배가 넘는데, 이러한 나트륨에 관해서는 아무 말씀이 없으시
<small>비만은 나트륨 섭취와도 관련되므로 설탕세만 주장하는 것은 모순이라 지적함</small>

고, 설탕세만 주장하시는 이유가 무엇입니까?

찬성 2: 설탕세는 비만, 특히 소아 비만의 해결책으로 언급되며 미국, 멕시코 등 전 세계적으로 도입되었거나 도입이 논의되

고 있는 방안이기 때문입니다.

사회자: 반대 측 두 번째 토론자의 입론이 있겠습니다.

반대 2: 다른 나라보다 비만율이 높지 않은 우리나라에서 설탕세를 부과하는 것은 바람직하지 않습니다. 정부에서도 우리 국민의 비만 문제가 심각하지 않고 식음료 원가 상승에 따른 서민 부담이 있으므로 설탕세 도입은 시기상조라고 판단하였습니다. 이러한 상황에서 설탕세를 부과하는 것은 서민 경제를 압박하는 행위입니다.

　설탕세를 부과하면 실제로는 당 함유 제품을 만드는 기업이 세금 부담을 소비자에게 *전가할 가능성이 큽니다. 또한 덴
<small>설탕세 부과로 예상되는 부작용 1</small>
마크에서 고열량 식품에 세금을 부과했는데, 오히려 국민들이 이러한 식품을 인근 국가에서 구매하여 자국의 식품 산업이
<small>설탕세 부과로 예상되는 부작용 2</small>
위축되고 고용이 감소하는 결과로 이어졌습니다. 이처럼 악순환의 가능성이 있는 설탕세 부과는 옳지 않습니다.

사회자: 찬성 측 토론자, 반대 신문을 시작해 주십시오.

찬성 2: 기업이 국민에게 세금 부담을 떠넘긴다고 하셨는데 주관적 판단 아닌가요? 어떤 근거로 말씀하신 거죠?
<small>반대 측 주장을 뒷받침하는 객관적 근거를 요구하는 질문</small>

반대 2: 기업에서는 세금에 따른 손해를 부담하려 하지 않습니다. 가격을 인상하거나 제품의 용량을 줄여 설탕세의 부담을 소비자에게 돌린다는 말입니다.

찬성 2: 설탕세 도입에 따른 해당 제품의 가격 인상을 피하려면 기업에서 제품의 당 함량을 줄이면 됩니다. 그러면 설탕세가
<small>찬성 측이 제시한 해결 방안인 설탕세의 실효성에 대한 질문</small>
실효성이 있는 것 아닙니까?

반대 2: 그럴 수도 있지만, 모든 음식에서 무조건 당 함량을 낮추는 것은 불가능하므로 가격 상승은 *필연적이라고 볼 수 있습니다.

사회자: 지금까지 찬성 측과 반대 측의 입론과 반대 신문이 있었습니다. 이제 반박을 들어 보겠습니다. 반대 측 첫 번째 토론자, 시작해 주세요.

반대 1: 과연 설탕을 규제하는 것만이 건강을 관리하는 유일한 길일까요? 아닙니다. 올바른 식습관과 규칙적인 생활 습관이
<small>자문자답의 방법을 사용함 → 주장 강조</small>
먼저입니다. 즉, 설탕 섭취를 바르게 할 수 있도록 홍보하고 교육하는 정책을 시행해야 합니다. 권고도 하기 전에 강압적
<small>설탕세 부과에 대한 반대 측의 대안</small>
으로 세금을 부과하는 것은 서민의 경제적 부담을 키우는 정책이 아닌가 싶습니다.

　덴마크, 멕시코 등에서 설탕세와 같은 세금을 도입하였지만 모두 부작용을 겪었습니다. 또 2014년 유럽 의회(EC)의 보
<small>해외의 사례　　　　　　　　　　　　　　　　　권위 있는 기관의 자료 인용</small>
고서에서도 설탕세 부과가 결과적으로 더 해로운 성분의 소비를 증가시킬 수 있다고 지적하고 있습니다. 따라서 이처럼 부작용이 큰 설탕세 부과는 불필요합니다.

---

*전가: 조세 부담이 사경제적인 유동 과정을 통하여 납세자로부터 다른곳으로 이전됨
*필연적: 사물의 관련이나 일의 결과가 반드시 그렇게 될 수밖에 없는. 또는 그런 것

사회자: 찬성 측 첫 번째 토론자의 반박이 있겠습니다.

찬성 1: 반대 측에서는 설탕세가 서민의 경제적 부담을 높인다고 하셨습니다. 물론 단기적으로는 그렇게 보일 수 있습니다. 하지만 앞서 말씀드린 것처럼 당이 함유된 식품의 섭취는 비만, 당뇨와 같은 건강 문제와 *직결됩니다. 설탕세를 부과하면 당이 함유된 식품의 소비가 줄어들기 때문에 질병 발생 위험이 낮아지고, 장기적으로는 의료비 부담이 줄어 오히려 이익입니다.
<u>설탕세 부과로 예상되는 효과 강조</u>

　반대 측에서 설탕세 도입은 시기상조라고 하셨는데요. 이 시기상조라는 말은 우리나라의 비만율이 일정 수준을 넘는다면 <u>반대 측 주장의 논리적 허점을 지적함</u> 설탕세의 도입이 필요하다는 것을 전제하고 있습니다. 따라서 반대 측도 설탕세의 필요성을 인정한 것으로 볼 수 있습니다. 당 섭취량이 심각한 수준으로 증가하기 전에 설탕세를 부과해야 미래에 건강 문제가 심각해지는 것을 예방할 수 있습니다.

사회자: 반대 측 두 번째 토론자의 반박이 이어지겠습니다.

반대 2: 설탕세는 사회적 부담을 서민에게 떠넘기는 행위라고 생각합니다. 비만은 식습관의 변화, 운동 부족의 환경 등에서 <u>비만은 개인의 문제가 아니라 사회적 문제임</u> 비롯되는 사회적 문제입니다. 세금을 통해 이를 해결하려는 것은 사회적 문제를 서민의 책임으로 돌리는 것이지요. 이는 바람직하지 않습니다.

　또한 이러한 방식으로 정부가 세금을 늘릴 가능성이 있습니다. 설탕세 다음은 아까 논의되었던 소금세 등이 순차적으로 <u>나트륨도 비만의 원인이 되므로</u> 부과되겠죠? 세금이 늘어나면 서민 경제는 어려워지고 그에 따라 기업의 수익도 감소하며, 일자리도 줄어들게 됩니다. 즉, <u>정부의 증세는 경제적 차원의 부작용을 야기함</u> 경제적인 측면에서 심각한 부작용과 비용이 발생하게 됩니다. 설탕세 부과보다는 건강에 대한 홍보나 교육을 강화하고, 당 <u>반대 측의 대안</u> 함유 식품의 과도한 광고를 규제하는 것이 더욱 실효성 있는 방안입니다.

사회자: 끝으로 찬성 측 두 번째 토론자의 반박이 있겠습니다.

찬성 2: 설탕은 질병 발생의 큰 원인이라는 점을 앞에서 말씀드렸습니다. 설탕세를 통해 당 섭취에 대한 조치를 취하지 않는다면, 추후 보건 관련 사회적 비용이 상당히 늘어날 것입니다.

　반대 측에서는 세금 부과가 국민에 대한 압박이라고 말씀하시는데, 세금은 국가가 자국민을 위한 정책이나 사업을 시행하기 위해 부과하는 것입니다. 설탕세는 국민의 종합적인 건강 증진 등 복지 확대를 목적으로 하므로, 이를 압박이라고 생 <u>찬성 측이 주장하는 설탕세 부과의 목적</u> 각하는 것은 무리가 있습니다. 우리나라의 설탕세는 예방의 성격이 강합니다. 현재 우리나라 12~18세 청소년의 당류 섭취 <u>근거 - 통계 자료</u> 량은 2013년 식품 의약품 안전처의 국민 건강 영양 조사 통계 기준 81.4g으로, 세계 보건 기구(WHO) 권고 기준 50g을 상당히 초과하고 있습니다. 당장 비만율이 높지 않으니 괜찮다며 무시하기 어렵습니다. 그러므로 미래의 국민 건강을 위해 <u>장기적인 관점에서 설탕세 부과를 고려해야 함</u> 설탕세를 즉시 도입할 필요가 있습니다.

사회자: 네. 지금까지 설탕세 부과에 관한 양측의 의견을 들어 보았습니다. 이것으로 오늘 토론을 마치겠습니다. 모두 수고하셨습니다. 감사합니다.

*직결: 사이에 다른 것이 개입되지 않고 직접 연결됨

01 논제란 토론의 주제를 말한다.　　　　　　　　　　　　　　　　　　　　　O☐ ×☐

02 토론에서 찬성 측과 반대 측의 의견이 나뉘는 지점을 가리키는 논점을 무엇이라 하는가?　　[　　　　　]

03 사실 논제란 어떤 사안이 참이냐 거짓이냐를 다루는 논제이다.　　　　　　　　　O☐ ×☐

04 가치 논제란 문제에 대한 해결 방안을 다루는 논제이다.　　　　　　　　　　　O☐ ×☐

05 정책 논제란 무엇이 옳고 그른지에 대한 가치 판단을 다루는 논제이다.　　　　　O☐ ×☐

06 논제는 어느 한편에 유리하게 작용할 수 있는 가치 판단이 배제된 중립적인 표현을 사용하여야 하며, 긍정의 평서문으로 진술해야 한다.　　　　　　　　　　　　　　　　　　　　　　　　　O☐ ×☐

07 정책 토론에서는 현재 상태를 유지하는 방향으로 논제를 진술해야 한다.　　　　O☐ ×☐

08 논증이란 여러 근거를 들어 자신의 주장이 참이라는 것을 증명하거나 설득하는 방법이다.　　O☐ ×☐

09 논증의 요소에는 화자가 제시하는 결론인 (　　　　), 주장을 뒷받침하는 진술인 (　　　　), 주장이나 이유를 뒷받침하는 객관적 자료인 (　　　　)가 있다.

10 정책 토론에서는 찬성 측이 현재 상태에 대한 유지를 주장한다.　　　　　　　O☐ ×☐

11 정책 토론의 논제는 '현재 상태'를 기준으로 하여 어떤 제도나 정책의 변화를 요구하는 것이다.　O☐ ×☐

12 '필수 쟁점'은 찬성 측의 첫 번째 입론에서 반드시 언급될 필요는 없다.　　　　O☐ ×☐

13 설득력 있는 논증을 구성하기 위해서는 '주장'을 분명히 진술하고 '이유'나 '근거' 모두 적절히 제시하여야 한다.　　　　　　　　　　　　　　　　　　　　　　　　　　　　　　　O☐ ×☐

14 정책 토론의 필수 쟁점은 문제, 해결 방안, 이익/비용으로 구성된다.　　　　　O☐ ×☐

15 찬성 1의 입론에서는 당 섭취 증가로 인한 질병 발생 위험을 문제 삼으며, 당 섭취 감소를 위한 해결 방안으로 설탕세 부과를 제시했다.　　　　　　　　　　　　　　　　　　　　　　　　O☐ ×☐

16 반대 1의 입론에서는 당 섭취는 질병 발생의 가장 큰 원인이 아니며 단순 권고로 해결이 가능하다고 보며, 설탕세 부과는 실행이 가능하지 않으며 여러 부작용이 있음을 제시했다.　　　　　　　O☐ ×☐

17 반대 신문식 토론은 찬성 측과 반대 측이 각각 2인으로 구성되며, 각 토론자는 입론, 반대 신문, 반박의 발언을 1회씩 한다.　　　　　　　　　　　　　　　　　　　　　　　　　　　　O☐ ×☐

18 반대 신문식 토론에서는 현재 상태의 변화를 주장하는 반대 측이 첫 번째 발언을 시작한다.　O☐ ×☐

19 반대 측은 현재 상태의 변화를 주장하기 때문에 찬성 측보다 그 부담이 상대적으로 크다.　O☐ ×☐

20 찬성 측의 부담으로 인한 균형을 맞추기 위해 청자에게 영향력이 큰 마지막 발언 기회는 찬성 측에게 부여한다.　　　　　　　　　　　　　　　　　　　　　　　　　　　　　　O☐ ×☐

객관식 기본문제

[01~03] 다음 글을 읽고 물음에 답하시오.

사회자 : 반대 측에서는 가격 문제가 또 다른 문제로 이어질 수 있으며, 비만보다 음주와 흡연 문제를 먼저 해결해야 한다고 하였습니다. 이에 찬성 측 교차 조사해 주십시오.

[교차 조사] 찬성 2 : 제품의 가격 규제가 또 다른 문제로 이어질 수 있다면, 왜 프랑스 같은 선진국에서 이런 정책을 도입했다고 생각하십니까?

반대 2 : 그건 세금 때문이겠죠.

찬성 2 : 그렇습니다. 프랑스 정부는 '설탕 제로'로 거둬들인 세금을 농업 종사자를 위한 사회 보장 제도에 활용할 예정이라고 밝혔습니다. 또한, 2018년부터 '설탕 세'를 도입하겠다고 한 영국은 이를 통해 얻은 세금을 초등학교의 체육 활동을 활성화하기 위한 예산으로 쓸 것이라 하였습니다. 우리나라도 고당류 음료에 부과된 세금을 국민 건강을 위한 예산으로 사용한다면, 이 또한 국민에게 이로운 일이 되지 않을까요?

반대 2 : 하지만 고당류 음료에 부과된 세금이 직접적으로 국민 건강을 위해 쓰일지는 확신할 수 없습니다. 세금의 징수와 집행은 별개의 문제이며, 국민 건강을 위한 예산을 꼭 '설탕세'와 같은 정책을 통해 마련해야 하는 것도 아닙니다.

사회자 : 양측의 입론과 교차 조사 잘 들었습니다. 이어서 바로 반론으로 넘어가겠습니다. 먼저 반대 측부터 발언해 주십시오.

[반론] 반대 1 : 찬성 측에서는 국민의 건강을 위협하는 주범으로 당을 지목하셨는데요, 과다 섭취했을 때 몸에 해로운 것이 설탕뿐인가요? 소금도 마찬가지입니다. 소금에 들어 있는 나트륨은 혈압과 세포의 삼투압을 유지하는 필수 성분이지만 과다 섭취하면 몸에 해롭습니다. 세계 보건 기구의 조사 결과, 음식을 짜게 먹는 사람은 뇌졸중 위험이 23퍼센트, 심장병 위험이 14퍼센트 높아진다고 합니다. 하지만 설탕보다 소금에 대한 규제는 미비합니다. 그리고 일단 형성된 식습관은 쉽게 달라지지 않습니다. 예를 들어, 우리 국민이 좋아하는 돼지고기 삼겹살은 가격이 크게 상승해도 인기가 급격히 줄지 않습니다. 몇몇 국가의 정책에 영향을 받아서 우리의 식생활까지 규제하는 것은 옳지 않다고 생각합니다.

[반론] 찬성 1 : 우리나라는 당 소비량의 증가와 비례하여 비만율도 눈에 띄게 증가하고 있습니다. 특히 2014년 기준 초·중·고교 학생의 15퍼센트가 비만이라는 사실은 심각한 사회 문제가 아닐 수 없습니다. 게다가 최근 식품 회사들은 설탕에 대한 거부감을 피하고자 '무설탕'이라고 홍보하면서 '액상 과당'을 사용하고 있습니다. 액상 과당은 설탕보다 체내에 빠르게 흡수되고 포만감을 느끼지 못하게 하여 과식을 유도합니다. 또한, 지나친 과당의 섭취는 비알코올성 지방간이나 통풍성 관절염의 원인이 됩니다. 당의 종류를 구분하지 않고 고당류 음료의 가격을 올리면 식품 회사의 이러한 편법을 막을 수 있을 뿐 아니라, 소비자의 경각심도 불러일으킬 수 있습니다. 특히 청소년들이 많이 소비하는 고당류 음료는 가격 규제의 효과가 더욱 확실하게 나타날 것입니다.

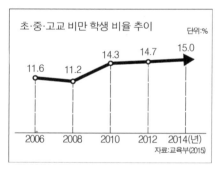

초·중·고교 비만 학생 비율 추이 · 단위:%

11.6 (2006) · 11.2 (2008) · 14.3 (2010) · 14.7 (2012) · 15.0 (2014(년))

자료:교육부(2015)

– (1) 고당류 음료의 가격을 올려야 한다. –

01 토론 참여자들의 말하기 방식에 대한 설명으로 적절하지 <u>않은</u> 것은?

① 사회자는 토론자의 발언을 정리하고 규칙에 따라 토론을 진행하고 있다.

② 찬성측은 반대측의 답변을 토대로 자신의 주장을 펼치고 있다.

③ 반대측은 주장을 뒷받침하는 사례를 제시하여 설득력을 높이고 있다.

④ 찬성측과 반대측은 정책 시행으로 인한 결과를 예측하고 있다.

⑤ 찬성측과 반대측은 질문의 형식을 활용하여 자신의 주장을 펼치고 있다.

02 위 글에서 양측이 제시한 발언을 정리한 것으로 적절하지 <u>않은</u> 것은?

찬성측	고당류 음료 가격 인상으로 인한 수익을 국민 건강 증진을 위한 예산으로 사용하면 유익하다.	…ⓐ
	고당류 음료 가격을 규제할 경우 식품 회사의 편법 운영을 저지할 수 있다.	…ⓑ
반대측	과다 섭취하였을 때 해로운 것은 설탕만이라 볼 수 없다.	…ⓒ
	국민 건강을 위한 예산은 국민의 건강을 저해하는 요인에서 확보하는 것이 필요하다.	…ⓓ
	다른 나라의 정책을 참고하여 국민의 식생활을 규제하는 것은 바람직하지 않다.	…ⓔ

① ⓐ   ② ⓑ   ③ ⓒ   ④ ⓓ   ⑤ ⓔ

03 위 토론의 참여자가 자신의 의견을 보완하기 위해 〈보기〉의 자료를 선택하여 활용하려고 한다. 토론자와 자료 활용 방안을 짝지은 것 중 적절하지 <u>않은</u> 것은?

┤ 보기 ├

　(가) 세계은행에서 선진국과 개발도상국을 대상으로 시행한 연구에 의하면 담배가격을 10% 인상하면 흡연율은 4~8% 감소한다고 합니다. 또한 선진국에서는 4%, 개발도상국에서는 8%까지 감소가 가능하다고 합니다. 결론적으로 담배 가격을 높이면 높일수록 흡연율 감소 규모는 커지므로 국민의 합의를 얻을 수 있는 범위에서 가급적으로 높게 책정하라고 권고하고 있습니다.

　(나) 설탕을 중심으로 한 당류의 1일 평균 섭취량도 2007년 59.6g에서 2013년 72.1g으로 연평균 3.5% 증가했고, 특히 음료류 섭취량(1인 1일)이 2005년 62g에서 2014년 177g으로 급증하면서 가공식품을 통한 당류 섭취량이 연평균 5.8%로 상승했다. 식품의약품안전처 통계에 따르면, 음료류 섭취 종류에서 6~29세는 탄산음료를, 30세 이상은 커피를 통해 당류를 가장 많이 섭취하는 것으로 조사됐다.

　(다)ILSI코리아(회장 경규항)와 한국영양학회(회장 윤정한)가 공동으로 28일 서울 강남구 역삼동 소재 한국과학기술회관에서 개최한 '탄수화물, 그 이해와 활용' 심포지엄에서 미국 루이지애나 공과대 김연수 교수는 "옥수수전분당(콘시럽)이 비만과 당뇨를 유발한다는 주장들이 제기되고 있으나, 최근 연구에서는 고과당 옥수수시럽(HFCS: High Fructose Corn Syrup)이 혈당과 혈중 인슐린농도, 고중성지방 혈증 등에 미치는 영향에 있어 설탕과 차이가 없고 만성질환을 유발한다는 증거가 없는 것으로 나타났다."고 밝혔다.

　*액상과당·옥수수전분당·고과당 옥수수시럽 등은 명칭은 달리 하지만 실상은 HFCS다.

① 찬성 측에서 (가)를 활용하여 가격 규제가 소비에 영향을 줄 수 있음을 강조한다.
② 찬성 측에서 (나)를 활용하여 국민의 당 소비량이 꾸준히 증가하고 있음을 보여준다.
③ 반대측에서 (나)를 활용하여 찬성측이 밝힌 당과 비만의 상관성이 미흡함을 지적한다.
④ 찬성측에서 (가), (나)를 활용하여 탄산 음료의 가격 규제가 특히 청소년층에 영향을 미칠 것이라는 점을 보여준다.
⑤ 반대측에서 (다)를 활용하여 찬성측이 액상과당의 부작용을 지나치게 강조하고 있다고 지적한다.

[04~06] 다음 글을 읽고 물음에 답하시오.

사회자 : 안녕하십니까? 오늘은 '고당류 음료의 가격을 올려야 한다.'라는 논제로 토론하겠습니다. 최근 세계 각국이 설탕과의 전쟁을 선언하고 '당 줄이기' 운동을 펼치고 있습니다. 우리나라 역시 '제1차 당류 저감 종합 계획'을 발표하여 2020년까지 가공식품을 통한 당 섭취량을 하루에 섭취하는 총열량의 10퍼센트 이내로 낮추겠다는 목표를 밝혔습니다. 당 섭취량을 줄이기 위해 당 함유 가공식품, 특히 고당류 음료의 가격을 올려야 한다는 의견에 대한 찬반 논란이 뜨거운데요, 오늘은 이 문제를 가지고 토론해 보고자 합니다. 먼저 찬성 측의 입론부터 들어보겠습니다.

찬성 1 : 먼저 우리나라의 고도 비만율 추이를 나타낸 그래프를 보실까요? 이 그래프를 보면 2002년 이후 우리나라의 고도 비만율이 꾸준히 증가하고 있고, 앞으로도 이런 추세가 계속될 것임을 알 수 있습니다. 비만이 우리의 건강을 위협한다는 것은 누구나 알고 있는 상식인데, 왜 비만율이 줄지 않는 걸까요? 그것은 우리가 필요한 것 이상으로 많은 당을 섭취하고 있기 때문입니다. 청소년이 당을 섭취하게 되는 주요 식품이 바로 가공 음료라고 합니다. 우리가 습관적으로 마시는 가공 음료가 얼마나 위험한 것인지, 제가 오늘 가지고 나온 각설탕을 통해 알려 드리겠습니다. 여러분은 이 3그램짜리 각설탕을 한 번에 몇 개나 드실 수 있나요? 두 개 혹은 세 개? 혹시 오늘 젖산균 요구르트 150밀리리터를 마셨다면 이미 각설탕 일곱 개를 섭취한 것과 같습니다. 많은 사람들이 가공 음료에 이렇게나 많은 당이 들어 있는지 모른 채 다양한 음료를 즐겨 마시고 있습니다. 가공 음료를 통한 과다한 당 섭취는 비만으로 이어질 확률이 높습니다. 따라서 당 섭취량을 줄이기 위해 고당류 음료의 가격을 올려 소비를 감소해야 한다고 생각합니다.

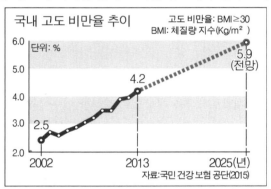

사회자 : 찬성 측에서 국민 건강을 위협하는 과도한 당 섭취를 줄이기 위해 고당류 음료의 가격을 올려야 한다는 주장을 제시하였습니다. 이에 반대 측 토론자, 교차 조사해 주십시오.

반대 2 : 비만율이 증가하고 있다는 것은 저희도 알고 있습니다. 그런데 비만의 원인이 당 섭취에 있다고 단정하는 근거가 있나요?

찬성 1 : 당의 해로움을 지적한 연구는 적지 않습니다. 식품 의약품 안전 평가원에서 2011년 배포한 보도 자료에 따르면, 달게 먹는 습관이 비만의 위험을 높이는 것으로 나타났습니다. 우리나라 성인 16,992명을 대상으로 6~12년간 추적 조사한 결과, 설탕이나 물엿과 같은 첨가 당을 하루에 22그램 이상 많이 섭취한 집단은 하루에 8그램 이하로 적게 섭취한 집단보다 비만 위험이 28퍼센트나 높은 것으로 확인되었습니다. 평가원은 첨가 당 섭취량이 많아질수록 비만 위험도가 높아지고, 이것이 만성 질환을 유발하므로 덜 달게 먹는 습관을 지니는 것이 중요하다고 밝혔습니다.

사회자 : 다음은 반대 측 첫 번째 토론자, 입론해 주십시오.

반대 1 : 우리가 주식으로 먹는 밥 또는 빵의 주 영양소는 탄수화물입니다. 탄수화물은 인체의 성장과 활동에 꼭 필요한 삼대 영양소 중 하나로, 섭취하지 않으면 영양상 심각한 불균형을 초래합니다. 당 역시 탄수화물입니다. 설탕을 비롯한 일부 당은 복잡한 소화 과정을 거치지 않고 우리 몸에 빠르게 흡수되어 바로 에너지로 쓰입니다. 또한, 당은 뇌의 주 에너지원이기도 합니다. 우리가 피곤하거나 머리가 멍할 때 탄산음료나 주스같이 단 음료가 당기는 것도 우리 몸과 뇌에 에너지가 필요하기 때문입니다. 그런데 그때마다 비싼 값을 치르고 고당류 음료를 사 먹어야 한다면 소비자는 경제적인 부담을 느낄 것입니다. 따라서 저희는 고당류 음료의 가격을 올려서는 안 된다고 생각합니다.

사회자 : 반대 측에서는 고당류 음료에 들어 있는 당도 우리 몸의 중요한 에너지원이라는 근거를 들어 고당류 음료의 가격을 올리지 않아야 한다고 주장하고 있습니다. 찬성 측 첫 번째 토론자, 교차 조사해 주십시오.

찬성 1 : 앞서 당의 순기능을 말씀하셨는데, 반대로 당은 몸에 빠르게 흡수되기 때문에 혈당을 급격하게 높여서 당뇨병이나 대사 증후군을 유발할 수 있다는 점은 생각해 보지 않으셨나요?

반대 1 : 당뇨병은 당 섭취뿐 아니라 유전이나 흡연과 같은 다른 요인도 크게 작용하는 것으로 알고 있습니다. 무엇보다도 많은 청소년이 탄산음료와 같은 고당류 음료를 즐기고 있는데, 모두 당뇨병이나 대사 증후군에 걸렸나요? 찬성 측은 희박한 가능성을 일반화하고 있습니다.

---

04 윗글에 나타난 토론자들의 말하기 방식을 이해한 내용으로 가장 적절한 것은?

찬성 측 첫 번째 입론	'찬성 1'은 해당 분야 전문가의 말을 인용하며 주장을 전개하고 있다. ···················· ⓐ
교차 조사	'반대 2'는 찬성 측이 입론에서 제시한 근거가 사실과 다름을 지적하고 있다. ········· ⓑ
답변	'찬성 1'은 신뢰할 수 있는 자료를 근거로 제시하여 입론의 내용을 보완하고 있다. ·· ⓒ
반대 측 첫 번째 입론	'반대 1'은 예상되는 문제 상황을 제시하며 감정에 호소하고 있다. ······················ ⓓ
교차 조사	'찬성 1'은 질문을 통해 새로운 쟁점을 이끌어 내고 있다. ································ ⓔ

① ⓐ   ② ⓑ   ③ ⓒ   ④ ⓓ   ⑤ ⓔ

---

05 다음은 위 토론을 준비하는 과정에서 수집한 자료이다. 이를 토론에 활용할 수 있는 입장과 방안으로 가장 적절한 것은?

> 세계 보건 기구가 권장하는 하루 당 섭취량은 25그램 이하인데, 식품 의약품 안전처의 2016년 자료를 보면 우리나라는 2013년 기준으로 하루 평균 72.1그램의 당을 섭취하고 있다. 또한 식품 의약품 안전처의 「국민 다소비 식품의 당류 DB 확보 및 조사 연구(2015)」를 보면 6~29세의 경우 음료류 중 탄산음료를 통해 당을 가장 많이 섭취하고 있다.

	입장	활용 방안
ⓐ	찬성	가공 음료에 우리가 생각하는 것보다 많은 양의 당이 들어 있음을 보여주는 자료로 활용할 수 있겠군.
ⓑ	찬성	가공 음료를 통한 과도한 당 섭취는 각종 질환의 원인이 될 수 있음을 보여주는 자료로 활용할 수 있겠군.
ⓒ	찬성	청소년이 과도하게 당을 섭취하게 되는 주요 식품이 가공 음료임을 뒷받침하는 근거로 활용할 수 있겠군.
ⓓ	반대	피곤하거나 머리가 멍할 때 단 음료를 찾게 되는 것은 당이 우리 뇌의 주 에너지원이기 때문임을 뒷받침하는 자료로 활용할 수 있겠군.
ⓔ	반대	가공 음료를 즐기는 청소년들이 모두 당뇨병이나 데서 증후군과 같은 질환에 걸리는 것은 아님을 보여주는 자료를 활용할 수 있겠군.

① ⓐ   ② ⓑ   ③ ⓒ   ④ ⓓ   ⑤ ⓔ

06 위 토론에서 확인할 수 있는 사회자의 역할로 적절한 것만을 〈보기〉에서 있는 대로 고른 것은?

┤ 보기 ├

ㄱ. 논제가 제시된 배경을 설명한다.

ㄴ. 토론의 유형과 규칙을 설명한다.

ㄷ. 토론자들의 발언 순서와 발언의 성격을 지정한다.

ㄹ. 토론 중 미흡한 내용에 대해 추가적인 발언을 요구한다.

① ㄱ, ㄴ   ② ㄱ, ㄷ   ③ ㄴ, ㄹ   ④ ㄱ, ㄴ, ㄷ   ⑤ ㄴ, ㄷ, ㄹ

객관식 & 서술형 심화문제

[01~03] 다음 글을 읽고 물음에 답하시오.

ㄱ. **사회자** : 최근 반려동물과 함께하는 가구가 늘어남에 따라 반려동물에 대한 인식 및 반려동물 유기에 대한 우려도 커지고 있습니다. 이러한 사회적 분위기에 맞춰 반려 동물을 행정적으로 등록하는 동물등록제라는 제도의 필요성이 대두되고 있습니다. 오늘은 '동물 등록제를 시행해야 한다.'라는 논제를 가지고 토론을 진행해보고자 합니다. 찬성 측 발언자는 김포도, 박수박 학생, 반대 측 발언자는 정딸기, 이사과 학생입니다. 찬성 측의 입론부터 들어보도록 하겠습니다.

〈중략〉

사회자 : 다음으로 찬성 측 두 번째 발언자의 입론을 들어보겠습니다.

ㄴ. **김포도** : 동물 등록제를 시행하면 유기 동물을 줄일 수 있습니다. 2018년 11월 서울시 산하 서울복지지원센터에서 밝힌 '서울시 동물등록제 시범 시행 결과'에 따르면 동물등록을 통해 141마리의 유기 동물 중 10마리가 주인을 찾아갔다고 합니다. 반려동물의 몸 속에 내장된 칩을 이용해 주인을 찾았다는 것입니다. 이와 같이 동물등록제를 시행하면 유기동물의 수를 현저히 줄이고 더 나아가 불행한 안락사를 막을 수 있습니다.

ㄷ. **사회자** : 찬성 측 질문에 대한 반대 측의 교차조사를 들어보겠습니다.
⊙정딸기 : 141마리 중에 10마리가 주인을 찾아갔다고 하셨나요?
김포도 : 네.

〈중략〉

사회자 : 이제 반대 측의 반론을 들어보겠습니다.

ㄹ. **이사과** : 전국 반려 동물 수가 874만 마리에 이르는 것으로 추정된다고 합니다. 동물등록제를 시행하려면 이 수치에 대한 전수조사가 기본 바탕이 되어야 하는데 현실적으로 어렵다는 것을 앞서 말씀드린 바 있습니다. 이와 같이 실행 가능성이 불투명한 제도를 시행하는 것보다 반려동물에 대한 실효성 있는 정책이 필요하다고 생각합니다.

〈중략〉

사회자 : 토론이 모두 끝났습니다. 배심원들은 투표 용지에 의견을 표시하여 제출해주십시오.

ㅁ. **윤밀감** : 나와 친한 사과가 포함된 반대 측에 한 표를 던져야지.

01 위 토론에 대한 반응 중 적절하지 <u>않은</u> 것은?

① ㄱ에서 사회자는 논제 설정의 배경 설명을 함으로써 토론을 지연시키고 있어.
② ㄴ에서 찬성 측은 동물 등록제의 효과와 관련하여 자신의 입장을 표명하고 있군.
③ ㄷ에서 사회자는 발언권을 부여하는 역할을 충실히 수행하고 있어.
④ ㄹ에서 반대 측은 토론의 전 과정에서 반대 측의 주장이 지녔던 강점을 강화하고 있어.
⑤ ㅁ에서 배심원은 객관적으로 토론을 평가해야 하는 본분을 잊고 친분에 의하여 투표하고 있네.

02 〈보기〉에 따라 세울 수 있는 쓰기 전략 중 옳지 않은 것은?

┌─ 보기 ├─

　　얼마 전 바닷가에서 한 난민 소년의 시신이 발견되었다는 뉴스를 보고 너무 가슴이 아팠어. 그래서 희망중학교 1학년 12반 친구들에게 난민을 수용하자는 글을 쓸 생각이야. 기존에 난민에 대한 생각이 없었거나 난민을 수용하는 것에 대해 반대했던 친구들도 내 글을 읽고 생각이나 태도가 변했으면 좋겠어. 그런데 내 친구들은 '난민'이라는 주제에 관련된 어떤 지식도 가지고 있지 않고 흥미도 없어. 친구들이 내 글을 많이 읽고 생각해볼 수 있도록 글을 인쇄하여 학급 게시판에 붙여둘 생각이야.

① 목적을 달성하기 위하여 '난민을 수용하자'는 주장과 연관성이 높고 신뢰할 만한 근거를 수집해야겠어.

② 친구들이 난민 수용과 관련된 배경지식이 전혀 없으므로 글을 이해할 수 있도록 기초 지식을 포함시켜주는 것이 좋겠어.

③ 글쓰는 사람이 전문적인 사람으로 느껴지면 글의 설득력이 높아지므로 친구들이 이해하지 못하더라도 전문 용어만을 사용해야겠어.

④ 친구들이 난민 수용에 대한 관심이 없으므로 최근 일어난 충격적인 사건을 언급하여 흥미를 높여야겠어.

⑤ 인쇄 매체의 특성 상 동영상이나 하이퍼링크와 같은 자료는 싣기 어렵겠어.

03 윗글에서 ㉠ 정딸기의 교차조사 질문이 올바른지 판단하시오.

┌─ 조건 ├─

1. '㉠의 교차조사 질문은 (올바르다./올바르지 않다.) 그렇게 판단한 이유는 ~기 때문이다.'의 형태의 완결된 문장으로 서술할 것.

2. 판단의 이유는 '교차조사 질문 방법'에 근거하여 설명할 것

3. 올바른 교차조사 질문 방법에 대한 설명을 반드시 포함할 것.

[04~07] 다음은 학급 토론 장면의 일부이다. 물음에 답하시오.

사회자 : 안녕하십니까? 오늘은 ⓐ'고당류 음료의 가격을 올려야 한다.'라는 논제로 토론하겠습니다. 최근 세계 각국이 설탕과의 전쟁을 선언하고 '당 줄이기' 운동을 펼치고 있습니다. 우리나라 역시 '제1차 당류 저감 종합 계획'을 발표하여 2020년까지 가공식품을 통한 당 섭취량을 하루에 섭취하는 총열량의 10퍼센트 이내로 낮추겠다는 목표를 밝혔습니다. 당 섭취량을 줄이기 위해 당 함유 가공식품, 특히 고당류 음료의 가격을 올려야 한다는 의견에 대한 찬반 논란이 뜨거운데요, 오늘은 이 문제를 가지고 토론해 보고자 합니다. 먼저 찬성 측의 입론부터 들어보겠습니다.

찬성 1 : 먼저 우리나라의 고도 비만율 추이를 나타낸 그래프를 보실까요? 이 그래프를 보면 2002년 이후 우리나라의 고도 비만율이 꾸준히 증가하고 있고, 앞으로도 이런 추세가 계속될 것임을 알 수 있습니다. 비만이 우리의 건강을 위협한다는 것은 누구나 알고 있는 상식인데, 왜 비만율이 줄지 않는 걸까요? 그것은 우리가 필요한 것 이상으로 많은 당을 섭취하고 있기 때문입니다. 청소년이 당을 섭취하게 되는 주요 식품이 바로 가공 음료라고 합니다. 우리가 습관적으로 마시는 가공 음료가 얼마나 위험한 것인지, 제가 오늘 가지고 나온 각설탕을 통해 알려 드리겠습니다. 여러분은 이 3그램짜리 각설탕을 한 번에 몇 개나 드실 수 있나요? 두 개 혹은 세 개? 혹시 오늘 젖산균 요구르트 150밀리리터를 마셨다면 이미 각설탕 일곱 개를 섭취한 것과 같습니다. 많은 사람들이 가공 음료에 이렇게나 많은 당이 들어 있는지 모른 채 다양한 음료를 즐겨 마시고 있습니다. 가공 음료를 통한 과도한 당 섭취는 비만으로 이어질 확률이 높습니다. 따라서 당 섭취량을 줄이기 위해 고당류 음료의 가격을 올려 소비를 감소해야 한다고 생각합니다.

사회자 : 찬성 측에서 국민 건강을 위협하는 과도한 당 섭취를 줄이기 위해 고당류 음료의 가격을 올려야 한다는 주장을 제시하였습니다. 이에 반대 측 토론자, 교차 조사해 주십시오.

반대 2 : 비만율이 증가하고 있다는 것은 저희도 알고 있습니다. 그런데 비만의 원인이 당 섭취에 있다고 단정하는 근거가 있나요?

찬성 1 : 당의 해로움을 지적한 연구는 적지 않습니다. 식품 의약품 안전 평가원에서 2011년 배포한 보도 자료에 따르면, 달게 먹는 습관이 비만의 위험을 높이는 것으로 나타났습니다. 우리나라 성인 16,992명을 대상으로 6~12년간 추적 조사한 결과, 설탕이나 물엿과 같은 첨가 당을 하루에 22그램 이상 많이 섭취한 집단은 하루에 8그램 이하로 적게 섭취한 집단보다 비만 위험이 28퍼센트나 높은 것으로 확인되었습니다. 평가원은 첨가 당 섭취량이 많아질수록 비만 위험도가 높아지고, 이것이 만성 질환을 유발하므로 덜 달게 먹는 습관을 지니는 것이 중요하다고 밝혔습니다.

반대 2 : 저희가 조사한 자료를 보면, 미국 식품 의약국은 1976년에 이미 설탕의 안정성을 연구했고, 권장량의 설탕 섭취는 인체에 해를 끼치지 않는다는 결론을 내렸습니다. 이는 어떻게 생각하십니까?

찬성 1 : 권장량이라는 것은 말 그대로 권장량일 뿐입니다. 세계 보건 기구가 권장하는 하루 당 섭취량은 하루에 섭취하는 총열량의 5퍼센트 수준인 25그램 이하입니다. 그런데 탄산음료 500밀리리터 한 병에는 약 50그램의 당이 들어 있습니다. 건강에 좋다고 인식되는 주스는 어떨까요? 주스 한 잔에 들어 있는 당은 평균 15~24그램으로, 때에 따라 한 잔의 주스만으로도 하루 당 섭취 권장량을 모두 섭취할 수도 있습니다. 저희가 말씀드리고 싶은 것은 개인이 권장량에 맞춰 당 섭취량을 줄이는 게 쉽지 않다는 것입니다.

04 〈보기〉의 ㉠~㉤ 중 '찬성 1'의 입론에서 언급하지 않은 것은?

┤ 보기 ├

대체로 입론에서는 ㉠ 문제 상황을 제시하고, ㉡ 문제의 원인을 분석하며, ㉢ 문제를 해결할 수 있는 방안을 제시한다. 또한 용어의 개념을 제시하고, ㉣ 주장을 뒷받침하는 구체적 근거를 제시하기도 한다. 끝으로 ㉤ 자신의 주장이 관철 되었을 때의 기대 효과를 제시하여 주장의 정당성을 입증한다.

① ㉠   ② ㉡   ③ ㉢   ④ ㉣   ⑤ ㉤

05 위 토론에 나타난 '사회자'의 역할에 대한 설명으로 적절하지 <u>않은</u> 것은?

① 토론의 논제를 제시를 제시하고 있다.
② 토론자의 발언 내용을 요약하고 있다.
③ 토론이 열리게 된 배경을 설명하고 있다.
④ 토론의 원만한 진행을 위해 갈등을 중재하고 있다.
⑤ 토론 진행 절차에 따라 발언 순서를 지정하고 있다.

06 위 토론에서 찬성 측과 반대 측이 공통으로 인정하고 있는 내용으로 가장 적절한 것은?

① 개인 권장량에 맞게 당 섭취를 줄여야 한다.
② 비만의 원인은 당 섭취와 떼려야 뗄 수 없다.
③ 가공 음료와 비만은 밀접한 상관관계가 있다.
④ 비만 위험을 줄이기 위해 정부가 나서야 한다.
⑤ 우리나라 국민의 비만율이 증가하는 추세이다.

07 〈보기〉를 참고할 때, ⓐ와 같이 학급에서 찬반대립토론을 위한 논제로 적절한 것은?

┤ 보기 ├

〈논제의 조건〉
ㄱ. 중립을 유지해야 한다.
ㄴ. 분명한 내용이어야 한다.
ㄷ. 하나의 주장만 나타나야 한다.
ㄹ. 현 상태의 변화를 의도해야 한다.
ㅁ. 찬·반의 뚜렷한 대립이 있어야 한다.

① 점심시간을 현재보다 10분 늘려야 한다.
② 학생의 화장은 어느 정도 허용해야 한다.
③ 교실 도난 사건을 어떻게 막을 수 있을까?
④ 인권을 침해할 수 있는 체벌은 금지해야 한다.
⑤ 학교 후문을 설치하고 산책로를 만들어야 한다.

사회자 : 이어서 반대 측 두 번째 토론자, 입론해 주십시오.

반대 2 : 고당류 음료의 가격을 올리면 또 다른 문제가 발생할 수 있습니다. 2014년 유럽 의회 보고서에서 "제품 가격이 오르면 소비자는 단가가 더 낮은 제품을 찾게 된다."라며, 특정 성분의 가격 상승이 결과적으로 더 해로운 성분의 소비 증가로 이어질 수 있다고 지적한 바 있습니다. 이는 당이 들어간다고 해서 가격을 올리면 당보다 더 안 좋은 성분이 유통되는 문제로, 이어질 수 있다는 말입니다. 또한, 우리 사회에서 비만보다 시급히 해결해야 할 문제는 음주와 흡연입니다. 다음 자료를 봐 주십시오. 건강 보험 정책 연구원에서 2016년 1월에 발표한 음주·흡연·비만의 사회 경제적 비용을 살펴보면 2013년을 기준으로 음주와 흡연이 각각 9조 4,524억 원과 7조 1,258억 원으로, 6조 7,695억 원인 비만보다 더 많은 사회 경제 비용을 발생하고 있습니다. 따라서 비만보다 음주와 흡연의 사회 경제적 비용을 줄일 방안에 대한 논의를 먼저 해야 한다고 생각합니다.

[A]

사회자 : 반대 측에서는 가격 규제가 또 다른 문제로 이어질 수 있으며, 비만보다 음주와 흡연 문제를 먼저 해결해야 한다고 하였습니다. 이에 찬성 측 교차 조사해 주십시오.

찬성 2 : 제품의 가격 규제가 또 다른 문제로 이어질 수 있다면, 왜 프랑스 같은 선진국에서 이런 정책을 도입했다고 생각하십니까?

반대 2 : 그건 세금 때문이겠죠.

찬성 2 : 그렇습니다. 프랑스 정부는 '설탕 세'로 거둬들인 세금을 농업 종사자를 위한 사회 보장 제도에 활용할 예정이라고 밝혔습니다. 또한, 2018년부터 '설탕 세'를 도입하겠다고 한 영국은 이를 통해 얻은 세금을 초등학교의 체육 활동을 활성화하기 위한 예산으로 쓸 것이라 하였습니다. 우리나라도 고당류 음료에 부과된 세금을 국민 건강을 위한 예산으로 사용한다면, 이 또한 국민에게 이로운 일이 되지 않을까요?

반대 2 : 하지만 고당류 음료에 부과된 세금이 직접적으로 국민 건강을 위해 쓰일지는 확신할 수 없습니다. 세금의 징수와 집행은 별개의 문제이며, 국민 건강을 위한 예산을 꼭 '설탕세'와 같은 정책을 통해 마련해야 하는 것도 아닙니다.

사회자 : 양측의 입론과 교차 조사 잘 들었습니다. 이어서 바로 반론으로 넘어가겠습니다. 먼저 반대 측부터 발언해 주십시오.

반대 1 : 찬성 측에서는 국민의 건강을 위협하는 주범으로 당을 지목하셨는데요, 과다 섭취했을 때 몸에 해로운 것이 설탕뿐인가요? 소금도 마찬가지입니다. 소금에 드렁 있는 나트륨은 혈압과 세포의 삼투압을 유지하는 필수 성분이지만 과다 섭취하면 몸에 해롭습니다. 세계 보건 기구의 조사 결과, 음식을 짜게 먹는 사람은 뇌졸중 위험이 23퍼센트, 심장병 위험이 14퍼센트 높아진다고 합니다. 하지만 설탕보다 소금에 대한 규제는 미비합니다. 그리고 일단 형성된 식습관은 쉽게 달라지지 않습니다. 예를 들어, 우리 국민이 좋아하는 돼지고기 삼겹살은 가격이 크게 상승해도 인기가 급격히 줄지 않습니다. 몇몇 국가의 정책에 영향을 받아서 우리의 식생활까지 규제하는 것은 옳지 않다고 생각합니다.

찬성 1 : 우리나라는 당 소비량의 증가와 비례하여 비만율도 눈에 띄게 증가하고 있습니다. 특히 2014년 기준 초·중·고교 학생의 15퍼센트가 비만이라는 사실은 심각한 사회 문제가 아닐 수 없습니다. 게다가 최근 식품 회사들은 설탕에 대한 거부감을 피하고자 '무설탕'이라고 홍보하면서 '액상 과당'을 사용하고 있습니다. 액상 과당은 설탕보다 체내에 빠르게 흡수되고 포만감을 느끼지 못하게 하여 과식을 유도합니다. 또한, 지나친 과당의 섭취는 비알코올성 지방간이나 통풍성 관절염의 원인이 됩니다. 당의 종류를 구분하지 않고 고당류 음료의 가격을 올리면 식품 회사의 이러한 편법을 막을 수 있을 뿐 아니라, 소비자의 경각심도 불러일으킬 수 있습니다. 특히 청소년들이 많이 소비하는 고당류 음료는 가격 규제의 효과가 더욱 확실하게 나타날 것입니다.

[B]

반대 2 : 우리가 즐겨 먹는 탄산음료나 주스 한 병에 하루 권장량 이상의 당이 들어 있다는 걸 알았다면 그 음료를 먹었을까요? 위험을 인지하면 피하는 것이 당연한 일입니다. 국내 유통 중인 가공식품의 '영양 성분표'에는 해당 식품에 당이 얼마나 포함되었는지 표시되어 있습니다. 그런데 소비자 대부분이 이를 확인하지 않습니다. 당 섭취를 줄이려는 노력없이 가격만 올리는 정책은 소비자들의 불만만 가중할 뿐입니다. 저희는 소비자들이 올바른 식습관을 지니도록 적극적으로 홍보한 다음, 식품에 영양 성분 표시를 하거나 경고 문구를 넣는 방법 등으로 당 섭취를 충분히 줄일 수 있다고 생각합니다. 고당류 음료의 가격을 올리는 것은 맛과 영양에 대한 소비자의 선택권을 제한하는 결과를 가져올 것이므로 이에 반대합니다.

찬성 2 : 저희는 당 자체에 문제가 있다는 것이 아닙니다. 저희가 문제 삼고 있는 것은 고당류 음료를 통해 당을 과도하게 섭취하는 상황입니다. 소비자의 선택에 영양 성분 표시와 가격 중 어떤 것이 더 영향을 미칠까요? 물론 개인의 선택도 중요하지만, 공익을 위해서는 강제성 있는 규제가 더 효과적일 때도 있습니다. 따라서 국민 건강 증진과 사회 경제적 비용 감소를 위해 고당류 음료의 가격을 올려야 한다고 생각합니다.

08 [A]에 나타난 말하기 방식에 대한 설명으로 적절하지 <u>않은</u> 것은?

① 구체적인 통계 수치를 언급하며 시급하게 해결해야 할 문제가 있음을 주장하고 있다.
② 상대방 주장에 대한 문제점을 두 가지로 분석하여 자신의 주장을 강조하고 있다.
③ 상대방이 제기하는 문제점을 해결할 수 있는 대안으로 다른 성공 사례를 제시하고 있다.
④ 출처가 명확하며 신뢰할 만한 자료를 근거로 들어 자신의 주장의 정당성을 확보하고 있다.
⑤ 상대방의 주장이 받아들여질 경우 예상되는 문제점을 언급하며 자신의 주장을 보강하고 있다.

09 [B]의 반론 과정에 대한 분석으로 적절하지 <u>않은</u> 것은?

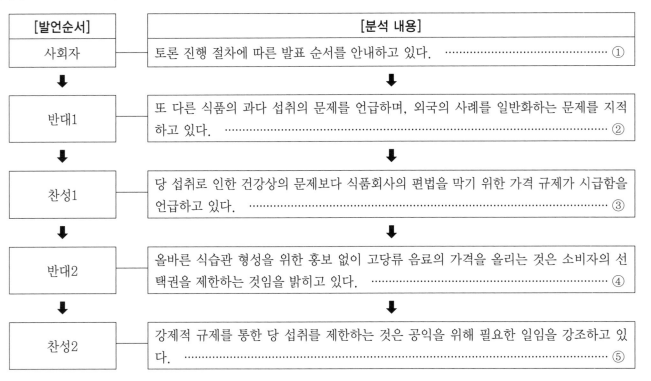

[발언순서]	[분석 내용]
사회자	토론 진행 절차에 따른 발표 순서를 안내하고 있다. ·········· ①
반대1	또 다른 식품의 과다 섭취의 문제를 언급하며, 외국의 사례를 일반화하는 문제를 지적하고 있다. ·········· ②
찬성1	당 섭취로 인한 건강상의 문제보다 식품회사의 편법을 막기 위한 가격 규제가 시급함을 언급하고 있다. ·········· ③
반대2	올바른 식습관 형성을 위한 홍보 없이 고당류 음료의 가격을 올리는 것은 소비자의 선택권을 제한하는 것임을 밝히고 있다. ·········· ④
찬성2	강제적 규제를 통한 당 섭취를 제한하는 것은 공익을 위해 필요한 일임을 강조하고 있다. ·········· ⑤

사회자 : 안녕하십니까? 오늘은 '고당류 음료의 가격을 올려야 한다.'라는 논제로 토론하겠습니다. 최근 세계 각국이 설탕과의 전쟁을 선언하고 '당 줄이기' 운동을 펼치고 있습니다. 우리나라 역시 '제1차 당류 저감 종합 계획'을 발표하여 2020년까지 가공식품을 통한 당 섭취량을 하루에 섭취하는 총열량의 10퍼센트 이내로 낮추겠다는 목표를 밝혔습니다. 당 섭취량을 줄이기 위해 당 함유 가공식품, 특히 고당류 음료의 가격을 올려야 한다는 의견에 대한 찬반 논란이 뜨거운데요, 오늘은 이 문제를 가지고 토론해 보고자 합니다. 먼저 찬성 측의 입론부터 들어보겠습니다.

[입론] 찬성 1 : 먼저 우리나라의 고도 비만율 추이를 나타낸 그래프를 보실까요? 이 그래프를 보면 2002년 이후 우리나라의 고도 비만율이 꾸준히 증가하고 있고, 앞으로도 이런 추세가 계속될 것임을 알 수 있습니다. 비만이 우리의 건강을 위협한다는 것은 누구나 알고 있는 상식인데, 왜 비만율이 줄지 않는 걸까요? 그것은 우리가 필요한 것 이상으로 많은 당을 섭취하고 있기 때문입니다. 청소년이 당을 섭취하게 되는 주요 식품이 바로 가공 음료라고 합니다. 우리가 습관적으로 마시는 가공 음료가 얼마나 위험한 것인지, 제가 오늘 가지고 나온 각설탕을 통해 알려 드리겠습니다. 여러분은 이 3그램짜리 각설탕을 한 번에 몇 개나 드실 수 있나요? 두 개 혹은 세 개? 혹시 오늘 젖산균 요구르트 150밀리리터를 마셨다면 이미 각설탕 일곱 개를 섭취한 것과 같습니다. 많은 사람들이 가공 음료에 이렇게나 많은 당이 들어 있는지 모른 채 다양한 음료를 즐겨 마시고 있습니다. ㉠<u>가공 음료를 통한 과다한 당 섭취는 비만으로 이어질 확률이 높습니다.</u> 따라서 당 섭취량을 줄이기 위해 고당류 음료의 가격을 올려 소비를 감소해야 한다고 생각합니다.

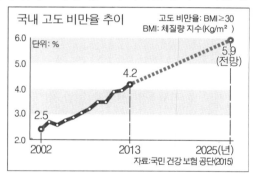

사회자 : 찬성 측에서 국민 건강을 위협하는 과도한 당 섭취를 줄이기 위해 고당류 음료의 가격을 올려야 한다는 주장을 제시하였습니다. 이에 반대 측 토론자, 교차 조사해 주십시오.

[교차 신문 l] 반대 2 : 비만율이 증가하고 있다는 것은 저희도 알고 있습니다. 그런데 비만의 원인이 당 섭취에 있다고 단정하는 근거가 있나요?

찬성 1 : 당의 해로움을 지적한 연구는 적지 않습니다. 식품 의약품 안전 평가원에서 2011년 배포한 보도 자료에 따르면, 달게 먹는 습관이 비만의 위험을 높이는 것으로 나타났습니다. 우리나라 성인 16,992명을 대상으로 6~12년간 추적 조사한 결과, 설탕이나 물엿과 같은 첨가 당을 하루에 22그램 이상 많이 섭취한 집단은 하루에 8그램 이하로 적게 섭취한 집단보다 비만 위험이 28퍼센트나 높은 것으로 확인되었습니다. 평가원은 첨가 당 섭취량이 많아질수록 비만 위험도가 높아지고, 이것이 만성 질환을 유발하므로 덜 달게 먹는 습관을 지니는 것이 중요하다고 밝혔습니다.

반대 2 : 저희가 조사한 자료를 보면, ㉡<u>미국 식품 의약국은 1976년에 이미 설탕의 안정성을 연구했고, 권장량의 설탕 섭취는 인체에 해를 끼치지 않는다는 결론을 내렸습니다.</u> 이는 어떻게 생각하십니까?

찬성 1 : 권장량이라는 것은 말 그래도 권장량일 뿐입니다. 세계 보건 기구가 권장하는 하루 당 섭취량은 하루에 섭취하는 총열량의 5퍼센트 수준인 25그램 이하입니다. 그런데 탄산음료 500밀리리터 한 병에는 약 50그램의 당이 들어 있습니다. 건강에 좋다고 인식되는 주스는 어떨까요? 주스 한 잔에 들어 있는 당은 평균 15~24그램으로, 때에 따라 한 잔의 주스만으로도 하루 당 섭취 권장량을 모두 섭취할 수도 있습니다. 저희가 말씀드리고 싶은 것은 개인이 권장량에 맞춰 당 섭취량을 줄이는 게 쉽지 않다는 것입니다. 〈중략〉

사회자 : 이어서 반대 측 두 번째 토론자, 입론해 주십시오.

[입론] 반대 2 : 고당류 음료의 가격을 올리면 또 다른 문제가 발생할 수 있습니다. 2014년 유럽 의회 보고서에서 "제품 가격이 오르면 소비자는 단가가 더 낮은 제품을 찾게 된다."라며, 특정 성분의 가격 상승이 결과적으로 더 해로운 성

분의 소비 증가로 이어질 수 있다고 지적한 바 있습니다. 이는 당이 들어간다고 해서 가격을 올리면 당보다 더 안 좋은 성분이 유통되는 문제로, 이어질 수 있다는 말입니다. 또한, ⓒ우리 사회에서 비만보다 시급히 해결해야 할 문제는 음주와 흡연입니다. 다음 자료를 봐 주십시오. 건강 보험 정책 연구원에서 2016년 1월에 발표한 음주 · 흡연 · 비만의 사회 경제적 비용을 살펴보면 2013년을 기준으로 음주와 흡연이 각각 9조 4,524억 원과 7조 1,258억 원으로, 6조 7,695억 원인 비만보다 더 많은 사회 경제 비용을 발생하고 있습니다. 따라서 비만보다 음주와 흡연의 사회 경제적 비용을 줄일 방안에 대한 논의를 먼저 해야 한다고 생각합니다.

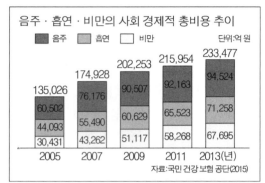

사회자 : 반대 측에서는 가격 문제가 또 다른 문제로 이어질 수 있으며, 비만보다 음주와 흡연 문제를 먼저 해결해야 한다고 하였습니다. 이에 찬성 측 교차 조사해 주십시오.

[교차 조사] 찬성 2 : 제품의 가격 규제가 또 다른 문제로 이어질 수 있다면, 왜 프랑스 같은 선진국에서 이런 정책을 도입했다고 생각하십니까?

반대 2 : 그건 세금 때문이겠죠.

찬성 2 : 그렇습니다. 프랑스 정부는 '설탕 제로'로 거둬들인 세금을 농업 종사자를 위한 사회 보장 제도에 활용할 예정이라고 밝혔습니다. 또한, 2018년부터 '설탕 세'를 도입하겠다고 한 영국은 이를 통해 얻은 세금을 초등학교의 체육 활동을 활성화하기 위한 예산으로 쓸 것이라 하였습니다. ⓓ우리나라도 고당류 음료에 부과된 세금을 국민 건강을 위한 예산으로 사용한다면, 이 또한 국민에게 이로운 일이 되지 않을까요?

반대 2 : 하지만 고당류 음료에 부과된 세금이 직접적으로 국민 건강을 위해 쓰일지는 확신할 수 없습니다. 세금의 징수와 집행은 별개의 문제이며, 국민 건강을 위한 예산을 꼭 '설탕세'와 같은 정책을 통해 마련해야 하는 것도 아닙니다.

사회자 : 양측의 입론과 교차 조사 잘 들었습니다. 이어서 바로 반론으로 넘어가겠습니다. 먼저 반대 측부터 발언해 주십시오.

[반론] 반대 1 : 찬성 측에서는 국민의 건강을 위협하는 주범으로 당을 지목하셨는데요, 과다 섭취했을 때 몸에 해로운 것이 설탕뿐인가요? 소금도 마찬가지입니다. 소금에 들어 있는 나트륨은 혈압과 세포의 삼투압을 유지하는 필수 성분이지만 과다 섭취하면 몸에 해롭습니다. 세계 보건 기구의 조사 결과, 음식을 짜게 먹는 사람은 뇌졸중 위험이 23퍼센트, 심장병 위험이 14퍼센트 높아진다고 합니다. 하지만 설탕보다 소금에 대한 규제는 미비합니다. 그리고 ⓔ일단 형성된 식습관은 쉽게 달라지지 않습니다. 예를 들어, ⓐ우리 국민이 좋아하는 돼지고기 삼겹살은 가격이 크게 상승해도 인기가 급격히 줄지 않습니다. 몇몇 국가의 정책에 영향을 받아서 우리의 식생활까지 규제하는 것은 옳지 않다고 생각합니다.

10 위 글에 대한 설명으로 적절하지 않은 것은?

① 사회자는 토론자의 토론 순서를 지정해준다.
② 찬성1의 입론은 근거 자료가 불충분하여 논리성이 떨어진다.
③ 찬성2는 교차조사에서 성급한 일반화의 오류를 범하고 있다.
④ 찬성1은 교차조사에서 선입견에 대해 반박하여 논증을 강화하고 있다.
⑤ 반대2는 입론에서 신뢰할 만한 기관의 자료를 근거로 제시하고 있다.

11 위 글과 같은 유형의 논제만을 〈보기〉에서 있는 대로 고른 것은?

┌─┤ 보기 ├─────────────────────────────────────┐
│ ㄱ. 교복을 폐지해야 한다.   │
│ ㄴ. 군 가산점제는 필요하다.   │
│ ㄷ. 안락사를 보장해야 한다.   │
│ ㄹ. 조기 영어 교육은 바람직하다.   │
│ ㅁ. 유전자 변형 식품(GMO)은 인체에 무해하다.   │
└───┘

① ㄱ, ㄴ   ② ㄱ, ㄷ   ③ ㄱ, ㄴ, ㄷ   ④ ㄴ, ㄷ, ㄹ   ⑤ ㄷ, ㄹ, ㅁ

12 ㉠~㉣ 중 '문제 해결의 가능성'이라는 쟁점의 근거로 가장 적절한 것은?

① ㉠   ② ㉡   ③ ㉢   ④ ㉣   ⑤ ㉤

13 ⓐ를 반박하기 위해 수집한 자료로 적절하지 않은 것은?

① 가격 경쟁력의 중요성을 보여주는 그래프
② 과시적 소비를 나타내는 베블런 효과에 대한 설명
③ 가격과 수요의 반비례 관계를 설명한 경제학자의 책
④ 폭염으로 인한 채소 값 상승으로 채소 소비가 줄어든 사례
⑤ 가격이 상승했을 때 소비가 위축되는 심리를 조사한 연구결과

[14~17] 다음 글을 읽고 물음에 답하시오.

사회자 : 안녕하십니까? 오늘은 '㉠고당류 음료의 가격을 올려야 한다.'라는 논제로 토론하겠습니다. 최근 세계 각
국이 설탕과의 전쟁을 선언하고 '당 줄이기' 운동을 펼치고 있습니다. 우리나라 역시 '제1차 당류 저감 종합 계획'
[A] 을 발표하여 2020년까지 가공식품을 통한 당 섭취량을 하루에 섭취하는 총열량의 10퍼센트 이내로 낮추겠다는
목표를 밝혔습니다. 당 섭취량을 줄이기 위해 당 함유 가공식품, 특히 고당류 음료의 가격을 올려야 한다는 의견
에 대한 찬반 논란이 뜨거운데요, 오늘은 이 문제를 가지고 토론해 보고자 합니다. 먼저 찬성 측의

[입론] 찬성 1 : 먼저 우리나라의 고도 비만율 추이를 나타낸 그래프를 보실까요? 이 그래프를 보면 2002년 이후 우리나라의 고도 비만율이 꾸준히 증가하고 있고, 앞으로도 이런 추세가 계속될 것임을 알 수 있습니다. 비만이 우리의 건강을 위협한다는 것은 누구나 알고 있는 상식인데, 왜 비만율이 줄지 않는 걸까요? 그것은 우리가 필요한 것 이상으로 많은 당을 섭취하고 있기 때문입니다. 청소년이 당을 섭취하게 되는 주요 식품이 바로 가공 음료라고 합니다. 우리가 습관적으로 마시는 가공 음료가 얼마나 위험한 것인지, 제가 오늘 가지고 나온 각설탕을 통해 알려 드리겠습니다. 여러분은 이 3그램짜리 각설탕을 한 번에 몇 개나 드실 수 있나요? 두 개 혹은 세 개? 혹시 오늘 젖산균 요구르트 150밀리리터를 마셨다면 이미 각설탕 일곱 개를 섭취한 것과 같습니다. 많은 사람들이 가공 음료에 이렇게나 많은 당이 들어 있는지 모른 채 다양한 음료를 즐겨 마시고 있습니다. 가공 음료를 통한 과다한 당 섭취는 비만으로 이어질 확률이 높습니다. 따라서 당 섭취량을 줄이기 위해 고당류 음료의 가격을 올려 소비를 감소해야 한다고 생각합니다.

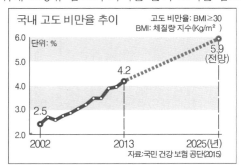

사회자 : 찬성 측에서 국민 건강을 위협하는 과도한 당 섭취를 줄이기 위해 고당류 음료의 가격을 올려야 한다는 주장을 제시하였습니다. 이에 반대 측 토론자, 교차 조사해 주십시오.

[교차 신문 I] 반대 2 : 비만율이 증가하고 있다는 것은 저희도 알고 있습니다. 그런데 비만의 원인이 당 섭취에 있다고 단정하는 근거가 있나요?

찬성 1 : 당의 해로움을 지적한 연구는 적지 않습니다. 식품 의약품 안전 평가원에서 2011년 배포한 보도 자료에 따르면, 달게 먹는 습관이 비만의 위험을 높이는 것으로 나타났습니다. 우리나라 성인 16,992명을 대상으로 6~12년간 추적 조사한 결과, 설탕이나 물엿과 같은 첨가 당을 하루에 22그램 이상 많이 섭취한 집단은 하루에 8그램 이하로 적게 섭취한 집단보다 비만 위험이 28퍼센트나 높은 것으로 확인되었습니다. 평가원은 첨가 당 섭취량이 많아질수록 비만 위험도가 높아지고, 이것이 만성 질환을 유발하므로 덜 달게 먹는 습관을 지니는 것이 중요하다고 밝혔습니다.

반대 2 : 저희가 조사한 자료를 보면, 미국 식품 의약국은 1976년에 이미 설탕의 안정성을 연구했고, 권장량의 설탕 섭취는 인체에 해를 끼치지 않는다는 결론을 내렸습니다. 이는 어떻게 생각하십니까?

찬성 1 : 권장량이라는 것은 말 그대로 권장량일 뿐입니다. 세계 보건 기구가 권장하는 하루 당 섭취량은 하루에 섭취하는 총열량의 5퍼센트 수준인 25그램 이하입니다. 그런데 탄산음료 500밀리리터 한 병에는 약 50그램의 당이 들어 있습니다. 건강에 좋다고 인식되는 주스는 어떨까요? 주스 한 잔에 들어 있는 당은 평균 15~24그램으로, 때에 따라 한 잔의 주스만으로도 하루 당 섭취 권장량을 모두 섭취할 수도 있습니다. 저희가 말씀드리고 싶은 것은 개인이 권장량에 맞춰 당 섭취량을 줄이는 게 쉽지 않다는 것입니다.

사회자 : 다음은 반대 측 첫 번째 토론자, 입론해 주십시오.

[입론] 반대 1 : 우리가 주식으로 먹는 밥 또는 빵의 주 영양소는 탄수화물입니다. 탄수화물은 인체의 성장과 활동에 꼭 필요한 삼대 영양소 중 하나로, 섭취하지 않으면 영양상 심각한 불균형을 초래합니다. 당 역시 탄수화물입니다. 설탕을 비롯한 일부 당은 복잡한 소화 과정을 거치지 않고 우리 몸에 빠르게 흡수되어 바로 에너지로 쓰입니다. 또한, 당은 뇌의 주 에너지원이기도 합니다. 우리가 피곤하거나 머리가 멍할 때 탄산음료나 주스같이 단 음료가 당기는 것도 우리 몸과 뇌에 에너지가 필요하기 때문입니다. 그런데 그때마다 비싼 값을 치르고 고당류 음료를 사 먹어야 한다면 소비자는 경제적인 부담을 느낄 것입니다. 따라서 저희는 고당류 음료의 가격을 올려서는 안 된다고 생각합니다.

사회자 : 반대 측에서는 고당류 음료에 들어 있는 당도 우리 몸의 중요한 에너지원이라는 근거를 들어 고당류 음료의 가격을 올리지 않아야 한다고 주장하고 있습니다. 찬성 측 첫 번째 토론자, 교차 조사해 주십시오.

[교차 조사 II] 찬성 1 : 앞서 당의 순기능을 말씀하셨는데, 반대로 당은 몸에 빠르게 흡수되기 때문에 혈당을 급격하게 높여서 당뇨병이나 대사 증후군을 유발할 수 있다는 점은 생각해 보지 않으셨나요?

반대 1 : 당뇨병은 당 섭취뿐 아니라 유전이나 흡연과 같은 다른 요인도 크게 작용하는 것으로 알고 있습니다. 무엇보다도 많은 청소년이 탄산음료와 같은 고당류 음료를 즐기고 있는데, 모두 당뇨병이나 대사 증후군에 걸렸나요? 찬성 측은 희박한 가능성을 일반화하고 있습니다.

찬성 1 : 그러나 우리 몸에 흡수되어 에너지원으로 소비되고 남은 당은 결국 지방으로 축적되고, 이것이 비만의 주범이 된다는 사실은 반대측도 인정해야 하지 않을까요?

반대 1 : 저희는 비만의 원인이 당에만 있다고 생각하지 않습니다. 미국의 경우 설탕 소비량은 1970년부터 1985년 사이에 40퍼센트나 줄었으며, 2000년 이후 모든 당의 소비량이 감소했지만, 비만율은 오히려 증가했습니다. 이를 보면 꼭 당 자체의 문제가 아니라 어떤 성분이든 '과다 섭취'가 문제라는 것을 알 수 있습니다.

---

14 토론 참여자에 대한 설명으로 적절하지 <u>않은</u> 것은?

① 찬성1은 입론에서 객관적 근거를 들어 청소년이 당을 섭취하게 되는 주요 식품이 가공음료임을 주장하고 있다.

② 찬성1은 교차조사 I 에서 선입견을 반박하며 개인이 권장량에 맞춰 당 섭취량을 줄이기 어려움을 주장하고 있다.

③ 반대1은 입론에서 소비자의 부담을 근거로 들어 고당류 음료의 가격을 올려서는 안 됨을 주장하고 있다.

④ 반대1은 교차조사 II 에서 찬성 측의 발언에 희박한 가능성을 일반화하는 논리적 허점이 있음을 지적하고 있다.

⑤ 반대2는 교차조사 I 에서 신뢰할 만한 기관의 자료를 근거로 하여 찬성 측이 주장한 당의 해로움을 반박하고 있다.

15 ㉠과 같은 논제 유형에 대한 설명으로 가장 적절한 것은?

① 객관적인 근거를 통해 논리적 사실을 입증해야 한다.

② 무엇이 옳은지 그른지와 같은 가치 판단이 필요하다.

③ 찬성 측이 근거를 바탕으로 주장을 반증해야 하는 문제이다.

④ 반대 측이 변화의 요구가 타당함을 입증해야 하는 내용이다.

⑤ 찬성 측의 입장에서 현재 상황을 변화시키는 방향으로 설정한다.

16 [A]에 나타난 사회자의 역할로 적절한 것만을 〈보기〉에서 고른 것은?

┌─ 보기 ┐

ㄱ. 토론 참여자의 발언 순서를 지정한다.

ㄴ. 토론자의 발언 내용을 요약하고 정리한다.

ㄷ. 논제에 관한 토론이 필요한 배경을 설명한다.

ㄹ. 토론을 통해 해결하고자 하는 문제를 제시한다.

ㅁ. 논제에 대한 의견을 제시하여 토론 참여를 유도한다.

① ㄱ, ㄴ, ㄷ   ② ㄱ, ㄴ, ㅁ   ③ ㄱ, ㄷ, ㄹ   ④ ㄴ, ㄷ, ㅁ   ⑤ ㄷ, ㄹ, ㅁ

17 윗글 전체를 포괄하는 핵심 쟁점을 〈조건〉에 맞게 서술하시오.

┌─ 조건 ┐

• 핵심 쟁점은 <u>한 가지</u>만 서술할 것.

설득하는 글 쓰기

세상에는 수많은 생각이 존재한다. 따라서 일상 속에서 나와 주장이나 *견해를 달리하는 사람들을 만날 수 있고, 경우에 따라 상대의 *동조를 구해야 할 때도 있다. 이처럼 설득하는 글은 <u>다른 사람이 자신의 주장이나 견해를 받아들이도록 하는 것을 목적으로 한다.</u> 독자를 효과적으로 설득하기 위해서는 논리적인 근거가 뒷받침되어야 하는데, <u>주제와 독자에 따라 제시해야 할 근거가 달라질 수 있으므로</u> 이를 분석하는 것이 중요하다.

설득하는 글을 쓰기 위해 주제를 분석할 때는 주제와 관련된 개념의 정의, 이 주제가 왜 논의되어야 하는지, 주제와 관련된 *논점에는 무엇이 있는지, 주제에 대한 자신의 입장은 어떠한지 등을 중심으로 주제를 깊이 살펴보아야 한다. 그리고 이를 토대로 무엇을 설득할 것인지 방향을 정해야 한다. 예를 들어 '기부 문화의 활성화'를 위해 설득하는 글을 쓴다면 다음과 같이 주제를 분석해 볼 수 있다.

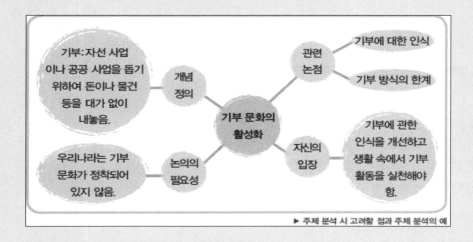

▶ 주제 분석 시 고려할 점과 주제 분석의 예

주제를 분석한 후에는 예상 독자를 분석해야 한다. <u>설득하는 글은 독자의 생각이나 태도, 행동 등의 변화를 목적으로 하므로, 독자의 처지나 마음 등을 고려하는 것이 중요하다.</u> 독자를 분석할 때에는 <u>성별, 연령, 직업 등의 정보는 물론, 주제와 관련하여 지식을 얼마나 가지고 있는지, 관심은 어느 정도인지, 입장은 어떠한지 등을 살펴보고,</u> 이를 토대로 글쓰기 방향을 정해야 한다. 이때 예상 독자를 보다 잘 분석하기 위해 <u>설문 조사나 면담을 실시할 수도 있다.</u> 예를 들어 기부 문화의 활성화에 대해 글을 쓴다고 할 때, 같은 학교의 학생들을 대상으로 한다면 다음과 같이 예상 독자를 분석해 볼 수 있다.

*견해: 어떤 사물이나 현상에 대한 자기의 의견이나 생각
*동조: 남의 주장에 자기의 의견을 일치시키거나 보조를 맞춤
*논점: 논의나 논쟁 따위의 중심이 되는 문제점

	예상 독자에 대한 정보	글쓰기 방향
성별, 연령, 직업 등은 어떠한가?	남녀, 학교 친구와 선후배(만 16~18세), 고등학생	• 우리 학교 학생들의 기부 현황을 바탕으로 문제에 대한 공감을 이끌어 냄. • 청소년들의 수준에 맞는 어휘나 표현을 사용함.
주제에 대해 얼마나 알고 있는가?	• 기부 문화에 대한 지식이 부족함. • 기부를 하려면 물질적 여유가 필요하다고 생각함.	기부 문화에 대한 홍보 및 인식의 전환이 필요함을 주장함.
주제에 얼마나 관심을 가지고 있는가?	관심이 별로 없음.	기부에 대한 관심을 높일 수 있는 내용으로 구성함.
주제에 대한 입장은 어떠한가?	기부의 당위성은 인정하지만 자신과 거리가 먼 일로 여겨 실천하지 않고 있음.	생활 속에서 청소년들이 실천하기 쉬운 다양한 기부 방법을 소개함.

주제와 독자를 분석한 후에는 그 결과를 토대로 주장을 구체적으로 정리하고 타당한 근거를 마련해야 한다. 이를 통해 글의 설득력을 높이고 독자의 공감을 이끌어 낼 수 있다.

<small>타당한 근거 마련의 필요성</small>

근거를 마련할 때에는 가능한 한 자료를 풍부하게 모은 후 주장을 효과적으로 뒷받침할 수 있는 것을 선정해야 한다. 이때 통계나 실험 결과 등 객관적인 사실이나 역사적인 자료, 전문가나 권위 있는 사람의 견해나 증언 등을 활용할 수 있다.

<small>근거 마련을 위한 자료</small>

> ㉮ 청소년들의 기부에 관한 인식을 개선해야 한다. 청소년들은 금전적인 문제로 기부를 하기 어렵다고 생각하기 때문이다.
>
> ㉯ 청소년들의 기부에 관한 인식을 개선해야 한다. 청소년들은 금전적으로 여유가 있어야 기부를 할 수 있다고 생각하기 때문이다. 2016년 통계청의 '사회 조사' 결과에 따르면 기부 경험이 없는 13~19세의 청소년 중 45.6%가 '경제적 여유가 없어서', 22%가 '기부에 대한 관심이 없어서'라고 응답했다.
> <small>전문 기관의 통계 자료를 인용함</small>

㉮는 주장을 뒷받침하는 근거가 추상적이고 구체적이지 않은 반면, ㉯는 전문 기관의 통계 자료를 들어 구체적으로 근거
<small>설득력이 낮음</small>   <small>설득력이 높음</small>
를 제시하고 있어서 ㉮에 비해 설득력이 더 높다.

이처럼 다른 사람을 설득하는 글을 쓸 때에는 자신의 주장만 내세워서는 안 된다. 주제와 독자를 고려하여 타당한 근거를 제시함으로써 자신의 주장을 효과적으로 전달해야 한다.

01 설득이란 상대방의 태도나 신념 또는 가치관을 자신이 의도하는 방향과 일치하도록 변화시키거나 더 강화하는 행위를 말한다. ○☐ ×☐

02 상대방의 태도나 신념 또는 가치관이 자신과 다를 때에는 같아지도록 그 방향을 바꾸고, 자신과 같을 때에는 그 강도를 더 높이는 것을 설득의 목적이라고 한다. ○☐ ×☐

03 독자를 효과적으로 설득하기 위해서는 논리적인 근거가 뒷받침되어야 한다. ○☐ ×☐

04 주제와 독자에 따라 제시해야 할 근거는 달라지지 않는다. ○☐ ×☐

05 주제를 분석해야 할 경우 개념이나 정의, 관련 논점, 논의의 필요성, 자신의 입장 등을 고려해 보아야 한다. ○☐ ×☐

06 설득하는 글은 독자의 생각이나 태도, 행동 등의 변화를 목적으로 하므로, 독자의 처지나 마음 등을 고려할 필요는 없다. ○☐ ×☐

07 독자를 분석할 때에는 성별, 연령, 직업 등의 정보는 물론, 주제와 관련하여 지식을 얼마나 가지고 있는지, 관심은 어느 정도인지, 입장은 어떠한지 등을 살펴야 한다. ○☐ ×☐

08 예상 독자를 보다 잘 분석하기 위해 직접적으로 설문 조사나 면담까지 할 필요는 없다. ○☐ ×☐

09 근거에는 통계나 실험 결과, 객관적 사실이나 역사적인 자료, 전문가나 권위 있는 사람의 견해나 증언 등을 활용할 수 있다. ○☐ ×☐

10 구체적인 자료를 근거로 제시하면 높은 설득력을 얻을 수 있다. ○☐ ×☐

[01~02] 다음 글을 읽고 물음에 답하시오.

○○지역 신문	2018년 ○월 ○일

심폐 소생술을 배우자

거실에서 텔레비전을 함께 보던 가족이 갑자기 의식을 잃고 쓰러졌을 때, 우리가 할 수 있는 일은 무엇일까요? 고등학생 박○○ 양은 어머니께서 갑자기 쓰러지자 119에 신고한 후, 소방대원이 알려 주는 심폐 소생술을 침착하게 실행하여 어머니를 살릴 수 있었습니다.

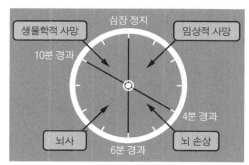

▲ 심정지에 따른 결과

위 자료에 따르면, 심정지 발생 후 초기 대응 시간에 따라 환자의 생사가 좌우된다는 것을 알 수 있습니다. 따라서 심정지 환자를 발견하면 즉시 응급 처치를 해야 하는데, 이때 필요한 것이 바로 심폐 소생술입니다.

질병 관리 본부의 발표에 따르면, 2012년부터 2015년까지 일반인이 실시한 심폐 소생술 비율이 증가함에 따라 심정지 환자의 생존율도 함께 증가하였다고 합니다. 하지만 미국(39.9퍼센트)이나 일본(36.0퍼센트), 싱가포르(20.6퍼센트) 등 다른 나라와 비교하면 우리나라는 아직도 일반인이 실시한 심폐 소생술 비율이 13.1퍼센트로 매우 낮은 수준입니다. 그 이유는 무엇일까요?

연구 결과에 따르면 많은 사람들이 심폐 소생술이 무엇인지, 이를 어떻게 해야 하는지 모를뿐더러 일부 사람들은 오히려 자신의 응급 처지가 환자에게 해를 끼칠지도 모른다고 걱정하는 것으로 나타났습니다. 이러한 걱정을 떨쳐 버릴 수 있는 가장 좋은 방법은 직접 심폐 소생술을 배우는 것입니다. 실제 심폐 소생술 교육을 받은 제 친구의 말에 따르면 교육을 받기 전보다 교육을 받은 후에 심폐 소생술에 대한 자신감이 훨씬 높아졌다고 합니다.

응급 환자를 목격한 후 구조를 요청하는 요령을 배우고, 인체 모형을 대상으로 응급 처치 방법을 익히는 등 실습 위주의 교육을 통해 심폐 소생술을 반복적으로 연습하여 몸에 익히면 유사한 상황이 생겼을 때 당황하지 않고 심폐 소생술을 실행할 수 있을 것입니다.

위급 상황은 예고 없이 찾아옵니다. 다른 사람을 돕고 싶은 마음이 있어도 도울 방법을 몰라 응급 환자를 보고만 있을 수밖에 없다면 그 안타까움은 이루 말할 수 없을 것입니다. 그러므로 소중한 생명을 지키기 위해 심폐 소생술을 배우고 익힙시다.

01 윗글을 쓰기 위한 글쓰기 전략으로 적절하지 않은 것은?

① 독자의 흥미를 끌 만한 구체적인 사례를 들면서 글을 시작해야겠어.

② 공신력 있는 기관의 발표 자료를 인용하여 내용의 신빙성을 높여야겠어.

③ 객관적인 수치로 우리나라의 일반인 심폐 소생술 실시 비율이 낮음을 지적해야겠어.

④ 실제 심폐 소생술 교육을 받은 믿을 만한 사람의 말을 인용하여 신뢰성을 확보해야겠어.

⑤ 심폐 소생술을 배우자는 당부로 글을 마무리하여 글의 목적과 주제를 분명히 해야겠어.

02 윗글을 고쳐 쓰기 위한 방안으로 적절하지 <u>않은</u> 것은?

① 심폐 소생술 교육의 효과를 뒷받침할 수 있는 근거 자료가 부족하니 이를 추가적으로 수집하는 것이 좋겠어.

② 심폐 소생술 교육의 방법은 독자의 이해를 돕기 위해 심폐 소생술 교육 영상과 함께 제시하는 것이 좋겠어.

③ 일반인의 심폐소생술 실시율과 심정지 환자의 생존율 사이의 상관관계를 보여주는 그래프를 추가하는 것이 좋겠어.

④ 다른 나라와 우리나라의 일반인 심폐 소생술 실시 비율을 한 눈에 비교할 수 있는 도표를 보여주는 것이 좋겠어.

⑤ 우리나라의 일반인 심폐 소생술 실시 비율이 낮은 이유에 대한 연구 결과의 출처를 분명하게 밝히는 것이 좋겠어.

[03~04] 다음 글을 읽고 물음에 답하시오.

(가) 글의 개요

• 처음 : 심폐 소생술의 중요성 ·· ㉠

• 중간 : 심폐 소생술 교육의 방법과 효과

　　1. 일반인의 심폐 소생술 증가 ·· ㉡

　　2. 심폐 소생술 교육의 필요성 ·· ㉢

　　3. 실습 위주의 심폐 소생술 교육의 중요성 ························· ㉣

• 끝 : 소중한 생명을 지키기 위한 심폐 소생술 교육 강조 ··········· ㉤

(나) 학생의 초고

○○지역 신문	2018년 ○월 ○일

심폐 소생술을 배우자

　거실에서 텔레비전을 함께 보던 가족이 갑자기 의식을 잃고 쓰러졌을 때, 우리가 할 수 있는 일은 무엇일까요? 고등학생 박○○ 양은 어머니께서 갑자기 쓰러지자 119에 신고한 후, 소방대원이 알려 주는 심폐 소생술을 침착하게 실행하여 어머니를 살릴 수 있었습니다.

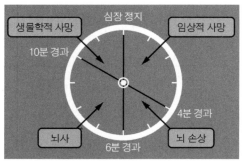

▲ 심정지에 따른 결과

　옆의 자료에 따르면, 심정지 발생 후 초기 대응 시간에 따라 환자의 생사가 좌우된다는 것을 알 수 있습니다. 따라서 심정지 환자를 발견하면 즉시 응급 처치를 해야 하는데, 이때 필요한 것이 바로 심폐 소생술입니다.

질병 관리 본부의 발표에 따르면, 2012년부터 2015년까지 일반인이 실시한 심폐 소생술 비율이 증가함에 따라 심정지 환자의 생존율도 함께 증가하였다고 합니다. 하지만 미국(39.9퍼센트)이나 일본(36.0퍼센트), 싱가포르(20.6퍼센트) 등 다른 나라와 비교하면 우리나라는 아직도 일반인이 실시한 심폐 소생술 비율이 매우 낮은 수준입니다. 그 이유는 무엇일까요?

연구 결과에 따르면 많은 사람들이 심폐 소생술이 무엇인지, 이를 어떻게 해야 하는지 모를뿐더러 일부 사람들은 오히려 자신의 응급 처지가 환자에게 해를 끼칠지도 모른다고 걱정하는 것으로 나타났습니다. 이러한 걱정을 떨쳐 버릴 수 있는 가장 좋은 방법은 직접 심폐 소생술을 배우는 것입니다. 실제 심폐 소생술 교육을 받은 제 친구의 말에 따르면 교육을 받기 전보다 교육을 받은 후에 심폐 소생술에 대한 자신감이 훨씬 높아졌다고 합니다.

응급 환자를 목격한 후 구조를 요청하는 요령을 배우고, 인체 모형을 대상으로 응급 처치 방법을 익히는 등 실습 위주의 교육을 통해 심폐 소생술을 반복적으로 연습하여 몸에 익히면 유사한 상황이 생겼을 때 당황하지 않고 심폐 소생술을 실행할 수 있을 것입니다.

위급 상황은 예고 없이 찾아옵니다. 다른 사람을 돕고 싶은 마음이 있어도 도울 방법을 몰라 응급 환자를 보고만 있을 수밖에 없다면 그 안타까움은 이루 말할 수 없을 것입니다. 그러므로 소중한 생명을 지키기 위해 심폐 소생술을 배우고 익힙시다.

03 (가) 개요를 바탕으로 (나) 글을 작성했다고 할 때 학생이 고려했을 상황으로 적절하지 <u>않은</u> 것은?

① ㉠ : 구체적 사례를 소개하여 심폐 소생술에 대한 독자의 흥미를 유발해야겠어.

② ㉡ : 일반인의 심폐 소생술 비율이 증가함에도 심정지 환자의 생존률이 낮아지는 우리나라의 경우를 자료로 제시해야겠어.

③ ㉢ : 일반인의 심폐 소생술에 대한 두려움을 없애기 위해서라도 심폐 소생술 교육이 필요함을 강조해야겠어.

④ ㉣ : 실습 위주의 심폐 소생술 교육을 반복적으로 실행하는 것의 중요성을 제시해야겠어.

⑤ ㉤ : 심폐 소생술의 의의를 제시하면서 글을 마무리해야겠어.

04 쓰기 맥락을 고려하여 (나)를 점검한 결과로 적절하지 <u>않은</u> 것은?

		점검 기준	점검 결과
①		주장하는 내용이 글의 목적에 맞는가?	×
②		주장이 명확히 드러났는가?	○
③		주장에 따른 근거가 모두 믿을 만한가?	×
④		글의 수준이 예상 독자에게 적절한가?	○
⑤		매체에 적합한 자료를 제시하고 있는가?	○

[01~03] (가)는 학생이 글쓰기를 위해 분석한 쓰기 맥락이고, (나)는 (가)를 바탕으로 쓴 초고이다. 다음을 읽고 물음에 답하시오.

(가) 쓰기 맥락

• 글의 목적 : 우리 지역 사람들을 대상으로 심폐 소생술을 배우자고 설득한다.

• 글의 주제 : 심폐 소생술을 배우자.

• 예상 독자 : 우리 지역 사람들(심폐 소생술에 대한 배경지식은 부족하지만, 건강과 안전에 관심이 많음.)

• 매체 : 인쇄 매체인 지역 신문

(나) 학생의 초고

거실에서 텔레비전을 함께 보던 가족이 갑자기 의식을 잃고 쓰러졌을 때, 우리가 할 수 있는 일은 무엇일까요? 고등학생 박○○ 양은 어머니께서 갑자기 쓰러지자 119에 신고한 후, 소방대원이 알려 주는 심폐 소생술을 침착하게 실행하여 어머니를 살릴 수 있었습니다.

심정지 환자를 발견하면 즉시 응급 처치를 해야 하는데, 이때 필요한 것이 바로 심폐 소생술입니다.

질병 관리 본부의 발표에 따르면, 2012년부터 2015년까지 일반인이 실시한 심폐 소생술 비율이 증가함에 따라 심정지 환자의 생존율도 함께 증가하였다고 합니다. ㉠그래서 미국(39.9퍼센트)이나 일본(36.0퍼센트), 싱가포르(20.6퍼센트) 등 다른 나라와 비교하면 ㉡우리나라는 아직도 일반인이 실시한 심폐 소생술 비율이 매우 낮은 수준입니다. 그 이유는 무엇일까요?

연구 결과에 따르면 많은 사람들이 심폐 소생술이 무엇인지, 이를 어떻게 해야 하는지 모를뿐더러 일부 사람들은 ㉢오히려 자신의 응급 처지가 환자에게 해를 끼칠지도 모른다고 걱정하는 것으로 나타났습니다. 이러한 걱정을 떨쳐 버릴 수 있는 가장 좋은 방법은 직접 심폐 소생술을 배우는 것입니다. ㉣실제 심폐 소생술 교육을 받은 제 친구의 말에 따르면 교육을 받기 전보다 교육을 받은 후에 심폐 소생술에 대한 자신감이 훨씬 높아졌다고 합니다.

응급 환자를 목격한 후 구조를 요청하는 요령을 배우고, 인체 모형을 대상으로 응급 처치 방법을 익히는 등 실습 위주의 교육을 통해 심폐 소생술을 반복적으로 연습하여 몸에 익히면 유사한 상황이 생겼을 때 당황하지 않고 심폐 소생술을 실행할 수 있을 것입니다. ㉤또한 심폐 소생술을 잘못하면 뇌 손상과 같은 후유증이 남을 수 있어 교육 동영상의 정확도는 매우 중요합니다.

위급 상황은 예고 없이 찾아옵니다. 다른 사람을 돕고 싶은 마음이 있어도 도울 방법을 몰라 응급 환자를 보고만 있을 수밖에 없다면 그 안타까움은 이루 말할 수 없을 것입니다. 그러므로 소중한 생명을 지키기 위해 심폐 소생술을 배우고 익힙시다.

01 〈보기〉는 학생이 (나)를 쓰기 전에 떠올린 생각이다. (나)에 반영된 내용으로 적절한 것을 〈보기〉에서 고른 것은?

┤ 보기 ├

ㄱ. 주제와 관련된 실제 사례를 언급하며 독자의 관심을 유도해야겠어.

ㄴ. 중심 화제와 관련된 질문을 던지는 방식으로 집중을 유도해야겠어.

ㄷ. 심폐 소생술의 구체적인 방법을 안내하며 심폐 소생술의 효과를 제시해야겠어.

ㄹ. 예상 독자가 이미 알고 있는 심폐 소생술에 대한 지식을 상기시키며 주장을 강조해야겠어.

① ㄱ, ㄴ　　　　② ㄱ, ㄷ　　　　③ ㄴ, ㄷ　　　　④ ㄴ, ㄹ　　　　⑤ ㄷ, ㄹ

02 자료 1~3을 활용하여 (나)를 보완하기 위한 방안으로 적절하지 <u>않은</u> 것은?

자료1	 ▲ 심정지에 따른 결과 심정지(심장이 수축하지 않아 혈액 공급이 완전히 멎은 상태)가 발생했을 때 아무런 조치를 취하지 않으면 4~5분 내에 뇌 손상이 일어나기 때문에 심정이 초기 5분의 대응이 운명을 좌우합니다. – 서울특별시 영등포구 보건소 누리집 –
자료2	 2012년부터 2015년까지 조사한 결과 일반인의 심폐 소생술 실시율이 증가함에 따라 심정지 환자의 생존율이 증가하였다. – 질병 관리 본부 누리집 –
자료3	〈동영상 자료〉 ○○의대 김△△ 교수 팀은 인터넷상의 심폐 소생술 동영상 1,600건을 분석했습니다. 그 결과 의학적으로 정확하면서 교육 효과가 높은 동영상은 2퍼센트에 불과한 것으로 나타났습니다. 심폐 소생술을 잘못하면 뇌손상과 같은 후유증이 남을 수 있어 교육 동영상의 정확도는 매우 중요합니다. 전문가들은 심폐 소생술이 사람의 생명을 다루는 기술인만큼, 교육 동영상을 철저히 관리해야 한다고 강조합니다. 인증 표시를 도입하거나 부정확한 동영상을 삭제하는 등 대책 마련이 필요합니다. – 와이티엔(YTN)「뉴스정식」(2015. 5. 19) –

① 자료 1 : 서론에서 심폐 소생술의 중요성을 보여주는 자료로 활용한다.
② 자료 1 : 도표를 제시하여 심정지 발생 시 초기 대응이 중요함을 강조한다.
③ 자료 2 : 심폐 소생술 교육이 필요한 이유를 뒷받침하는 근거 자료로 활용한다.
④ 자료 2 : 일반인이 실시한 심폐 소생술 비율이 거의 변하지 않고 있음을 보여주는 자료로 활용한다.
⑤ 자료 3 : 매체의 특성을 고려할 때 적절하지 않은 형태의 자료이므로 활용하지 않는다.

03 ㉠~㉤을 고쳐 쓰기 위한 방안으로 적절하지 <u>않은</u> 것은?

① ㉠ : 앞뒤 내용을 자연스럽게 연결하지 못하므로 '하지만'으로 고친다.
② ㉡ : '매우 낮은' 수준이 어느 정도인지 정확하지 않고 모호하므로 구체적인 수치를 제시한다.
③ ㉢ : 문맥에 맞지 않는 단어이므로 '예상한 것과 달리' 라는 뜻의 '차라리'로 고친다.
④ ㉣ : 공신력 있는 자료가 아니므로 삭제하고, 신뢰할 수 있는 기관의 자료를 활용한다.
⑤ ㉤ : 주체와 관련 없는 내용으로서 글의 통일성을 저해하므로 삭제한다.

[04~05] 다음 글을 읽고 물음에 답하시오.

심폐 소생술을 배우자

거실에서 텔레비전을 함께 보던 가족이 갑자기 의식을 잃고 쓰러졌을 때, 우리가 할 수 있는 일은 무엇일까요? 고등학생 박○○ 양은 어머니께서 갑자기 쓰러지자 119에 신고한 후, 소방대원이 알려 주는 심폐 소생술을 침착하게 실행하여 어머니를 살릴 수 있었습니다.

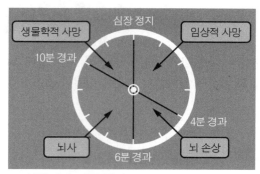

▲ 심정지에 따른 결과

위 자료에 따르면, 심정지 발생 후 초기 대응 시간에 따라 환자의 생사가 좌우된다는 것을 알 수 있습니다. 따라서 심정지 환자를 발견하면 즉시 응급 처치를 해야 하는데, 이때 필요한 것이 바로 심폐 소생술입니다.

질병 관리 본부의 발표에 따르면, 2012년부터 2015년까지 일반인이 실시한 심폐 소생술 비율이 증가함에 따라 심정지 환자의 생존율도 함께 증가하였다고 합니다. 하지만 미국(39.9퍼센트)이나 일본(36.0퍼센트), 싱가포르(20.6퍼센트) 등 다른 나라와 비교하면 우리나라는 아직도 일반인이 실시한 심폐 소생술 비율이 13.1퍼센트로 매우 낮은 수준입니다. 그 이유는 무엇일까요?

연구 결과에 따르면 많은 사람들이 심폐 소생술이 무엇인지, 이를 어떻게 해야 하는지 모를뿐더러 일부 사람들은 오히려 자신의 응급 처지가 환자에게 해를 끼칠지도 모른다고 걱정하는 것으로 나타났습니다. 이러한 걱정을 떨쳐 버릴 수 있는 가장 좋은 방법은 직접 심폐 소생술을 배우는 것입니다. 실제 심폐 소생술 교육을 받은 제 친구의 말에 따르면 교육을 받기 전보다 교육을 받은 후에 심폐 소생술에 대한 자신감이 훨씬 높아졌다고 합니다.

응급 환자를 목격한 후 구조를 요청하는 요령을 배우고, 인체 모형을 대상으로 응급 처치 방법을 익히는 등 실습 위주의 교육을 통해 심폐 소생술을 반복적으로 연습하여 몸에 익히면 유사한 상황이 생겼을 때 당황하지 않고 심폐 소생술을 실행할 수 있을 것입니다.

위급 상황은 예고 없이 찾아옵니다. 다른 사람을 돕고 싶은 마음이 있어도 도울 방법을 몰라 응급 환자를 보고만 있을 수밖에 없다면 그 안타까움은 이루 말할 수 없을 것입니다. 그러므로 소중한 생명을 지키기 위해 심폐 소생술을 배우고 익힙시다.

– ○○지역 신문 (20○○년 ○월 ○○일) –

04 쓰기 맥락을 고려하여 위 글을 점검하는 질문으로 적절하지 <u>않은</u> 것은?

① 주장이나 근거가 글의 목적에 적합한가?
② 주장에 따른 근거가 타당하고 충분한가?
③ 매체에 적합한 표현 방식을 사용하였는가?
④ 글쓴이의 관심 분야와 요구를 반영하였는가?
⑤ 글의 수준이 예상 독자의 배경 지식에 적절한가?

05 위 글에 대한 평가 내용으로 적절하지 <u>않은</u> 것은?

① 인쇄 매체에 적합한 도표 자료를 활용했군.

② 주제를 두괄식으로 제시하여 독자의 이해를 돕고 있군.

③ 친구에게 들은 이야기는 공신력이 떨어지므로 삭제해야겠군.

④ 우리나라의 일반인이 실시한 심폐소생술 비율을 정확하게 밝혀야겠군.

⑤ 질병관리본부의 자료를 그래프로 제시하면 변화의 추이를 한 눈에 파악할 수 있겠군.

[06~09] 다음 글을 읽고 물음에 답하시오.

사회자 : 한반도가 남북으로 갈린 지 70여 년이 지났습니다. 과연 적절한 통일 시기는 언제일까요? 오늘은 '남북 통일은 10년 이내에 이루어져야 한다.'라는 논제로 토론하겠습니다. 먼저 찬성 측 입론해 주십시오.

찬성 1 : 지난 분단 70년 세월, 남북은 많이 달라졌고 차이를 극복하는 것이 결코 쉬운 일은 아닐 것입니다. 하지만 두려움을 앞세워서 우리가 해야 할 일을 늦추는 것은 합당한 선택이 아닙니다. 그래서 저희는 10년 이내의 통일을 주장합니다. 첫째, 흐지부지 되는 30년 계획보다는 강력하고 명확한 10년의 계획이 실효성이 높습니다. 둘째, 시기를 늦출수록 남북의 차이는 점점 벌어질 것이고, 이는 통일비용의 증가를 가져오고, 국민적 관심도 지금처럼 유지될 것이라고 믿을 수 없습니다. 지금으로부터 30년 후면 분단 100년입니다. 통일을 위한 완벽한 시기를 기다리다가 지금 당장의 기회를 놓칠 수 있습니다.

사회자 : 찬성 측에서는 통일의 적절한 시기를 놓치지 않기 위해 10년 이내의 명확한 계획을 세워 추진해야 한다고 주장하였습니다. 반대 측 토론자, 교차 조사해 주십시오.

반대 2 : 찬성 팀에서 강력하고 명확한 10년의 계획을 추진해야 한다고 말씀하셨는데, 그 구체적인 방안이 무엇인가요?

찬성 1 : 아주 구체적인 부분은 언급하기 어렵지만, 먼저 통합된 정치 체제를 만드는 것이 우선입니다. 사회가 같은 정치 체제 내에서 같이 공감하고 같은 정책을 운영하는 것이 중요하다고 생각합니다. 물론 10년 내에 차이를 모두 극복할 수는 없습니다. 하지만 통일은 하나의 사건이 아니라 과정이고, 10년 후에도 통일을 완수하기 위해 지속적으로 노력해 나가야 할 것입니다.

반대 2 : 통일이 늦어질수록 통일비용이 증가한다고 하셨는데 구체적인 근거가 있나요?

찬성 1 : 통일부 남북공동체 기반조성 사업에 따르면 10년 이내에 통일할 경우 통일비용은 1,261조가 소요된다고 합니다. 그런데 이게 20년 후로 미루어지면 2,836조가 되구요, 30년 후로 미뤄지면 3,277조가 됩니다. 통일비용을 걱정하다가 미루면 오히려 통일비용이 늘어난다는 것을 보여줍니다.

사회자 : 다음은 반대 측 첫 번째 토론자, 입론해 주십시오.

반대 1 : 일단 통일에 대해서 긍정적으로 생각하는 점은 저 역시 공감을 합니다. 그런데 통일을 갑자기 이루기에는 너무나도 위험부담이 큽니다. 현재 국내외적으로 통일 재원이 아직 하나도 준비되어 있지 않습니다. 그리고 국내 여론 역시 아직까지는 통일에 대한 부정적인 의견이 많습니다. 국제적 상황을 고려했을 때도 역시 큰 부작용이 우려되고 있습니다. 무리하게 10년이라는 단기간의 목표를 세웠다가 사회 통합을 저해하고 예상치 못한 위험에 맞닥뜨릴 수가 있습니다. 사자성어 중 '유비무환'이라는 말이 있습니다. 준비를 한 뒤에는 근심이 없다는 뜻이죠. 이런 말처럼 30년 이상 천천히 준비하면서 통일을 준비해야 한다고 생각합니다. 이상입니다.

사회자 : 찬성 측 교차 질문 해주십시오.

찬성 2 : ㉠_____.

06 토론 참여자들의 말하기에 대한 설명으로 적절하지 <u>않은</u> 것은?

① 반대 측은 자신과 상대방 의견의 일치점을 드러내는 표현을 사용하고 있다.

② 반대 측은 전문가 견해를 인용하여 자신의 주장이 타당함을 강조하고 있다.

③ 찬성 측은 주장과 관련된 구체적인 통계 자료를 활용하여 설득력을 높이고 있다.

④ 찬성 측은 통일이 늦어질 경우 예상되는 문제점을 들어 자신의 주장을 정당화하고 있다.

⑤ 사회자는 논제의 사회적 배경을 언급하고 입론 내용을 요약하며 토론 순서를 안내하고 있다.

07 ㉠에 들어갈 교차 질문으로 가장 적절한 것은?

① '유비무환'보다는 '속전속결'이 더 적절한 말 아닙니까?

② 북한과 평화통일을 이루어야 한다는 것은 헌법에 규정되어 있는 책무 아닙니까?

③ 강경파 위주의 주변 국가들을 단기간에 설득하는 것은 비현실적이지 않습니까?

④ 남북정상회담 때 백두산 천지에서 남북이 함께 아리랑을 부른 것을 알고 계십니까?

⑤ 최근 여론 조사에서 64%가 '통일로 인한 이익이 클 것'이라고 답한 것을 알고 계십니까?

08 양측이 공통적으로 인정하고 있는 것은?

① 통일에는 막대한 비용이 소요된다.

② 통일은 급진적으로 이루어내야 한다.

③ 사회 통합은 통일이 되면 이루어진다.

④ 통일비용보다 통일 후 편익이 더 크다.

⑤ 통일은 무력으로라도 반드시 이루어야 한다.

09 다음을 참고할 때, 위 토론의 유형으로 적절한 것은?

> 이 토론은 찬성 측과 반대 측이 각각 두 번의 입론과 두 번의 반론을 한다. 또한 입론 다음에 바로 교차조사가 이어진다. 토론자마다 입론, 반론, 교차조사를 모두 해야하기 때문에 참여자들은 끝까지 집중해야 한다.

① 원탁 토론　　　　　② 의회식 토론　　　　　③ 칼포퍼 토론
④ CEDA 토론　　　　　⑤ 링컨-더글러스 토론

서술형 심화문제

01 다음은 수업 시간에 이루어진 대화이다. 빈칸에 들어갈 답변을 적절한 이유를 들어 서술하시오.

> **교사** : 우리가 다음 시간에 할 토론 논제는 '9시 등교를 시행해야 한다.' 입니다. 찬성 측과 반대 측은 입론서를 작성해 오도록 하세요.
> **반대** : (손을 들고) 선생님, 저희 반대 측에서 먼저 토론을 시작할게요!
> **찬성** : (벌떡 일어나며) 아니야. 찬성인 우리가 먼저 할거야!
> **교사** : 음, 서로 먼저 하려고 난리구나. 토론에서는 _____.

[02~03] 다음 글을 읽고 물음에 답하시오.

글을 쓰는 마직막 단계는 고쳐쓰기이다. 고쳐 쓰기 단계에서는 글의 목적과 주제, 예상독자에 맞게 내용이 제시되었는지 평가해야 하며, 글의 구성과 표현법 등도 함께 살펴야 한다. 끝으로 문장이 어법에 맞고 단어가 적절하게 사용되었는지 점검해야 하는데, 구체적인 내용을 살펴보면 다음과 같다.

┌─ 주어와 서술어의 호응이 적절한가?
│   부사어와 서술어의 호응이 적절한가?
[A] 조사나 어미가 적절하게 사용되었는가?
│   문장의 필요한 성분을 모두 갖추고 있는가?
└─ 문맥에 맞도록 단어가 적절히 제시되었는가?

---

02 〈자료1〉, 〈자료2〉와 같이 문장을 수정할 때, 반영된 것을 [A]에서 찾아 빈칸에 쓰시오.

(1) ㉠ : 주어와 서술어의 호응이 적절한가?

  ㉡ : _____.

  ㉢ : _____.

┤ 자료 1 ├

• ○○ 지역 원두에 장점은 아무리 오래 보관하여도 커피의 향과 맛이 변하지 않는다.
  → ○○ 지역 원두의 장점은 원두를 아무리 오래 보관하여도 커피의 향과 맛이 변하지 않는다는 것이다.

(2) ㉠ : _____.

  ㉡ : _____.

  ㉢ : _____.

┤ 자료 1 ├

• 서울에서 열리는 '남북 통일 축구 응원단'에 가담한 시민들은 "겨레는 하나다!"고 구호와 통일 노래도 외쳤다.
  → 서울에서 열리는 '남북 통일 축구 응원단'에 참여한 시민들은 "겨레는 하나다!"라고 구호를 외치고 통일 노래도 불렀다.

03 다음은 위 글의 [A]를 반영하여 문장을 수정한 것이다. 빈칸에 들어갈 문장을 쓰시오.

수정 전	내가 전하고 싶은 말은 너희가 포기하지 않고 최선을 다하길 바란다.

↓ 주어와 서술어의 호응이 적절한가?

수정 후	(1)

수정 전	비록 우리가 우승을 못 할수록 최선을 다했으니 경기는 이긴 것이나 다름없다.

↓ 부사어와 서술어의 호응이 적절한가?

수정 후	(2)

수정 전	이 가구는 최고급 제품으로써 100% 인도네시아산 원목으로서 만들어졌습니다.

↓ 조사나 어미가 적절하게 사용되었는가?

수정 후	(3)

수정 전	우리는 세상에 순응하기도 하고 때로는 바꾸기도 한다.

↓ 문장의 필요한 성분을 모두 갖추고 있는가?

수정 후	(4)

수정 전	이 세상에는 다양한 사람들이 있으며, 성격도 제각각 틀리다.

↓ 문맥에 맞도록 단어가 적절히 제시되었는가?

수정 후	(5)

(가)

먼저 윤두서와 절친했던 이하곤(1677~1724)이라는 분의 글, '윤두서가 그린 작은 자화상에 붙이는 찬문[尹孝彦自寫小眞贊]'을 살펴보기로 한다. 효언(孝彦)은 윤두서의 자이다.

여섯 자도 되지 않는 몸으로 온 세상을 초월하려는 뜻을 지녔구나! 긴 수염이 나부끼고 안색은 붉고 윤택하니, 보는 사람들은 그가 도사나 검객이 아닌가 의심할 것이다. 그러나 그 진실하게 삼가고 물러서서 겸양하는 풍모는 역시 홀로 행실을 가다듬는 군자라고 하기에 부끄러움이 없다.

찬문에 묘사된 인물의 생김생김은 분명 ㉠윤두서의 '자화상' 속 그것과 같다. 그런데 글에는 "홀로 행실을 가다듬는 군자"로서 "진실하게 삼가고 물러서서 겸양하는 풍모"를 보인다고 설명된 '자화상'의 첫인상이 어째서 무섭기까지 하다는 말인가? 일찍이 감식안(鑑識眼)이 높았던 고(故) 최순우 전 국립 박물관장은 윤두서의 '자화상'을 처음 대했을 때의 인상을 회고하면서 거의 충격적이었다고 고백한 바 있다. 물론 앞서 말한 이 그림의 비정상적인 구도와 과감하기 이를 데 없는 생략에서 나온 감상이었다. 그 때문에 '자화상'은 그 놀라운 사실적인 묘사에도 불구하고, 아니 묘사가 사실적인 만큼 더욱더, 몽환 중에 떠오른 영상처럼 섬뜩하게 느껴졌던 것이다.

그런데 현재 이 작품에서 보이는 충격적인 회화 효과는 결코 조선 시대 사대부들이 추구하던 윤리 도덕이나 거기에 근거한 당시의 미감(美感)과 맞아떨어지는 것이 아니다. 공자는 "효경(孝經)의 첫머리에서 "신체는 터럭과 피부까지 다 부모님으로부터 받은 것이니 감히 다치고 상하게 할 수 없다. 이것이 효도의 시작이다. 그리고 몸을 세워 도를 행하여 후세까지 이름을 드날림으로써 부모님을 드러나게 할 것이니, 이것이 효도의 마지막이니라."라고 하였다. 그러므로 귀를 떼어내고 신체를 생략한 그림을 그린다는 것은 도저히 사대부가 할 수 있는 일이 아니다. 앞에서 '자화상'의 현상이 작가가 의도한 결과물이 아니라 우연히 작업이 중단되었기 때문에 나타난 것이라고 추측한 까닭은 바로 이 때문이었다.

(나)

㉡옛 사진 속의 윤두서의 모습은 지금 작품과는 크게 달랐다. 그의 몸 부분이 선명하게 그려져 있었던 것이다. 그 결과 현 상태에서 몸 없이 얼굴만 따로 떠 있는, 거의 충격적이라고 부를 만큼 지나치게 강하고 날카롭기만 한 '자화상' 속 윤두서의 생김새가 원래는 훨씬 어질어 보이는 얼굴에 침착하고 단아한 분위기를 띠고 있었다는 사실을 알게 되었다.

그렇다! 이것이 바로 조선의 선비다. 조선 선비라면 어디까지나 원만하게 중용(中庸)의 미감을 지켜 나가야 그 학문인 성리학의 정신에 걸맞다. 윤두서는 옛 사진 속에서 도포를 입고 있었다. 단정하게 여민 옷깃과 정돈된 옷 주름 선은 완만한 굴곡을 갖는 고르고 기품 있는 선으로 이루어졌다. 넓은 깃에 깨끗한 동정을 달았으므로 딱딱한 동정과 부드러운 천 사이에는 살짝 주름이 잡혔다. 그 동정과 깃의 턱이 진 이중 구조는 인물을 포근하게 감싸 안듯이 얼굴을 받쳐 주고 있다. 그리고 화면 아래 좌우 구석은 주인공이 편안한 자세로 앉았을 때 생기는 자잘한 주름으로 마무리되었다. 그러나 가장 두드러진 차이점은 안면에서 배어나는 인자함이었다. 너무나도 따뜻해 보이는 감성적인 얼굴과 총명하기 이를 데 없는 눈빛이 거기 있었던 것이다.

(다)

원래 있었던 윤두서 '자화상' 사진 속의 상반신 윤곽선이 그 후 어떻게 해서 감쪽같이 없어졌을까? 비밀은 몸이 유탄(柳炭)으로 그려진 데에 있었다. 유탄이란 요즘의 스케치 연필에 해당하는 것으로 버드나무 가지로 만든 가는 숯이다. 이것은 화면에 달라붙는 점착력이 약해서 쉽게 지워진다. 그래서 소묘하다가 수정하기에 편리하므로 통상 밑그림을 잡을 때 사용한다. 그런데 '자화상'의 경우, 주요 부분인 얼굴부터 먹선을 올려 정착시키고 몸체는 우선 유탄으로만 형태를 잡는 과정에서 그 몸에 미처 먹선을 올리지 않은 상태, 즉 미완성의 상태로 전해 오다가 언젠가 그 부분이 지워져 버린 것이다. 아마도 미숙한 표구상이 구겨진 작품을 펴고 때를 빼는 과정에서 표면을 심하게 문질러 유탄 자국을 아예 지워 버리게 된 것 같다. 자세히 보면 옛 사진에서는 두드러져 보이는 종이 바탕의 꺾인 자국이 현 상태에서는 부드럽게 눅어 있다. 그렇게 문지르는 동안 원작품이 가졌던 풍부한 질감, 특히 안면의 부드러운 질감이 희생되고 뼈대가 되는 선적인 요소만 남게 된 것이다.

(라)

이제 지금껏 조선 초상화의 최고 걸작이며 파격적인 구도를 가진 완성작이라고 생각되어 온 '자화상'은 미완성작임이 확인되었다. 그래서 귀가 없었던 것이다. 또 완벽하게 마무리된 수염에 반하여 눈동자 선이 너무 진하고 약간 생경해 보이는 것도 그 때문이었다. 하지만 미완성작임이 드러났다고 해서 실망할 것은 없다. 작품의 예술성도 미완성이라고는 절대 말할 수 없기 때문이다. '자화상'은 완벽하다. 미켈란젤로는 일찍이 '노예상'을 조각하면서 미처 다 쪼아 내지 못한 대리석 조각을 남겼다. 그런데 이 미완성작은 오히려 드물게 보는 걸작이라고 평가된다. 다듬어지지 않은 돌이라는 작품 재질과 그로부터 영혼이 깃든 형상을 이끌어 내려는 작가 의식 사이에 말할 수 없이 팽팽한 긴장감이 감돌고 있기 때문이다. 그와 같이 '자화상' 또한 미완성작이지만 오히려 그 덕분에 마지막 손질이 더해지지 않은, 작가 자신에 대한 심오한 상념이 전개되는 과정, 그리고 생생한 자기 성찰의 흔적을 그대로 보여 준다. 그렇다면 미켈란젤로나 윤두서는 어쩌면 똑같이 미완성작 속에서 더 이상 손댈 수 없는 완전성을 감지하고서 그 이상의 작업을 스스로 포기했던 것인지도 모른다.

01 이 글을 읽고 해결할 수 있는 질문으로 적절하지 <u>않은</u> 것은?

① 유탄은 어떤 용도로 사용되었을까?
② 윤두서 '자화상'이 훼손된 이유는 무엇일까?
③ 윤두서 '자화상'이 초상화로서 지닌 시대적 한계점은 무엇일까?
④ 필자가 현존하는 '자화상'이 당대의 미감과 맞지 않다고 생각한 이유는 무엇일까?
⑤ 최순우 전 국립 박물관장이 '자화상'을 본 첫인상이 충격적이었다고 한 이유는 무엇일까?

02 〈보기〉의 읽기 목적에 따라 이 글을 읽은 것으로 적절하지 <u>않은</u> 것은?

┤ 보기 ├

㉮	㉯
지식이나 정보를 얻기 위한 읽기	깨달음이나 즐거움을 얻기 위한 읽기

	읽기 목적	읽기 방법
①	㉮	'자화상' 속의 윤두서의 모습이 사진 속의 모습과 달라진 이유를 요약하며 읽었다.
②	㉮	필자가 활용한 자료의 출처를 확인하며 읽었다.
③	㉯	'자화상'에 대한 필자의 생각에 반박할 부분을 찾아 필자의 생각을 평가하며 읽었다.
④	㉯	글에서 감동적인 부분을 찾아 내면화하며 읽었다.
⑤	㉯	윤두서가 조선 시대의 사대부였다는 사실을 고려하며 읽었다.

03 ⊙, ⓒ에 대한 설명으로 적절하지 않은 것은?

① ⊙과 달리 ⓒ은 인물의 몸 부분이 선명하게 그려져 있다.

② ⓒ과 달리 ⊙에서는 유탄으로 그려진 부분을 찾아볼 수 없다.

③ ⊙과 달리 ⓒ에서는 조선 선비가 지닌 중용의 미감을 확인할 수 있다.

④ 시간이 지남에 따라 ⓒ이 ⊙과 같이 바뀐 것이라 할 수 있다.

⑤ ⊙과 ⓒ 모두 인물의 모습에서 인자하고 따뜻한 분위기를 느낄 수 있다.

04 필자가 윤두서의 '자화상'을 '미완성의 걸작'이라고 평가한 까닭을 한 문장으로 서술하시오. [5점]

[05~09] 다음은 토론 중의 발언이다. 발언을 읽고 물음에 답하시오.

사회자 : 안녕하십니까? 오늘은 '고당류 음료의 가격을 올려야 한다.'라는 논제로 토론하겠습니다. 최근 세계 각국이 설탕과의 전쟁을 선언하고 '당 줄이기' 운동을 펼치고 있습니다. 우리나라 역시 '제1차 당류 저감 종합 계획'을 발표하여 2020년까지 가공식품을 통한 당 섭취량을 하루에 섭취하는 총열량의 10퍼센트 이내로 낮추겠다는 목표를 밝혔습니다. 당 섭취량을 줄이기 위해 당 함유 가공식품, 특히 고당류 음료의 가격을 올려야 한다는 의견에 대한 찬반 논란이 뜨거운데요, 오늘은 이 문제를 가지고 토론해 보고자 합니다. 먼저 찬성 측의 입론부터 들어보겠습니다.

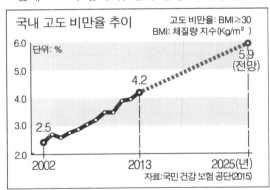

찬성 1 : 먼저 우리나라의 고도 비만율 추이를 나타낸 그래프를 보실까요? 이 그래프를 보면 2002년 이후 우리나라의 고도 비만율이 꾸준히 증가하고 있고, 앞으로도 이런 추세가 계속될 것임을 알 수 있습니다. 비만이 우리의 건강을 위협한다는 것은 누구나 알고 있는 상식인데, 왜 비만율이 줄지 않는 걸까요? 그것은 우리가 필요한 것 이상으로 많은 당을 섭취하고 있기 때문입니다. 청소년이 당을 섭취하게 되는 주요 식품이 바로 가공 음료라고 합니다. 우리가 습관적으로 마시는 가공 음료가 얼마나 위험한 것인지, 제가 오늘 가지고 나온 각설탕을 통해 알려 드리겠습니다. 여러분은 이 3그램짜리 각설탕을 한 번에 몇 개나 드실 수 있나요? 두 개 혹은 세 개? 혹시 오늘 젖산균 요구르트 150밀리리터를 마셨다면 이미 각설탕 일곱 개를 섭취한 것과 같습니다. 많은 사람들이 가공 음료에 이렇게나 많은 당이 들어 있는지 모른 채 다양한 음료를 즐겨 마시고 있습니다. 가공 음료를 통한 과다한 당 섭취는 비만으로 이어질 확률이 높습니다. 따라서 당 섭취량을 줄이기 위해 고당류 음료의 가격을 올려 소비를 감소해야 한다고 생각합니다.

사회자 : 찬성 측에서 국민 건강을 위협하는 과도한 당 섭취를 줄이기 위해 고당류 음료의 가격을 올려야 한다는 주장을 제시하였습니다. 이에 반대측 토론자, [㉠]해 주십시오.

반대 2 : 비만율이 증가하고 있다는 것은 저희도 알고 있습니다. 그런데 비만의 원인이 당 섭취에 있다고 단정하는 근거가 있나요?

찬성 1 : 당의 해로움을 지적한 연구는 적지 않습니다. 식품 의약품 안전 평가원에서 2011년 배포한 보도 자료에 따르면, 달게 먹는 습관이 비만의 위험을 높이는 것으로 나타났습니다. 우리나라 성인 16,992명을 대상으로 6~12년간 추적 조사한 결과, 설탕이나 물엿과 같은 첨가 당을 하루에 22그램 이상 많이 섭취한 집단은 하루에 8그램 이하로 적게 섭취한 집단보다 비만 위험이 28퍼센트나 높은 것으로 확인되었습니다. 평가원은 첨가 당 섭취량이 많아질수록 비만 위험도가 높아지고, 이것이 만성 질환을 유발하므로 덜 달게 먹는 습관을 지니는 것이 중요하다고 밝혔습니다.

반대 2 : 저희가 조사한 자료를 보면, 미국 식품 의약국은 1976년에 이미 설탕의 안정성을 연구했고, 권장량의 설탕 섭취는 인체에 해를 끼치지 않는다는 결론을 내렸습니다. 이는 어떻게 생각하십니까?

찬성 1 : 권장량이라는 것은 말 그래도 권장량일 뿐입니다. 세계 보건 기구가 권장하는 하루 당 섭취량은 하루에 섭취하는 총열량의 5퍼센트 수준인 25그램 이하입니다. 그런데 탄산음료 500밀리리터 한 병에는 약 50그램의 당이 들어 있습니다. 건강에 좋다고 인식되는 주스는 어떨까요? 주스 한 잔에 들어 있는 당은 평균 1524그램으로, 때에 따라 한 잔의 주스만으로도 하루 당 섭취 권장량을 모두 섭취할 수도 있습니다. 저희가 말씀드리고 싶은 것은 개인이 권장량에 맞춰 당 섭취량을 줄이는 게 쉽지 않다는 것입니다.

사회자 : 자, 다음은 [㉡] 해 주십시오.

---

05 윗글과 같은 말하기 유형에 대한 적절한 설명만을 <u>모두</u> 고른 것은?

> ㄱ. 상대의 마음이나 행동, 태도를 변화시키는 언어활동이다.
> ㄴ. 절차에 따라 말하기 보다는 즉흥적인 말하기 능력이 요구된다.
> ㄷ. 다른 사람의 의견이나 제안을 받아들이지 않고 물리치는 말하기이다.
> ㄹ. 상대의 논리적 허점을 파악하여 자신의 주장을 강화하는 전략이 필요하다.
> ㅁ. 반론 시 자기에게 유리한 쟁점을 선택해 집중적으로 반박하는 전략도 효과적이다.

① ㄱ, ㄴ   ② ㄱ, ㄹ   ③ ㄱ, ㄹ, ㅁ   ④ ㄴ, ㄷ, ㅁ   ⑤ ㄷ, ㄹ, ㅁ

06 윗글의 논제와 성격이 같은 것은?

① 교내에 cctv를 설치해야 한다.
② 만화는 우리 사회에 유익하다.
③ 영어 교육은 모국어 습득에 방해가 된다.
④ 동물원의 원숭이가 야생의 원숭이보다 더 행복하다.
⑤ 체육 수업 감축은 초등학생들의 체력을 저하시킨다.

07 윗글을 참고할 때, ㉠과정에 대한 분석으로 적절하지 <u>않은</u> 것은?

① 찬성 1은 일상적인 예시를 통해 청중들이 이해하기 쉽게 설명하며 자신의 주장을 강화하고 있다.
② 찬성 1은 자신의 주장을 뒷받침하기 위해 신뢰성 있는 통계 자료를 제시하여 질문에 대답하고 있다.
③ 찬성 1은 소비자가 권장량을 넘어 과도한 당 섭취를 할 환경에 노출되어 있음을 제시하고 있다.
④ 반대 2는 비만과 당 섭취 사이의 객관적 상관관계를 증명하도록 요구하고 있다.
⑤ 반대 2는 논제의 오류를 찾아내기 위해 권장량의 설탕 섭취는 해가 되지 않음을 제시하고 있다.

08 ㉡에 들어갈 내용으로 적절한 것은?

① 찬성 측 첫 번째 토론자 입론해 주십시오.
② 반대 측 첫 번째 토론자 입론해 주십시오.
③ 찬성 측 두 번째 토론자 입론해 주십시오.
④ 반대 측 두 번째 토론자 반론해 주십시오.
⑤ 찬성 측 두 번째 토론자 반론해 주십시오.

09 〈자료〉는 입론에 대한 설명이다. 찬성1의 입론에 반영되지 <u>않은</u> 것을 고르면?

┤ 자료 ├

　　입론은 찬성 측과 반대 측이 각각 ⓐ논제와 관련해서 자신의 주장을 세우는 시간이다. 먼저 ⓑ논제에 대한 토론이 왜 필요한지 그리고 그 사회적 배경이 무엇인지를 청중과 상대방에게 알려줌으로서 청중의 관심을 끈다. 또한 주요 개념들을 어떻게 정의하느냐가 토론의 전 과정에서 자기 팀의 입장을 받쳐주는 기반이 되기 때문에 ⓒ개념 설명에 대한 적절한 예를 들거나, ⓓ예상되는 반박에 대비한 해결방안을 제시하기도 한다. 마지막으로 ⓔ필수적인 쟁점이 드러나야 하는데 증거 제시와 필요성을 바탕으로 논리적 추론을 통해 자기 주장이 정당화 되도록 한다.

① ⓐ　　　　　② ⓑ　　　　　③ ⓒ　　　　　④ ⓓ　　　　　⑤ ⓔ

[10~11] 다음은 **토론 중의 발언**이다. 발언을 읽고 물음에 답하시오.

(가)

개요

Ⅰ. 서론 : 청소년의 고카페인 음료 음용 실태
Ⅱ. 본론1. 청소년의 고카페인 음료 과잉 섭취의 원인
      1-1. 개인적 원인
        – 청소년의 습관적 고카페인 음료 섭취
        – 청소년의 일일 카페인 섭취 허용량에 대한 무지
        – 건강에 도움이 되는 음료의 종류
      1-2. 사회적 원인
        – 고카페인 음료를 쉽게 구입할 수 있는 환경
        – 고카페인 음료의 성분과 과다 섭취 시 부작용에 대한 정보 공개 미흡
        – 학교에서 고카페인 음료 판매 금지하기
    본론2. 고카페인 음료 섭취를 줄이기 위한 해결 방안
      2-1. 개인적 해결 방안
        – 습관적인 고카페인 음료 섭취 자제하기
        – 일일 카페인 섭취 허용량 지키기
      2-2. 사회적 해결 방안
        – 고카페인 음료 성분 및 부작용 안내 문구를 음용 용기에 표기하기
Ⅲ. 결론 : 청소년의 고카페인 음료 섭취를 줄이기 위한 노력 촉구

(나)

〈고 카페인 음료 규제 방향은〉
규제 완화 7.7%
현행 유지 24.8%
규제 강화 67.5%

〈구체적 규제방안은? (복수응답)〉
청소년 이하 판매 금지(43.6%)
약국에서만 판매(31.0%)
별도 세금 부과(21.0%)
■ 전면적 판매 금지(3.5%)
■ 기타(1.4%)

(다)

청소년 카페인 일일 섭취제한량
해당 음료량은?

청소년 카페인 일일 섭취 제한량
125mg
(체중 50kg)

커피전문점 커피 **1잔**

에너지음료 **1.3캔**

액상커피 **1.5캔**

캡슐커피 **1.7잔**

조제커피 **2.6봉**

자료/식품의약품안전처

10 (가)를 작성할 때 글쓴이가 고려한 쓰기 맥락으로 적절하지 <u>않은</u> 것은?

① '청소년의 고카페인 음료 섭취를 줄이자'로 글의 주제를 요약할 수 있다.

② 청소년의 고카페인 음료 섭취량이 늘어나고 있는 상황에서 유익한 정보를 제공하기 위해 작성한 글이다.

③ 서론에서는 글의 목적을 효과적으로 드러내기 위해 글에서 다룰 문제 상황을 제시하는 것으로 구성하였다.

④ 평소 고카페인 음료를 많이 마시거나 고카페인 음료에 관심이 있는 청소년들을 주된 예상독자로 정하였다.

⑤ 사회적 해결방안 뿐 아니라 아직 나이가 어린 예상독자들도 실천하기 쉬운 개인적 해결방안을 제시하여 글의 효용성을 높였다.

11 (가)의 내용을 상호 점검한 내용으로 적절하지 <u>않은</u> 것은?

① **민지** : (나)는 서론보다는 2-2에 활용하면 어떨까?

② **서영** : 그럼 2-2에 '사회 제도적 규제방안'이라는 항목을 넣어서 활용하면 괜찮을 것 같아.

③ **동민** : 1-1의 '건강에 도움이 되는 음료의 종류'에 해당하는 참고자료도 찾아보는 것이 좋겠어.

④ **서준** : 1-2의 '학교에서 고카페인 음료 판매 금지하기'는 삭제해야 해.

⑤ **하늘** : (다)는 2-1의 '일일 카페인 섭취 허용량 지키기'의 보조 자료로 첨부하면 설득력을 높이는 데 도움이 될 거야.

6

나의 문학, 나의 꿈

(1) 문학을 보는 다양한 눈

① 그 사람의 손을 보면(천양희)

② 엄마의 말뚝 2(박완서)

(2) 책으로 찾는 길

책 한 권으로 인생이 바뀐 이야기(권오철)

그 사람의 손을 보면

– 천양희 –

구두 닦는 사람을 보면
화자가 가치 있게 여기는 존재 1

그 사람의 손을 보면
동일한 시구의 반복 → 운율 형성

구두 끝을 보면

검은 것에서도 빛이 난다.
'흰 것'과 대조

흰 것만이 빛나는 것은 아니다.

창문 닦는 사람을 보면
화자가 가치 있게 여기는 존재 2

그 사람의 손을 보면
동일한 시구의 반복 → 운율 형성

창문 끝을 보면

비누 거품 속에서도 빛이 난다.
'맑은 것'과 대조

맑은 것만이 빛나는 것은 아니다.

청소하는 사람을 보면
화자가 가치 있게 여기는 존재 3

그 사람의 손을 보면
동일한 시구의 반복 → 운율 형성

길 끝을 보면

쓰레기 속에서도 빛이 난다.
'깨끗한 것'과 대조

깨끗한 것만이 빛나는 것은 아니다.

마음: 외면적 가치보다 중요한 것
마음 닦는 사람을 보면
화자가 가치 있게 여기는 존재 4

그 사람의 손을 보면
동일한 시구의 반복 → 운율 형성

마음 끝을 보면

보이지 않는 것에서도 빛이 난다.
'보이는 것'과 대조

보이는 빛만이 빛은 아니다.

닦는 것은 빛을 내는 일
'닦는' 행위의 의미

*성자가 된 청소부는
사소해 보이는 일을 하는 사람도 성자처럼 거룩한 존재임

청소를 하면서도 성자이며

성자이면서도 청소를 한다.

*성자: 지혜와 덕이 매우 뛰어나 길이 우러러 본받을 만한 사람

⊙ 핵심정리

갈래	자유시, 서정시
성격	교훈적, 사색적
어조	단정적, 예찬적
제재	다양한 사람들의 손
주제	자신이 맡은 일을 성실하게 수행하는 삶의 가치
특징	• 동일한 시어나 시구의 유사한 문장 구조를 반복하여 운율을 형성함. • 대조적 의미의 시구를 제시하여 주제를 부각함.

확인학습 ....

01 이 시에서는 유사한 문장 구조를 반복하여 운율을 형성하고 있다. ○☐ ✕☐

02 대립적인 시구를 제시하여 대상이 지닌 가치를 부각하고 있다. ○☐ ✕☐

03 부정 표현을 사용하여 현실에 대한 비관적 정서를 드러내고 있다. ○☐ ✕☐

04 영탄적 어조를 통해 대상에 대한 화자의 감정을 드러내고 있다. ○☐ ✕☐

05 다양한 감각적 이미지를 활용하여 대상과의 친밀감을 드러내고 있다. ○☐ ✕☐

06 서로 다른 대상을 연쇄적으로 연결하여 순환의 의미를 강조하고 있다. ○☐ ✕☐

07 유사한 통사 구조를 반복하여 사용하였다. ○☐ ✕☐

08 역설적인 인식을 바탕으로 주제 의식을 드러내었다. ○☐ ✕☐

09 일상생활 속에서 접할 수 있는 소재들을 사용하였다. ○☐ ✕☐

10 대립적 시어나 시구를 사용해서 대비의 효과를 살렸다. ○☐ ✕☐

11 화자의 의도를 강조하기 위해 반어적 표현을 사용하였다. ○☐ ✕☐

12 1연부터 4연까지는 대상들의 범위를 점층적으로 넓혀 가다가 5연에서는 그 대상들이 갖는 추상적인 의미를 제시하였다. ○☐ ✕☐

13 1연부터 4연까지는 각 연마다 구체적인 사건을 제시하고 그 사건에 의미를 부여한 후 5연에서 이를 비유적 이미지로 제시하였다. ○☐ ✕☐

14 1연부터 3연까지는 화자가 목격한 대상들을 제시하고 4연에서 화자 자신의 일을 언급한 후 5연에서는 대상들이 가진 의미를 제시하였다. ○☐ ✕☐

15 1연부터 3연까지는 대상들의 구체적 측면을 병렬적으로 나열하고 4연에서는 대상의 관념적 측면을 제시한 후 5연에서 핵심적 내용을 제시하였다. ○☐ ✕☐

16 1연과 2연에서는 부정적 대상이 갖는 긍정적 의미를 언급하고 3연과 4연에서는 긍정적 대상이 갖는 부정적 의미를 언급한 후 5연에서 주제를 제시하였다. ○☐ ✕☐

17 반어적인 표현을 활용하여 고귀한 삶의 가치를 드러내고 있다. ○☐ ✕☐

18 맡은 일에 대해 묵묵히 최선을 다하는 삶의 자세를 예찬하고 있다. ○☐ ✕☐

19 주변에서 쉽게 찾을 수 있는 소재들을 활용하여 현실감을 높이고 있다. ○☐ ✕☐

20 사람들의 태도에 따라 보잘것없는 것이라도 빛나게 할 수 있음을 이야기하고 있다. ○☐ ✕☐

[01~07] 다음 글을 읽고 물음에 답하시오.

구두 닦는 사람의 손을 보면
그 사람의 손을 보면
구두 끝을 보면
검은 것에서도 빛이 난다
흰 것만이 빛나는 것은 아니다

창문 닦는 사람을 보면
그 사람의 손을 보면
창문 끝을 보면
비누거품 속에서도 빛이 난다
맑은 것만이 빛나는 것은 아니다

청소하는 사람을 보면
그 사람의 손을 보면
길 끝을 보면
쓰레기 속에서도 빛이 난다
깨끗한 것만이 빛나는 것은 아니다

㉮마음 닦는 사람을 보면
그 사람의 손을 보면
마음 끝을 보면
보이지 않는 것에서도 빛이 난다
보이는 빛만이 빛은 아니다
닦는 것은 빛을 내는 일

㉯성자가 된 청소부는
청소를 하면서도 성자이며
성자이면서도 청소를 한다

– 천양희. 그 사람의 손을 보면 –

01 이 글에 대한 설명으로 적절한 것은?

① 대상에 대한 관찰과 깨달음을 통해 시상이 전개된다.
② 일상생활 속에서 화자의 직접 경험이 시적 발상의 바탕이 되고 있다.
③ 화자가 처한 현실에 대한 비판적인 인식이 드러난다.
④ 화자의 행위를 통해 대상에 대한 정서를 직접적으로 드러낸다.
⑤ 동일한 공간적 배경을 바탕으로 대상에 대한 정서가 드러난다.

02 **(가) 시의 표현상의 특징에 대한 설명 중 적절하지 않은 것은?**

① 동일한 시어와 시구를 반복하여 화자가 긍정하는 대상의 이미지를 강조하고 있다.

② 통사구조의 반복과 대조적인 의미의 시어를 통해 가치 있는 삶의 태도를 강조하고 있다.

③ 밝고 긍정적인 이미지의 시어를 사용하여 힘든 삶을 살아가는 사람들에 대한 연민이 희망으로 바뀌고 있다.

④ 시적 화자는 대상을 따뜻한 시선으로 바라보면서 그들에 대해 예찬적인 태도를 보이고 있다.

⑤ 화자가 바라보는 대상들과 그들의 삶에서 찾은 가치가 병렬적으로 제시되고 있다.

03 **이 작품을 〈보기〉에서 제시한 관점에 따라 이해한 것은?**

┤ 보기 ├

　작품을 향유하는 독자에 초점을 맞추어 작품을 해석하는 효용론에서는 작품 해석이 수용자에 따라 다양할 수 있다는 생각을 갖고 있으므로 무엇보다 독자의 역할이 중요하다. 수용자는 단순한 독자의 의미를 넘어서 작품 속에서 즐거움과 작품 속 유용함을 찾아내며 읽는 '능동적 참여자'가 되어야 한다.

① 화자는 대상에 대해 관찰과 추측으로 시상을 전개하고 있군.

② 상징적인 시어를 통해 대상의 고통스러운 삶을 표현하고 있군.

③ 일반적으로 보잘 것 없는 대상으로 인식하는 것들에서 가치를 찾아내는 화자의 이 시는 오늘날 남성 중심의 억압적 구조의 모순을 비판하고 있군

④ 이시를 읽으며 자신의 일에 최선을 다하지 않았던 나를 반성하게 되었어. 어느 자리에 있든 위 작품의 시적 대상들과 같이 '빛을 내'는 사람이 되어야겠어.

⑤ 작가의 시선이 힘들게 살아가는 사람들에 가 있는 것으로 볼 때 고통스러운 삶을 조장하는 우리 사회에 대한 비판적 시작이 내재되어 있어.

04 다음에 제시된 인물들 중, 위 시의 ㉮와 가장 유사한 유형의 인물이 제시된 것은?

① 그들은 할 수 없으므로 성두의 말대로 길서를 시켜 읍내 지주서 재당에게 가서 금년만 도저(소작료)를 조금 감해 달래 보자고 했다. 그러나 길서는 자기와 관계가 없을 뿐 아니라 정해 놓은 도지를 곡식이 안 되었다고 감해 달라는 것은 흔히 일어나는 소작 쟁의와 같은 당치 않은 것이라고 해서 거절했다.

– 〈모범 경작생〉 (박영준) –

② 김 노인의 작대기는 재차 아들에게로 향하고 겨누어졌다.
"이 몰인정한 녀석, 내 물건 도적 안 맞으면 그만이지 사람은 왜 친단 말이냐! 응, 이 치운 겨울에 도적질하는 사람은 여북해 하는 줄 아냐? 우리네 시골 사람은 그런 법이 없다.!"
도적은 울고 있었다. 도적의 등에는 쌀 한 말이 짊어지워졌다.

– 〈제1과 제1장〉 (이무영) –

③ 농민들은 알아보지도 못하는 그 차압 팻말을 몇 번이나 들여다 보고, 또 들여다보았다. ---피땀을 흘려 가면서 지은 곡식에 손도 못대다니? 그들은 억울하고 분하기보다, 꼼짝없이 인젠 목숨을 빼앗긴다는 생각이 앞섰다. 고 서방은 드디어 야간 도주를 하고 말았다.
"이렇게 비가 오는데, 그 어린것들을 데리고 어디로 갔을까?" 이튿날 아침, 동네 사람들은 애터지는 말로써 그들의 뒤를 염려했다.

– 〈사하촌〉 (김정한) –

④ 이놈을 가을하다간 먹을 게 남지 않음은 물론이요 빚도 다 못가릴 모양. 에라, 빌어먹을 거. 너들끼리 캐다 먹던 마던 멋대로 하여라, 하고 대던져 두지 않을 수 없다. 벼를 거뒀다는 말만 나면 빈응칠이의 죄목은 여기에서도 또렷이 드러난다. 구구루 가만만 있었으면 좋을 걸 이 사품에 뛰어들어 지주의 뺨을 제법 갈긴 것이 응칠이었다.

– 〈만무방〉 (김유정) –

⑤ "일없네. 난 오늘버틈 도루 나라 없는 백성이네. 제에길 삼십육년두 나라 없이 살아 왔을려드냐. 이아니 글쎄, 나라가 있으면 백성한테 무얼 좀 고마운 노릇을 해 주어야 백성두 나라를 믿구, 나라에 마음을 붙이고 살지. 독립이 됐다면서 고작 그래 백성이 차지할 땅을 뺏어서 팔아먹는 게 나라 명색야?"
그러고는 털고 일어서면서 혼잣말로
"독립이 됐다구 했을 제, 내, 만세 안 부르길 잘 했지."

– 〈논 이야기〉 (채만식) –

05 다음 〈보기〉에 제시된 사람들의 공통점을 <u>두 가지</u> 쓰시오.

| 보기 |

| 구두 닦는 사람 | 창문 닦는 사람 | 청소 하는 사람 | 마음 닦는 사람 |

06 ㉰에 나타난 대상을 대하는 화자의 태도가 가장 유사한 것은?

① 국화야 너는 어이 삼월동풍 다 지내고 / 낙목한천에 네 홀로 피었는다/ 아마도 오상고절은 너뿐인가 하노라

② 추강에 밤이 드니 물결이 차노매라 / 낚시 드리치니 고기 아니 무노매라/ 무심한 달빛만 싣고 빈 배 저어 오노라.

③ 청산도 절로절로, 녹수도 절로절로/ 산 절로 수 절로, 산수간에 나도 절로/ 이 중에 절로 자란 몸이 늙기도 절로 하리라

④ 방안에 혓는 촉불 눌과 이별하였관대/겻츠로 눈믈 디고 속 타는 줄 모로는고/ 뎌 촉불 날과 갓트여 속 타는 줄 모르도다.

⑤ 두텨비 파리를 물고 두험 우희 치다라 안자/겻넌산 바라보니 백송골이 떠 있거늘 가슴이 금즉하여 폴덕 뛰여 내 닷다가 두험 아래 잣바지거고/모쳐라 날랜 낼식 만졍 에헐질 번하괘라

07 이 작품에 대한 설명으로 적절하지 <u>않은</u> 것은?

① 각 연이 원경에서 근경으로 시상을 시작한 후 대조법을 활용하여 마무리를 하고 있어 전체적으로 안정감과 통일감을 주고 있다.

② 화자가 바라보는 대상의 면모들이 개별적이고 병렬적으로 연결되었지만 마지막 연에서 한 데 모아져 주제가 집약적으로 드러나고 있다.

③ 단정적인 어조를 통해 가치 있는 삶이 무엇인지에 대하여 교훈적인 성격을 띠고 있다.

④ 대상을 관찰하고 난 후 사색을 바탕으로 거룩한 존재들의 삶의 자세를 통해 깨달음을 주고 있다.

⑤ 시적 화자는 대상의 가치를 통해 자신의 삶을 성찰하고, 반성적 태도로 고백하고 있다.

[01~05] 다음 글을 읽고, 물음에 답하시오.

Ⓐ구두 닦는 사람을 보면
그 사람의 손을 보면
구두 끝을 보면
검은 것에서도 빛이 난다.
흰 것만이 빛나는 것은 아니다.
㉠창문 닦는 사람을 보면
그 사람의 손을 보면
창문 끝을 보면
비누 거품 속에서도 빛이 난다.
맑은 것만이 빛나는 것은 아니다.
청소하는 사람을 보면
그 사람의 손을 보면
길 끝을 보면
쓰레기 속에서도 빛이 난다.
깨끗한 것만이 빛나는 것은 아니다.
마음 닦는 사람을 보면
그 사람의 손을 보면
마음 끝을 보면
보이지 않는 것에서도 빛이 난다.
보이는 빛만이 빛은 아니다.
닦는 것은 빛을 내는 일
성자가 된 청소부는
청소를 하면서도 성자이며
성자이면서도 청소를 한다.

01 이 시에 대한 설명으로 적절하지 않은 것은?(3.3점)

① 동일한 시어나 시구의 문장 구조를 반복하여 운율을 형성하고 있다.
② 대조적인 의미의 시구를 제시하여 주제를 부각하고 있다.
③ 단정적인 어조를 통해 화자의 확고한 인식을 드러내고 있다.
④ 유사한 통사구조를 반복하여 전달하고자하는 내용을 강조하고 있다.
⑤ 시간의 흐름에 따라 화자가 주목하는 시적 대상들이 변하는 과정을 보여주고 있다.

02 ㉠에 대한 이해로 적절하지 않은 것은?(3.1점)

① 자신의 일을 성실하게 하는 사람이다.
② 성자와 같이 훌륭한 사람이다.
③ '청소하는 사람', '구두 닦는 사람'과 함축적 의미가 같다.
④ 험한 일을 하면서도 빛나는 가치를 지니고 있는 사람이다.
⑤ 이 직업은 다른 사람들의 선망의 대상이 되고 있으며 자신의 하는 일에 자긍심을 가지고 있다.

03 Ⓐ와 가장 유사한 시상 전개 방식을 보이는 것은?(2.7점)

① 산은/구강산/보랏빛 석산//산도화/두어 송이/송이 버는데//봄눈 녹아 흐르는/옥같은 물에//사슴은/암사슴/발을 씻는다.

– 박목월〈산도화〉 –

② 어느 가시덤불 쑥구렁에 놓일지라도/우리는 늘 옥돌같이 호젓이 묻혔다고 생각할 일이오/청태라도 자욱이 끼일 일일 것이다.

– 서정주〈무등을 보며〉 –

③ 펄펄 나는 저 꾀꼬리/암수 서로 정다운데//외로울사 이내 몸은 /누구와 함께 돌아 갈꼬.

– 유리왕〈황조가〉 –

④ 아무도 그에게 수심을 일러준 일이 없기에/흰나비는 도무지 바다가 무섭지 않다//청무우밭인가 해서 내려갔다 가는/어린 날개가 물결에 절어서 /공주처럼 지쳐서 돌아온다.

– 김기림〈바다와 나비〉 –

⑤ 우리들은 가난해도 서럽지 않다/우리들은 외로워할 까닭도 없다/그리고 누구 하나 부럽지도 않다.

– 백석〈선우사-함주시초4〉 –

04 이 시를 작품 밖의 요소를 근거로 감상한 것은?(2.9점)

① 물질적 가치나 성과, 외모나 높은 지위 등의 측면을 중시하는 사회현실에 대한 성찰이 담겨 있다.
② '검은 것', '비누 거품', '쓰레기' 등은 사람들이 보잘 것 없다고 여기거나 선호하지 않는 것들이다.
③ '구두 닦는 사람', '창문 닦는 사람', '청소하는 사람'은 저마다 빛나는 가치를 지닌 사람들이다.
④ 1~4연까지는 '구두 닦는 사람', '창문 닦는 사람', '청소하는 사람' 등을 병렬적으로 제시하고 있다.
⑤ 구두나 창문을 닦거나 청소하는 일 등 작은 일에도 최선을 다하는 삶의 아름다움을 노래하고 있다.

05 이 시에 드러나는 화자의 태도로 가장 적절한 것은?(2.7점)

① 대상에 대해 부정적 시각을 가진 사람들을 비판하고 있다.
② 대상이 지닌 속성의 참된 가치에 대해 성찰하고 있다
③ 대상과 같은 직업에 종사하고 싶은 마음을 표현하고 있다.
④ 대상의 외양에서 느껴지는 모습에 연민의 감정을 가지고 있다.
⑤ 대상과 자신의 모습을 비교하며 스스로에 대해 자조적인 태도를 취한다.

[06~09] 다음 글을 읽고, 물음에 답하시오.

구두 닦는 사람을 보면
그 사람의 손을 보면
구두 끝을 보면
검은 것에서도 빛이 난다.
흰 것만이 ⓐ빛나는 것은 아니다.

창문 닦는 사람을 보면
그 사람의 손을 보면
창문 끝을 보면
비누 거품 속에서도 빛이 난다.
맑은 것만이 빛나는 것은 아니다.

㉠청소하는 사람을 보면
그 사람의 손을 보면
길 끝을 보면
쓰레기 속에서도 빛이 난다.
깨끗한 것만이 빛나는 것은 아니다.

㉡마음 닦는 사람을 보면
그 사람의 손을 보면
마음 끝을 보면
보이지 않는 것에서도 빛이 난다.
보이는 빛만이 빛은 아니다.
닦는 것은 빛을 내는 일

성자가 된 청소부는
청소를 하면서도 성자이며
성자이면서도 청소를 한다.

–천양희, 그 사람의 손을 보면 –

06 이 시의 표현상 특징에 대한 설명으로 가장 적절한 것은?

① 대립적인 시어를 제시하여 대상이 지닌 가치를 부각하고 있다.
② 부정 표현을 사용하여 현실에 대한 비관적 정서를 드러내고 있다.
③ 영탄적 어조를 통해 대상에 대한 화자의 감정을 드러내고 있다.
④ 다양한 감각적 이미지를 활용하여 대상과의 친밀감을 드러내고 있다.
⑤ 서로 다른 대상을 연쇄적으로 연결하여 순환의 의미를 강조하고 있다.

07 이 시에서 운율을 형성하는 방법으로 적절하지 <u>않은</u> 것은?

① 연의 구조 반복
② 같은 시어의 반복
③ 동일한 시구의 반복
④ 반어적 표현의 반복
⑤ 유사한 문장 구조의 반복

08 ㉠에 대한 이해로 적절하지 <u>않은</u> 것은?

① 성자와 같이 훌륭한 사람이다.
② 자신의 일을 성실하게 하는 사람이다.
③ 자신이 하는 일과 대조되는 세계를 추구하는 사람이다.
④ '구두 닦는 사람', '창문 닦는 사람'과 함축적 의미가 같다.
⑤ 험한 일을 하면서도 빛나는 가치를 지니고 있는 사람이다.

09 ㉡과 거리가 먼 사람은?

① 영호는 자신의 용돈을 모아 어려운 이웃을 위해 성금을 냈다.
② 주희는 특수 교육을 받는 친구가 학교에 잘 적응하도록 도와주었다.
③ 지수는 남들에게 내세우기 위해 좋은 대학에 가려고 열심히 공부했다.
④ 민희는 힘들어하는 반 친구의 말을 들어주고 그 친구를 위로해 주었다.
⑤ 영수는 담임 선생님이 검사하지 않아도 자신의 구역을 매일 성실히 청소했다.

[10~13] 다음 글을 읽고, 물음에 답하시오.

⊙구두 닦는 사람을 보면
그 사람의 손을 보면
구두 끝을 보면
검은 것에서도 빛이 난다.
흰 것만이 빛나는 것은 아니다.

창문 닦는 사람을 보면
그 사람의 손을 보면
창문 끝을 보면
비누 거품 속에서도 빛이 난다.
맑은 것만이 빛나는 것은 아니다.

청소하는 사람을 보면
그 사람의 손을 보면
길 끝을 보면
쓰레기 속에서도 빛이 난다.
깨끗한 것만이 빛나는 것은 아니다.

마음 닦는 사람을 보면
그 사람의 손을 보면
마음 끝을 보면
보이지 않는 것에서도 빛이 난다.
보이는 빛만이 빛은 아니다.
닦는 것은 빛을 내는 일

성자가 된 청소부는
청소를 하면서도 성자이며
성자이면서도 청소를 한다.

– 정현종, 「모든 순간이 꽃봉오리인 것을」 –

10 이 시에 드러나는 화자의 태도로 가장 적절한 것은?

① 대상과 합일하고 싶은 마음을 표현하고 있다.
② 대상의 외양에서 느껴지는 아름다움을 예찬하고 있다.
③ 대상이 지닌 속성의 참된 가치에 대해 성찰하고 있다.
④ 대상과 자신의 모습을 비교하며 스스로를 반성 하고 있다.
⑤ 대상에 대해 부정적 시각을 가진 사람들을 비판하고 있다.

11 이 시의 화자가 〈보기〉의 '김 씨'의 행동에 대해서 어떻게 평가할지 작품 속 시어를 활용하여 서술하시오.

┤ 보기 ├

　　김 ○○ 씨는 공장에서 지게차를 끌며 모은 돈으로 자신의 꿈이던 세계 일주를 떠났다. 김 씨는 네팔의 수도 카트만두로 가는 비행기 안에서 네팔의 한 교사를 만났다. 이 교사는 김 씨에게 "네팔의 강진 때문에 우리 학교 제자 수십 명이 죽었다. 무너진 우리 학교를 도와 달라."라며 눈물을 흘렸다. 김 씨는 가난한 여행자가 해 줄 수 있는 것은 아무것도 없다고 생각했다.

　　하지만 카트만두 숙소 옆에서 자기 몸보다 큰 삽을 들고 건물 잔해를 치우는 꼬마를 보자 생각이 달라졌다. 흙투성이 손으로 벽돌까지 나르던 네 살짜리 아이의 이름은 '로젠'이었다. 김 씨는 로젠의 사진과 함께 도움을 청하는 글을 누리소통망(SNS)에 올렸다. 30여 명이 40만 원을 보내 주었다. 그 돈으로 로젠과 로젠 누나의 2년치 학교 등록금을 내줄 수 있었다.

　　김 씨는 세계 여행을 계속하면서도 네팔을 응원하는 각국 사람들의 메시지를 영상으로 담았다. 그리고 기금을 마련하기 위해 만 원 이상 기부하면 자신이 찍은 여행 사진을 엽서로 만들어 보내 주는 모금 활동도 하였다. 결과는 기대 이상이었다. 그는 네팔로 다시 돌아가 모금액으로 로젠이 다니는 학교의 무너진 도서관을 새로 지어 줄 수 있었다. 김 씨는 "배달 일과 지게차 운전을 하던 나 같은 사람도 꿈을 이룰 수 있다는 것을 보여 주고 싶었다."라며 "내 꿈을 통해 누군가에게 도움을 줄 수 있을 때 가장 기뻤다."라고 하였다.

－ 조선일보 2016년 9월 14일 자 －

12 이 시에 대한 설명으로 적절하지 <u>않은</u> 것은?

① 동일한 시구를 반복하여 운율감을 형성하고 있다.
② 수미상관의 형식으로 구성하여 짜임새 있는 구조를 갖추고 있다.
③ 대립적인 시어들을 활용하여 전달하고자 하는 의미를 부각하고 있다.
④ 유사한 문장 구조를 병렬적으로 제시하여 시적 의미를 강조하고 있다.
⑤ 시적 대상을 일반적인 인식과는 다른 관점에서 바라보며 화자의 개성적 인식을 드러내고 있다.

13 ⊙과 가장 유사한 시상 전개 방식을 보이는 것은?

① 사랑도 어쩌면 / 그와 같은 것인가. / 소나기처럼 숨이 차게 / 정수리부터 목물로 들이붓더니

－ 박재삼, 「매미 울음 끝에」－

② 우리들은 가난해도 서럽지 않다 / 우리들은 외로워할 까닭도 없다 / 그리고 누구 하나 부럽지도 않다

－ 백석, 「선우사 － 함주시초 4」－

③ 내 그대를 생각함은 항상 그대가 앉아 있는 배경에서 해가 지고 바람이 부는 일처럼 사소한 일일 것이나 언젠가 그대가 한없이 괴로움 속을 헤매일 때에 오랫동안 전해 오던 그 사소함으로 그대를 불러 보리라

－ 황동규, 「즐거운 편지」－

④ 파르란 구슬빛 바탕에 / 자주빛 호장을 받친 호장저고리 / 호장저고리 하얀 동정이 환하니 밝도소이다.

－ 조지훈, 「고풍 의상」－

⑤ 어느 가시덤불 쑥구렁에 놓일지라도 / 우리는 늘 옥돌같이 호젓이 묻혔다고 생각할 일이요 / 청태라도 자욱이 끼일 일인 것이다.

－ 서정주, 「무등을 보며」－

엄마의 말뚝 2

[앞부분의 줄거리] 어느 날 외출에서 돌아온 '나'는 친정어머니가 눈길에 넘어져 크게 다쳤다는 소식을 듣고 병원으로 간다. 다리
골절로 수술해야 한다는 진단을 듣고 노령의 어머니가 큰 수술을 감당할 수 있을지 걱정했지만, 다행히 수술은 성공적으로 끝난다.
가족들을 보내고 홀로 병실에 남은 '나'는 어머니의 마취가 풀리기를 기다리다가 잠시 잠이 든다.

얼마나 잤는지 몹시 술렁이는 기미에 퍼뜩 깨어났다. 병실은 소리 없이 술렁이고 있었다. 어머니가 두 손으로 허공

을 휘젓고 있었던 것이다. 그러나 무작정 휘젓는 헛손질하곤 달라 보였다. 열심히 무슨 일인가를 하고 있는 것처럼

신중하고도 규칙적이었다. 나는 찬물을 뒤집어쓴 것처럼 잠이 달아나 버린 것을 느끼며 화들짝 몸을 솟구쳐 우선 불

먼저 켰다. 어머니는 얼굴을 잠깐 찌푸렸지만 두 손으로 하던 일만은 멈추지 않았다.

"엄마, 뭐 해?"

나도 모르게 어릴 때의 말투로 물었다.

"보면 모르냐? 빨래를 했으면 윗도리는 윗도리, 빤쓰는 빤쓰, 양말은 양말끼리 *개켜 놔야지 한데 쑤셔 박아 놓으

면 쓰냐?"

어머니의 목소리는 힘차고 또렷했다.

"빨래라뇨? 좀 주무시지 않고……."

"이걸 이 모양으로 늘어놓고 잠이 와? 못된 것들."

어머니가 쨍하는 쇳소리를 내면서 나를 쳐다보았다. 눈의 푸른 기가 한층 깊어져서 *귀기(鬼氣)가 감돌았다. 나는

불현듯 도망가 구원을 청하고 싶은 충동을 느꼈다. 어머니의 손놀림은 허공에서 분주하게 빨래를 분류하고 개키고

있었고, 전체적으로 기세가 등등했다. 하루 전부터의 금식, 관장, 마취, 대수술 끝에 느닷없이 그런 기운이 솟다니.

나는 놀랍다기보다는 다리가 후들댈 만큼 겁부터 났다. 이때 *간호원이 들어왔다.

"어머니가 좀 이상하세요. *들입다 헛손질을 하시고 헛것도 보이시는 모양이에요."

"마취 끝에 더러 그런 환자들도 있어요. 차차 나아지겠죠."

간호원은 *심드렁하게 말하고 체온과 맥박을 확인하고 나가 버렸다. 나는 따라 나가서 어머니가 주무시게 해 달라

고 졸랐다.

*개켜: 옷이나 이부자리 등을 겹치거나 접어서 단정하게 포개어
*귀기: 귀신이 나타날 것 같은 무시무시한 기운
*간호원: 간호사의 전 용어. 의사의 진료를 돕고 환자를 돌보는 사람

"아까도 그러셔서 약을 드렸잖아요?"

<small>신경 안정제</small>

"그 약이 안 듣잖아요. 참, 그 약 잡숫고 더하신 것 같아요. 맞았어요. 그 약을 드시기 전엔 잠은 못 주무셔도 헛것을 보시진 않았어요. 어떡하면 좋죠?"

<small>어머니가 약의 부작용으로 헛것을 보고 있다고 생각함.</small>

"그럴 리는 없지만, 혹 그 약의 부작용이라고 해도 별일은 없을 테니까 안심하세요. *임상 시험 결과 가장 부작용이 없는 걸로 알려진 신경 안정제를 *투약했을 뿐이니까요."

"이것보다 더 큰 별일이 어디 있어요. 우리 어머닌 지금 제정신이 아니라니까요."

"차차 나아지실 거예요."

"그까짓 신경 안정제 말고 수면제를 주든지 주사를 놓아 주든지 하세요."

<small>어머니의 모습에 겁이 난 '나'는 간호원에게 수면제나 주사를 요구함.</small>

"그럴 순 없어요."

"아니, 이 큰 병원에서, 별의별 수술을 다 하는 대종합 병원에서 그래 잠 못 자 고생하는 환자 잠도 못 재워 준대서야 말이 돼요?"

"환자를 위하는 일은 우리가 더 잘 알아서 하고 있으니 가족들은 협조를 해 주셔야지 *덮어놓고 이렇게 떼를 쓰시면 어떡해요?"

간호원이 휙 돌아서면서 쏘아붙였다. 나는 무안하고 노여워서 다시는 네 따위에게 애걸(哀乞)을 하나 봐라, 중얼중얼 *뇌까리며 돌아왔다.

<small>자신의 요구가 매몰차게 거절당한 데 따른 심리.</small>

*들입다: 세차게 마구
*심드렁하게: 마음에 탐탁지 아니하여서 관심이 거의 없게
*임상: 환자를 진료하거나 의학을 연구하기 위하여 볍○상에 임하는 일
*투약: 약을 지어 주거나 씀
*덮어놓고: 옳고 그름이나 형편 따위를 헤아리지 아니하고
*애걸: 소원을 들어 달라고 애처롭게 빎
*뇌까리며: 불쾌하다고 생각되는 상대편의 말이나 행동, 태도에 대하여 불쾌하다는 뜻을 담은 말을 거듭해서 자꾸 말하며

확인학습 ·····

01 마취에서 깨어난 어머니의 행동을 바라보는 '나'와 간호원의 시선은 서로 같다. ○☐ ×☐

02 '나'와 간호원간의 외적 갈등이 드러난다. ○☐ ×☐

03 '나'와 간호원간의 외적 갈등의 이유는 어머니의 행동을 인식하는 차이에서 비롯되었다. ○☐ ×☐

04 '나'는 어머니의 행동을 대수롭지 않게 여기지만, 간호원은 어머니의 행동을 심상치 않게 여긴다. ○☐ ×☐

05 '나'는 간호원과의 대화 후에 안도감을 느낀다. ○☐ ×☐

아직도 빨래를 덜 개켰는지 허공에서 규칙적인 손놀림을 계속하고 있던 어머니의 손이 별안간 나를 향해 두 손바닥을 보이며 방어의 자세를 취했다. 푸른 귀기가 돌던 두 눈이 극단적인 공포로 튀어나올 듯이 확대됐다.

<small>인민군 군관으로부터 아들을 보호하기 위해서 / 어머니의 눈앞에 무언가 극도로 고통스러운 장면이 펼쳐지고 있음을 짐작할 수 있음.</small>

왜 그래, 엄마!"

나는 덩달아 무서움에 떨며 어머니한테로 달려갔다. 어머니의 팔이 내 목을 감으며 용을 쓰는 바람에 나는 숨이 칵 막혔다. 굉장한 힘이었다. 숨이 막혀 허덕이는 나의 귓전에 어머니는 지옥의 목소리처럼 공포에 질린 소리로 속삭였다.

<small>환각 속에서 아들을 지키기 위해 안간힘을 씀.</small>

"그놈이 또 왔다. 하느님 맙소사. 그놈이 또 왔어."

<small>아들을 죽인 인민군 군관</small>

어머니는 아직도 한 손으론 방어의 *태세를 취한 채 문 쪽을 보고 있었다. 나는 혹시 내 뒤에 누가 따라 들어왔는가 해서 돌아다보았지만 아무도 없었다. 순간 머리끝이 쭈뼛했다.

<small>어머니의 이상 행동으로 '나'가 공포에 휩싸임.</small>

"엄마!"

무서움증이 큰 힘이 되어 나는 어머니의 팔에서 벗어났다. 어머니는 악귀처럼 무서운 형상을 하고 와들와들 떨면서 문 쪽을 보고 있었다. 문 쪽엔 아무도 없었지만 어머니는 혼신의 힘으로 누군가와 대결을 하고 있었다. 순간 나는 저승의 사자가 어머니를 데리러 와 거기 버티고 서 있는 게 어머니에게만 보일지도 모른다는 생각이 들었다. 피가 얼어붙는 것처럼 무서워서 감히 그쪽으로 발을 옮길 수도 없었다. 그러니 누구한테 구원을 요청할 *가망도 없었다. 여

<small>환각 속에서 어머니를 공포에 떨게 하는 대상이 있는 쪽 / 어머니가 환각으로 본 것은 군관이지만, 아직 이를 모르는 '나'는 저승사자일 것이라고 생각함. / 죽음을 이끄는 존재에 대한 공포와 참혹한 고통에 시달리는 어머니의 모습을 보며 극심한 두려움을 느낌.</small>

든여섯의 노인의 병실을 저승의 사자가 넘보는 건 당연했다. 오늘의 수술 환자 중에서뿐 아니라 이 거대한 종합 병원에 입원한 모든 환자 중에서도 어머니는 최고령일지도 모른다. 그만큼 분별이 있는 저승의 사자라면 앙탈을 해 봤댔자일 것 같았다. 나는 이미 저승의 사자한테 어머니를 내줄 각오를 하고 있었다. 여든여섯이면 누가 감히 *천수를 못 누렸다 하랴. 다만 몸에 큰 칼자국을 내고 거기서 나는 *선혈(鮮血)이 아직 마르기도 전에 끌고 가려는 게 괘씸하지만 세상의 죽음치고 그 정도의 여한도 자식에게 안 남기는 죽음이 어디 있으랴. 각오는 하고 있으니 제발 네 모습을 어머니에게 보이지만 말게 해 다오. 백 살을 살다 죽어도 죽기는 싫은 게 인간의 *상정(常情)이라면 생의 마지막 순간까지도 네 모습만은 드러내지 않는 게 저승의 사자 된 *도리요, 유일한 자비가 아니더냐. 사라져라, 제발. 훠이 훠이.

<small>고령인 어머니의 죽음을 받아들일 수밖에 없다고 생각함. / 큰 수술을 받은 지 얼마나 지나지도 않아서 / 돌아가시더라도 어머니가 극한의 공포를 느끼지 않기를 바람.</small>

*태세: 어떤 일이나 상황을 앞둔 태도나 자세
*가망: 될 만하거나 가능성이 있는 희망
*천수: 천명. 타고난 수명
*선혈: 생생한 피
*상정: 사람에게 공통적으로 있는 보통의 인정
*도리: 사람이 어떤 입장에서 마땅히 행하여야 할 바른 길

나는 어머니의 *참혹한 공포를 차마 눈 뜨고 볼 수 없어 이렇게 속으로 부르짖었다. 그놈이 내 눈에까지 보이는 일이 일어날까 봐 더더욱 겁이 났다. 그러나 <u>그는 사라지기는커녕 다가오고 있음이 분명했다.</u> 어머니의 부릅뜬 눈동자
<small>저승사자가 어머니를 데려가기 위해 가까이 오고 있다고 여기고 있음.</small>
의 초점 거리가 그걸 말해 주고 있었다. 맙소사, 나 혼자 어머니의 *임종을 지키게 되다니.

"그놈 또 왔다. 뭘 하고 있냐? 느이 오래빌 숨겨야지, 어서."

"엄마, 제발 이러시지 좀 마세요. 오빠가 어디 있다고 숨겨요?"

"그럼 느이 오래빌 벌써 잡아갔냐."

"엄마, 제발."

<u>어머니의 손이 사방을 더듬었다.</u> 그러다가 붕대 감긴 자기의 다리에 손이 닿자 날카롭게 속삭였다.
<small>아들을 찾기 위해서</small>
<u>"가엾은 내 새끼 여기 있었구나. 꼼짝 말아. 다 내가 당할 테니."</u>
<small>어머니는 환각 속에서 자신의 다리를 아들로 여기고 있음.</small>
머니의 떨리는 손이 다리를 감싸는 *시늉을 했다. 그때부터 어머니의 다리는 어머니의 아들이었다. 어머니는 온몸으로 그 다리를 *엄호(俺護)하면서 <u>어머니의 적을 노려보았다.</u> 어머니의 적은 저승의 사자가 아니었다.
<small>아들을 죽인 인민군 군관</small>
<u>"군관 동무. 군관 선생님. 우리 집엔 여자들만 산다니까요."</u>
<small>군관이 아들을 찾으려 함.</small>
어머니의 눈의 푸른 기가 애처롭게 흔들리면서 입가에 비굴한 웃음이 감돌았다. <u>나는 어머니가 환각으로 보고 있</u>
<small>아들을 지키기 위해 군관에게 비굴하게 행동함.</small>
<u>는 게 무엇이라는 걸 알아차렸다.</u> 가엾은 어머니. 차라리 저승의 사자를 보시는 게 나았을 것을……
<small>어머니에게는 자신의 목숨을 거두러 오는 저승사자보다 아들의 목숨을 빼앗으러 오는 군관이 훨씬 더 공포스러운 존재임.</small>

참혹한: 비참하고 끔찍한
임종: 부모가 돌아가실 때 그 곁에 지키고 있음.
시늉: 어떤 모양이나 움직임을 흉내 내어 꾸미는 짓
엄호: 덮거나 가려서 보호해줌.

확인학습

01 환각을 보고 있는 어머니의 행동에 '나'는 공포감을 느끼고 있다. ○☐ ×☐

02 '나'는 어머니의 행동이 단순한 마취 후의 환각이라 생각하고 대수롭지 않게 여기고 있다. ○☐ ×☐

03 어머니가 환각속에서 마주하고 있는 대상은 저승사자이다. ○☐ ×☐

04 어머니의 말을 통해 '나'는 비로소 어머니가 마주하고 있는 대상이 누구인지 알아차린다. ○☐ ×☐

05 '나'는 어머니가 마주하는 것이 저승사자가 아님에 안도하고 있다. ○☐ ×☐

어머니는 그 다리를 어디다 숨기려는지 몸부림쳤다. 그러나 어머니의 다리는 *요지부동(搖之不動)이었다.

<small>군관으로부터 아들을 지키기 위해서</small>

"군관 나으리, 우리 집엔 여자들만 산다니까요. 찾아보실 것도 없다니까요. 군관 나으리."

그러나 *절체절명(絕體絕命)의 위기가 어머니에게 *육박(肉薄)해 오고 있음을 난들 어쩌랴. 공포와 아직도 한 가

<small>군관에게 아들이 발각될 위기</small> <small>어머니의 외양 묘사를 통해 절박한 심리를 드러냄.</small>

닥 기대를 건 비굴이 어머니의 얼굴을 뒤죽박죽으로 일그러뜨리고 이마에선 구슬 같은 땀이 송글송글 솟아오르고 다

리를 감싼 손과 앙상한 어깨는 사시나무 떨듯 떨고 있었다.

가엾은 어머니, 하늘도 무심하시지, 차라리 죽게 하시지, 그 몹쓸 일을 두 번 겪게 하시다니······.

<small>과거에 아들이 자신의 눈앞에서 죽게 되었고, 현재 그 일을 다시 환각으로 겪게 됨.</small>

"어머니, 어머니, 이러시지 말고 제발 정신 차리세요."

나는 어머니의 어깨를 흔들면서 울부짖었다. 어머니는 어디서 그런 힘이 솟는지 나를 *검부러기처럼 가볍게 털어

<small>아들을 지키기 위해 혼신의 힘을 쏟음.</small>

내면서 격렬하게 몸부림쳤다.

"안 된다. 안 돼. 이노옴. 안 돼. 너도 사람이냐? 이노옴, 이노옴."

나는 벽까지 떠다 밀린 채 와들와들 떨면서 점점 심해 가는 어머니의 *광란(狂亂)을 지켜볼 수밖에 없었다. 어머니

의 몸에서 수술한 다리만 빼고는 온몸이 노한 파도처럼 출렁였다. 그래서 더욱 그 다리는 어머니의 몸이 아닌 이물질

처럼 괴기스러워 보였다. 어머니의 그 다리와 아들과의 동일시가 나한테까지 옮아 붙은 것처럼 나는 그 다리가 무서

<small>'나'도 이제 어머니의 다리가 죽은 오빠로 느껴질 만큼 무서워짐.</small>

웠다.

"안 된다, 이노옴."이라는 호통과 "군관 나으리, 군관 선생님, 군관 동무"라는 아부를 번갈아 하며 몸부림치는 *서

<small>군관의 환심을 사기 위해 존대하는 호칭들을 사용함.</small>

슬에 마침내 링거 줄이 주삿바늘에서 빠져 버렸다. 혈관에 꽂힌 채인 주삿바늘을 통해 피가 역류해 환자복과 시트를

<small>어머니의 광란이 극으로 치닫고 있음.</small>

점점 물들였다. 피를 보자 어머니의 광란은 극에 달했다.

"이노옴, 게 섰거라. 이노옴, 나도 죽이고 가거라. 이노옴."

<small>환각에서 아들의 죽음을 본 어머니의 분노</small>

*요지부동: 흔들어도 꼼짝하지 아니함.
*절체절명: 몸도 목숨도 다 되었다는 뜻으로, 어찌할 수 없는 절박한 경우를 비유적으로 이르는 말.
*육박: 바싹 가까이 다가붙음.
*검부러기: 검불(가느다란 마른 나뭇가지. 마른 풀. 낙엽 등)의 부스러기
*광란: 미친 듯이 어지럽게 날뜀
*서슬: 강하고 날카로운 기세

어머니는 눈물이 범벅된 얼굴로 이를 갈았다. 틀니를 빼 놓아 잇몸만으로 이를 가는 시늉을 하는 게 얼마나 처참한
'나'에게 목격된 어머니의 처절한 모습을 통해 전쟁의 비극이 생생히 되살아남.
것인지 나 말고 누가 또 본 사람이 있을까. 이게 꿈이었으면, 꿈이었으면. 어머니는 이 세상 소리가 아닌 *기성(奇聲)

을 지르며 머리카락을 부득부득 쥐어뜯다가 오줌을 받아 내는 호스도 다 뜯어 버렸다. 피비린내가 내 정신을 혼미케

했다. 퍼뜩 정신이 나서 구원을 청하려 나가려는데 어머니의 기성이 바깥까지 들렸던지 간호원이 뛰어왔다. *뒤미처

나이 지긋한 *수간호원도 달려왔다. 어머니의 몸에 부착했던 의료 기구들을 원상 복구하기 위해선 여러 사람의 힘이
환각 상태에서 자식을 잃은 어머니의 몸부림을 제압하기가 쉽지 않음.
필요했다. 어머니는 힘이 장사였다. 내가 수간호원과 다른 간호원과 함께 어머니를 힘껏 찍어 누르는 동안 담당 간호

원이 어머니가 뽑아낸 것들을 다시 삽입했다. 링거는 숫제 발등으로 옮겨 꽂았다.

"세상에 이런 일도 있습니까?"

나는 수간호원에게 원망스럽게 말했다.

"너무 심려 마세요. 흔하진 않지만 이런 특이 체질이 아주 드문 것도 아니까요. 곧 나아지실 겁니다."
어머니의 내면 상처를 모르는 수간호원은 어머니가 보이는 증세가 특이 체질에 의한 것이라며 대수롭지 않게 여김.
수간호원이 이렇게 나를 위로했다. 어머니의 악몽이 특이 체질 탓이라고? 하긴 타인의 꿈에 대해 누가 감히 안다
환각으로 되살아난 전쟁 당시의 처절한 기억
고 할 수 있으랴?

이제 "너 죽고 나 죽자."라는 *발악으로 변한 어머니의 몸부림은 지칠 줄 몰랐다. 수간호원이 간호원에게 지시해서

침대 양쪽 난간을 올리고 끈을 가져다가 어머니의 *사지를 꽁꽁 묶게 했다.

"따님 된 마음에 좀 안됐다 싶으셔도 참으세요. 이런 경우는 이 수밖에 없으니까요. 이제 안심하고 눈 좀 붙이세
사지를 묶어 움직이지 못하게 하는 것
요. *지레 병나시겠어요. 곧 정상으로 돌아오실 테니 염려 마시고……."

***기성**: 기이한 소리.
***뒤미처**: 그 뒤에 곧 잇따라.
***수간호원**: 종합 병원 따위에서, 병동 등 특정 단위에 속하는 간호사들의 우두머리.
***발악**: 온갖 짓을 다 하며 마구 악을 씀.
***사지**: 사람의 두 팔과 두 다리를 통틀어 이르는 말
***지레**: 어떤 일이 일어나기 전 또는 어떤 기회나 때가 무르익기 전에 미리

확인학습 ....

01 어머니는 전쟁 통에 두 아들을 잃는 시련을 겪었었다.   O☐ ×☐
02 어머니는 환각 속에서 아들을 잃었던 상황을 한 번 더 경험했다.   O☐ ×☐
03 '나'는 사태의 심각성을 깨닫고 간호원과 수간호원을 불렀다.   O☐ ×☐
04 수간호원 역시 어머니의 상태를 대수롭지 않게 생각했다.   O☐ ×☐
05 어머니의 모습을 처참하게 묘사한 부분을 찾아 쓰시오.

(   )

그들은 어머니를 묶어 놓고 나를 위로하고 병실을 나갔다. 나는 지칠 대로 지쳐서 신 신은 채 보조 침대에 상반신을 꺾었다. 그러나 웬걸. 원한 맺힌 맹수처럼 으르렁대던 어머니가 에잇 하고 한번 기합을 넣자 사지를 묶은 끈은 우지직 끊어지기도 하고 혹은 풀리기도 했다.
_{어머니는 불가사의한 괴력을 발휘하며 환각 속에서 자식을 앗아 간 전쟁과 맞서고 있음.}
어머니는 다시 길길이 뛰기 시작했다. 참으로 *불가사의한 괴력이었다. 목소리도 뜻이 통하는 말이 아니라 원한의 울부짖음과 독한 악담이 섞인 소름 끼치는 기성이었다. 조금도 과장 없이
_{어머니의 아픔에 동화됨.}
간장을 도려내는 아픔과 함께 내 속에서도 불가사의한 괴력이 솟았다. 나는 이를 악물고 어머니에게로 돌진했다. 다시는 아무의 도움도 청하지 않고 어머니와 맞서리라 마음먹었다. 이건 아무의 도움도 간섭도 필요 없는 우리 모녀만
_{다른 사람들은 어머니의 아픔을 이해하지 못하기 때문에}   _{혈육을 잃은 아픔을 공유한 모녀만이 간직한 한(恨)}
의 것이다.

나는 어머니를 힘껏 찍어 눌렀다. 온몸으로 타고 앉다시피 했다. 어머니의 경련처럼 괴로운 출렁임이 고스란히 전
_{어머니를 진정시키기 위한 행위임.}   _{어머니의 고통을 몸으로 생생하게 느낌.}
해 왔다. 조금이라도 마음이 움직이거나 약해져선 안 된다고 생각했다. 그렇게 되면 어머니가 나를 타고 앉게 될지도 모른다. 내가 아무리 *전심전력으로 대결해도 어머니의 힘과는 *막상막하여서 내 힘이 위태로워질 때마다 나는 어머
_{어머니에게 '나'의 힘이 밀릴 때마다}
니의 뺨을 쳤다.

"엄마, 정신 차려요. 엄마, 정신 차려요."

처음으로 엄마의 뺨을 치고 나는 내 손이 저지른 패륜(悖倫)에 경악해서 두 번째는 더욱 세차게 때렸고, 어머니의 뺨에 솟아오른 내 손자국을 보고 이것은 악몽 속 아니면 지옥일 거라는 일종의 비현실감이 패륜에 패륜을 서슴없이
_{현실로 느껴지지 않을 정도로 극한적 상황임.}
보태게 했다. 어머니의 힘도 무서웠지만 더 무서운 건 어머니의 얼굴이었다. 그건 내 어머니의 얼굴이 아니었다. 이
_{전쟁의 상처가 고스란히 드러난 모습 - 내면의 깊은 상처가 얼굴에 드러남.}
제 나는 어머니와 싸우고 있는 게 아니라 내 나름의 공포와 싸우고 있었다.
_{'나'의 내면에 잠재된 과거에 대한 슬픔과 공포에 맞섬.}

[중략 부분의 줄거리] 한국 전쟁 당시 '나'의 오빠는 인민군 치하에서 어쩔 수 없이 북한 의용군에 지원했다가 심신이 피폐해진 채로 겨우 도망친다. '나'의 가족은 오빠를 보호하기 위해 어린 시절을 보냈던 산동네로 가서 숨어 지낸다. 그러나 얼마 지나지 않아 오빠는 인민군 군관에게 발각되어 총상을 입고 죽게 된다.

*불가사의한: 사람의 생각으로는 미루어 헤아릴 수 없이 이상하고 야릇한
*전심전력: 온 마음과 온 힘
*막상막하: 더 낫고 더 못함의 차이가 거의 없음.
*패륜: 인간으로서 마땅히 하여야 할 도리에 어그러짐. 또는 그런 현상.

마취가 깨어날 때 부린 *난동으로 어머니는 어찌나 많은 힘을 소모하였는지 그 후 오랫동안 *탈진 상태가 계속됐다. 부피도 무게도 호흡도 없이 불면 날아갈 듯 한 장의 백지장이 되어 누워 있었다. 간혹 문병을 와 주는 친척이나

생명이 붙어 있다는 기미가 없이

친구 보기에도 도저히 회복될 가망이 없어 보였던지 모두 심각하게 고개를 저었다. 그들 중에는 어머니가 아예 의식

문병객들과 가족들은 어머니의 죽음을 이미 정해진 일로 받아들임.

이 없는 줄 알고 서슴지 않고 장례 절차 얘기를 하는 이가 있는가 하면 상갓집에 온 줄 착각을 하는지 *천수(天壽)를 누리셨으니 너무 서러워 말라고 우리를 위로하는 이도 있었다. 우리 역시 그런 그들을 말리거나 언짢게 생각하지 않

았다. 한두 숟갈 *유동식(流動食)을 받아 넘긴다든가 주삿바늘을 찌를 때 찡그리는 것 외엔 어머니에게 의식이 남아

그들의 말이 별반 잘못되었다고 여기지 않음.

있다는 표시는 참으로 *미미했다.

어느 날, 문병을 와 준 내 친구도 이런 어머니를 *일별(一瞥)하더니 대뜸 이렇게 말했다.

"*수의는 장만해 놨니?"

"아니, 뭐 그런 끔찍한 걸 미리 장만을 하니?"

수의에 대한 부정적 태도가 드러남.

"얘 좀 봐, 그럼 묘지는?"

"묘지? 그런 것도 미리 장만하는 거니?"

"얘 좀 봐, 그것도 안 해 놨구나, 넌 하여튼 알아줘야 해."

'나'의 행동에 어처구니없어함.

"뭘?"

"너 나이롱 딸인 거, 말야."

나일론(폴리아마이드 계열의 합성 섬유). '가짜'라는 비유적 의미임.

"나이롱 딸?"

*기성: 기이한 소리.
*난동: 질서를 어지럽히며 마구 행동함. 또는 그런 행동
*탈진: 기운이 다 빠져 없어짐.
*천수: 타고난 수명.
*유동식: 소화되기 쉽도록 묽게 만든 음식.

*미미했다: 보잘것없이 아주 작았다.
*일별: 한 번 흘낏 봄.
*수의: 염습(시신을 씻긴 뒤 수의를 갈아입히고 베로 묶는 일)할 때에 송장에 입히는 옷

확인학습

01 '나'는 어머니의 아픔에 공감을 할 수 없는 처지이다.   O☐ X☐

02 "이건 아무의 도움도 간섭도 필요 없는 우리 모녀만의 것이다."로 미루어 보아 병원의 직원들은 어머니의 아픔에 공감할 수 없는 사람들임을 알 수 있다.   O☐ X☐

03 '나'가 어머니의 얼굴에 공포감을 느낀 건 자신이 때린 어머니의 뺨이 부풀어 올랐기 때문이다.   O☐ X☐

04 '나'는 어머니를 진정시키는 과정에서 어머니에 맞서는 것이 아니라 '나'자신이 가지고 있던 과거의 기억에 대한 공포와 슬픔에 맞서고 있다.   O☐ X☐

05 대부분의 문병을 온 사람들은 어머니의 힘을 보며 회복하실 것으로 생각하고 있다.   O☐ X☐

"그래 나이롱 딸, 이런 엉터리. <u>아들도 없는데 딸까지 이런 순 엉터리니⋯⋯.</u>"

어머니의 사후 대비를 소홀히 한 것을 지적함.

나는 내가 나일론에다 순 엉터리인 건 상관없었지만 <u>어머니를 위해선 좀 안 된 것 같아</u> 변명할 마음이 생겼다.

어머니가 묻힐 곳도 없는 불우한 처지로 인식되는 것이 섭섭하여

"우린 고향에 *선영(先塋)이 있지 않니?"

"느이 고향이 어딘데?"

"몰라서 묻니? 개성 쪽, 개풍군이야."

"<u>거기 있는 선영이 무슨 소용이 있어?</u>"

분단이 고착화된 현실에 따른 인식

"그래도."

"그래도라니? 변명치곤 너무 *구차스럽다 얘. *이북에 두고 온 논밭 *저당(抵當) 잡고 돈도 꿔 달랠라."

입이 험한 친구는 사정없이 나를 몰아세웠다.

"그게 아니라 일종의 *묵계(墨契) 같은 거지. 어머니는 비록 살아생전에 못 가셨더라도 돌아가신 후에만은 어머님이 선영 곁에 누우시길 바라실 거 아니니? <u>말씀은 안 하셔도 속으로 간절히 바라시는 걸 빤히 알면서 어떻게 딴 데다</u>

분단된 상황이므로 겉으로 드러내지는 못해도 고향에 묻히고 싶은 바람이 있음을

묘지를 사 놓니? 그야 막상 돌아가시면 문제가 달라지겠지? <u>그때 가서 묘지를 사도 늦을 거 없잖아.</u> 묘지란 어차피

어머니가 돌아가시기 전에 굳이 고향에 묻히지 못함을 확인시켜 드릴 필요는 없다는 인식

사후의 집이니까."

이때 어머니가 눈을 떴다. 백지장 같은 모습과는 딴판으로 또렷하고 생기 있는 눈이어서 친구는 앉은자리에서 <u>에</u>

<u>구머니나 비명을 지르며 내 옷소매에 매달렸다.</u>

머지않아 임종할 것이라고 여긴 이에게서 돌연 생기를 발견하자 크게 놀람.

"<u>호숙 에미</u>, 나 좀 보자."

'나'

어머니가 *정정한 목소리로 나를 곁으로 불렀다.

"네, 어머니."

나는 어머니에게로 조심스럽게 다가갔다. 어머니의 손이 내 손을 잡았다. <u>알맞은 온기와 *악력(握力)이</u> 나를 놀라

살아 있는 이의 생기

게도 서럽게도 했다.

"<u>나 죽거든 행여 묘지 쓰지 말거라.</u>"

사후에 땅에 매장되는 것을 원치 않음.

<u>어머니의 목소리는 평상시처럼 잔잔하고 만만치 않았다.</u>

어머니가 환각 증세를 보였던 때와는 달리 평상시의 모습으로 돌아왔음을 짐작할 수 있음.

---

*선영: 조상의 무덤. 또는 그 근처의 땅.

*구차스럽다: 말이나 행동이 떳떳하지 못하거나 버젓하지 못한 데
  가 있다.

*이북: 북한

*저당: 부동산이나 동산을 채무의 담보로 잡거나 담보로 잡힘.

*묵계: 말 없는 가운데 뜻이 서로 맞음. 또는 그렇게 하여 성립된
  약속.

*정정한: 늙은 몸이 굳세고 건강한

*악력: 손아귀로 무엇을 쥐는 힘

"네? 다 들으셨군요?"

"그래, 마침 듣기 잘했다. 그렇잖아도 언제고 꼭 일러두려 했는데. 유언 삼아 일러두는 게니 잘 들어 뒀다 어김없이 시행토록 해라. 나 죽거든 내가 느이 오래비한테 해 준 것처럼 해 다오. 누가 뭐래도 그렇게 해 다오. 누가 뭐라든
　　　　　　　　　사후에 시신을 화장하여 뼛가루를 고향 땅을 향해 날려 주기를 바람.

상관하지 않고 그럴 수 있는 건 너밖에 없기에 부탁하는 거다."
전쟁 때 혈육을 잃은 아픔을 공유하고 있는 '딸'만이 자신의 유언을 이행할 수 있다고 생각함.

"오빠처럼요?"

"그래, 꼭 그대로, 그걸 설마 잊고 있진 않겠지?"

"잊다니요. 그걸 어떻게 잊을 수가……."

어머니의 손의 악력은 정정했을 때처럼 아니, 나를 끌고 농바위 고개를 넘을 때처럼 강한 *줏대와 고집을 느끼게
　　　　　　　　　　　　　　　　　　　자식에게 신식 교육을 시키려는 의지로 고향을 떠나올 때

했다.

오빠의 시신은 처음엔 무악재 고개 너머 벌판의 *밭머리에 *가매장(假埋葬)했다. *행려병사자 취급하듯이 형식과 절차 없는 매장이었지만 무정부 상태의 텅 빈 도시에서 우리 모녀의 가냘픈 힘만으로 그것 이상은 가능한 일이 아니었다.

서울이 *수복(收復)되고 화장장이 정상화되자마자 어머니는 오빠를 화장할 것을 의논해 왔다. 그때 우리와 합하게 된 올케는 아비 없는 아들들에게 무덤이라도 남겨 줘야 한다고 공동묘지로라도 *이장할 것을 주장했다. 어머니는 오빠를 죽게 한 것이 자기 죄처럼, 젊어 과부 된 며느리한테 기가 죽어 지냈었는데 그때만은 조금도 양보할 기세가 아니
눈앞에서 죽어 간 아들을 지키지 못한 데 대한 어머니의 죄의식

었다. 남편의 임종도 못 보고 과부가 된 것도 억울한데 그 무덤까지 *말살하려는 시어머니의 모진 마음이 *야속하고 정떨어졌으련만 그런 기세 속엔 거역할 수 없는 위엄과 비통한 의지가 담겨 있어 *종당엔 올케도 순종을 하고 말았다.

---

*줏대: 자기의 처지나 생각을 꿋꿋이 지키고 내세우는 기질이나 기풍
*밭머리: 밭이랑의 양쪽 끝이 되는 곳
*가매장: 임시 매장. 시체를 임시로 묻음.
*행려병사자: 떠돌아다니다가 타향에서 병들어 죽은 사람
*수복: 잃었던 땅이나 권력 등을 되찾음.

*이장: 무덤을 옮겨 씀.
*말살: 있는 사물을 뭉개어 아주 없애 버림.
*야속하고: 무정한 행동이나 그런 행동을 한 사람이 섭섭하게 여겨져 언짢고
*종당: 일의 마지막

확인학습

01 친구가 '나'를 '나일롱 딸'이라고 비유한 이유는 무엇인가?
　(　　　　　　　　　　　　　　　　　　　　　　　　　　　　　　)

02 어머니는 죽어서 아들처럼 화장되기를 바라고 있다. 　　　　　　　　　　○□ ×□

03 어머니의 말투에서 죽음을 앞 둔 상황에서 정신이 오락가락함을 알 수 있다. 　○□ ×□

04 '나'의 오빠의 시신은 처음부터 화장을 했었다. 　　　　　　　　　　　　　○□ ×□

05 어머니와 올케는 오빠의 시신을 화장을 할 것인지, 매장을 할 것인지 갈등을 맺었었다. 　○□ ×□

오빠의 살은 연기가 되고 뼈는 한 줌의 가루가 되었다. 어머니는 앞장서서 강화로 가는 시외버스 정류장으로 갔다.
오빠의 시신을 화장함.

우린 *묵묵히 뒤따랐다. 강화도에서 내린 어머니는 사람들에게 묻고 물어서 멀리 개풍군 땅이 보이는 바닷가에 섰
오빠의 뼛가루를 고향 쪽으로 날리기 위해서

다. 그리고 *지척(咫尺)으로 보이되 갈 수 없는 땅을 향해 그 한 줌의 먼지를 훨훨 날렸다. 개풍군 땅은 우리 가족의
오빠의 뼛가루

선영이 있는 땅이었지만 선영에 못 묻히는 한을 그런 방법으로 풀고 있다곤 생각되지 않았다. 어머니의 모습엔 운명

에 순종하고 한을 지그시 품고 삭이는 약하고 다소곳한 여자 티는 조금도 없었다. 방금 *출전(出戰)하려는 용사처럼
전쟁이 가져온 비참한 운명에 순응하는   _남북의 분단과 그것이 가져온 개인의 비극을 극복하려는 어머니의 의지_

씩씩하고 도전적이었다.

　어머니는 한 줌의 먼지와 바람으로써 너무도 엄청난 것과의 싸움을 시도하고 있었다. 어머니에게 그 한 줌의 먼지
                       전쟁의 상처와 분단의 비극

와 바람은 결코 미약한 게 아니었다. 그야말로 어머니를 짓밟고 모든 것을 빼앗아 간, 어머니가 도저히 이해할 수 없

는 분단이란 괴물을 홀로 거역할 수 있는 유일한 수단이었다.

　어머니는 나더러 그때 그 자리에서 또 그 짓을 하란다. 이젠 자기가 몸소 그 먼지와 바람이 될 테니 나더러 그 짓을
           고향이 보이는 강화도의 바닷가에서 뼛가루를 바람에 날리는 것   _분단이 가져온 비극과 정면으로 맞서려는 의지의 표현_

하란다. 그 후 30년이란 세월이 흘렀건만 그 괴물을 무화(無化)시키는 길은 *정녕 그 짓밖에 없는가?

　"너한테 미안하구나, 그렇지만 부탁한다."

　어머니도 그 짓밖에 물려줄 수 없는 게 진정으로 미안한 양 표정이 애달프게 *이지러졌다.

　아아, 나는 그 짓을 또 한 번 할 수밖에 없을 것 같다.
          어머니의 유언을 따를 수밖에 없다고 생각함.

　어머니는 아직도 투병 중이시다.
①_어머니가 다리 부상 후 큰 수술을 받고 아직도 회복되지 않은 상황임을 뜻함._
②_분단이 극복되지 않는 한 어머니의 정신적 상처가 치유되지 않을 것임을 암시함._

***묵묵히**: 말없이 잠잠하게
***지척**: 아주 가까운 거리
***출전**: 싸우러 나감. 또는 나가서 싸움.

***정녕**: 조금도 틀림없이 꼭. 또는 더 이를 데 없이 정말로
***이지러졌다**: 불쾌한 감정 따위로 얼굴이 일그러졌다.

◉ **핵심정리**

갈래	전후 소설, 중편 소설, 연작 소설
성격	자전적, 회상적
제재	전쟁으로 인한 상처
배경	• 시간: 한국 전쟁 당시와 분단이 고착화된 시기.　　• 공간: 서울
시점	1인칭 주인공 시점
주제	전쟁이 남긴 상처와 분단 극복의 의지
특징	• 전쟁의 아픔을 망각해 가는 현실에 대한 비판적 인식을 담고 있음. • 현재 시점에서 한국 전쟁 당시를 회상하는 내용을 삽입한 역순행적 구성을 취하고 있음 • 세 편의 이야기가 각각 독립된 완결성을 지니면서 서사적으로 연결된 연작 소설 중 한 편임.

[01~07] 다음 글을 읽고 물음에 답하시오.

사람이 살기 위해선 못 익숙해질 게 없다. 독사와 더불어 춤을 추는 것 같은 섬뜩하고 아슬아슬한 곡예로 하루하루를 넘겼다.

다시 포성이 가까워지고 그들의 눈에 핏발이 서기 시작했다. 어머니는 앉으나 서나 그들이 곱게 물러가기만을 축수(祝手)했다.

"그저 내 자식 해코저만 마소서. 불쌍한 내 자식 해코저만 마소서."

마침내 보위군관이 작별을 해 왔다. 그의 작별 방법은 특이했다.

"내가 동무들같이 간사한 무리들한테 끝까지 속을 것 같소? 지금이라도 바른 대로 대시오. 이래도 바른 소리를 못 하겠소?"

그가 허리에 찬 권총을 빼 오빠에게 겨누며 말했다.

"안 된다. 안 돼. 이 노옴 너도 사람이냐? 이노옴."

어머니가 외마디 소리를 지르며 그의 팔에 매달렸다. 오빠는 으, 으, 으, 으, 짐승 같은 소리로 신음하는 게 고작이었다. 그가 어머니를 획 뿌리쳤다.

"이래도 이래도 바른 말을 안할 테냐? 이래도."

총

성이 울렸다. 다리였다. 오빠는 으, 으, 으, 으, 같은 소리밖에 못 냈다.

"좋다. 이래도 바른 말을 안 할 테냐? 이래도."

또 총성이 울렸다. 같은 말과 총성이 서너 번이나 되풀이됐다. 잔혹하게도 그 당장 목숨이 끊어지지 않게 하체만 겨냥하고 쏴 댔다.

오빠는 유혈이 낭자한 가운데 기절해 고꾸라지고 어머니도 그가 뿌리쳐 나동그라진 자리에서 처절한 외마디 소리만 지르다가 까무라쳤다.

"죽기 전에 바른 말 할 기회를 주기 위해 당장 죽이진 않겠다."

그 후 군관은 다시 나타나지 않았다. 며칠만에 세상은 또 바뀌었다.

오빠의 총상은 다 치명상이 아니었는데도 며칠만에 운명했다. 출혈이 심한 데다 적절한 치료를 받을 수가 없었기 때문이다. 그 며칠 동안 낭자한 유혈과 하늘에 맺힌 원한을 어찌 잊으랴. 그러나 덮어 둘 순 있었다. 나는 남자를 만나 사랑을 하고 자식을 낳아 또 사랑하는 걸로, 어머니는 손자를 거두어 기르며 부처님께 귀의하는 걸로.

마취가 깨어날 때 부린 난동으로 어머니는 어찌나 많은 힘을 소모하였는지 그 후 오랫동안을 탈진 상태가 계속됐다. 부피도 무게도 호흡도 없이 불면 날아갈 듯한 한 장의 백지장이 되어 누워 있었다. 간혹 병문안을 와 주는 친척이나 친구 보기에도 도저히 회복될 가망이 없어 보이는지 모두 심각하게 고개를 저었다. 그들 중에는 어머니가 아예 의식이 없는 줄 알고 서슴지 않고 장례 절차를 얘기하는 이가 있는가 하면 상갓집에 온 줄 착각을 하는지 천수를 누리셨으니 너무 서러워 말라고 우리를 위로하는 이도 있었다. 우리 역시 그런 그들을 말리거나 언짢게 생각하지 않았다. 한두 숟갈 유동식을 받아 넘긴다든가 주사 바늘을 찌를 때 찡그리는 것 외엔 어머니에게 의식이 남아 있다는 표시는 참으로 미미했다.

어느 날, 문병을 와 준 내 친구도 이런 어머니를 일별(一瞥)하더니 대뜸 이렇게 말했다.

"수의는 장만해 놨니?"

"아니, 뭐 그런 끔찍한 걸 미리 장만을 하니?"

"얘 좀 봐, 그럼 묘지는."

"묘지? 그런 것도 미리 장만을 하는 거니?"

"얘 좀 봐, 그것도 안 해 놨구나. 넌 하여튼 알아줘야 해."

"뭘?"

"너 나일롱 딸인 거, 말야."

"나일롱 딸?"

"그래 나일롱 딸, 이런 엉터리. 아들도 없는데 딸까지 이런 순 엉터리니……."

나는 내가 나일롱에다 순 엉터리인 건 상관없었지만 어머니를 위해선 좀 안 된 것 같아 변명할 마음이 생겼다.

"우리 고향에 선영(先塋)이 있지 않니?"

"느이 고향이 어딘데?"

"몰라서 묻니? 개성 쪽, 개풍군이야."

"거기 있는 선영이 무슨 소용이 있어?"

"그래도."

"그래도라니? 변명치곤 너무 구차스럽다 얘. 이북에 두고 온 논밭 저당잡고 돈도 꿔 달랠라."

입이 험한 친구는 사정없이 나를 몰아세웠다.

"그게 아니라 일종의 묵계(默契) 같은 거지. 어머니는 비록 살아 생전에 못 가셨더라도 돌아가신 후에만은 어머님이 선영 곁에 누우시길 바라실 거 아니니? 말씀은 안 하셔도 속으로 간절히 바라시는 걸 빤히 알면서 어떻게 딴 데다 묘지를 사 놓니? 그야 막상 돌아가시면 문제가 달라지겠지? 그 때 가서 묘지를 사도 늦을 거 없잖아. 묘지란 어차피 사후의 집이니까."

이 때 어머니가 눈을 떴다. ㉠백지장 같은 모습과는 딴판으로 또렷하고 생기 있는 눈이어서 친구는 앉은 자리에서 에그머니나 비명을 지르며 내 옷소매에 매달렸다.

"호숙 에미 나 좀 보자."

어머니가 정정한 목소리로 나를 곁으로 불렀다.

"네, 어머니."

나는 어머니에게로 조심스럽게 다가갔다. 어머니의 손이 내 손을 잡았다. 알맞은 온기와 악력(握力)이 나를 놀라게도 서럽게도 했다.

"나 죽거던 행여 묘지 쓰지 말거라."

어머니의 목소리는 평상시처럼 잔잔하고 만만치 않았다.

㉡"네? 다 들으셨군요?"

"그래 마침 듣기 잘 했다. 그러잖아도 언제고 꼭 일러두려 했는데. 유언 삼아 일러두는 게니 잘 들어뒀다 어김없이 시행토록 해라. 나 죽거든 내가 느이 오래비한테 해준 것처럼 해 다오. 누가 뭐래도 그렇게 해 다오. 누가 뭐라든 상관하지 않고 그럴 수 있는 건 너밖에 없기에 부탁하는 거다."

"오빠처럼요?"

"그래, 꼭 그대로. 그걸 설마 잊고 있진 않겠지?"

"잊다니요. 그걸 어떻게 잊을 수가……."

어머니의 손의 악력은 정정했을 때처럼 아니, 나를 끌고 농바위 고개를 넘을 때처럼 강한 줏대와 고집을 느끼게 했다.

오빠의 시신은 처음엔 무악재 고개 너머 벌판의 밭머리에 가매장했다. 행려병자 취급하듯이 형식과 절차 없는 매장이었지만 무정부 상태의 텅 빈 도시에서 우리 모녀의 가냘픈 힘만으로 그것 이상은 가능한 일이 아니었다.

서울이 수복되고 화장장이 정상화되자마자 어머니는 오빠를 화장할 것을 의논해 왔다. 그 때 우리와 합하게 된 올케는 아비 없는 아들들에게 무덤이라도 남겨 줘야 한다고 공동묘지로라도 이장할 것을 주장했다. 어머니는 오빠를 죽게 한 것이 자기 죄처럼, 젊어 과부 된 며느리한테 기가 죽어지냈었는데 그 때만은 조금도 양보할 기세가 아니었다. 남편의 임종도 못 보고 과부가 된 것도 억울한데 그 무덤까지 말살하려는 시어머니의 모진 마음이 야속하고 정떨어졌으련만 그런 기세 속엔 거역할 수 없는 위엄과 비통한 의지가 담겨져 있어 종당(從當)엔 올케도 순종을 하고 말았다.

오빠의 살은 연기가 되고 뼈는 한줌의 가루가 되었다. 어머니는 앞장서서 강화로 가는 시외 버스 정류장으로 갔다. 우린 묵묵히 뒤따랐다. 강화도에서 내린 어머니는 사람들에게 묻고 물어서 멀리 개풍군 땅이 보이는 바닷가에 섰다. 그리고 지척으로 보이되 갈 수 없는 땅을 향해 그 한 줌의 먼지를 훨훨 날렸다. 개풍군 땅은 우리 가족의 선영이 있는 땅이었지만 선영에 못 묻히는 한(恨)을 그런 방법으로 풀고 있다곤 생각되지 않았다. 어머니의 모습엔 ㉢운명에 순종하고 한을 지그시 품고 삭이는 약하고 다소곳한 여자 티는 조금도 없었다. 방금 출전하려는 용사처럼 씩씩하고 도전적이었다.

어머니는 한 줌의 먼지와 바람으로써 너무도 엄청난 것과의 싸움을 시도하고 있었다. 어머니에게 그 한 줌의 먼지와 바람은 결코 미약한 게 아니었다. 그야말로 어머니를 짓밟고 모든 것을 빼앗아 간, 어머니가 도저히 이해할 수 없는 분단(分斷)이란 괴물을 홀로 거역할 수 있는 유일한 수단이었다.

어머니는 나더러 그 때 그 자리에서 또 그 짓을 하란다. 이젠 자기가 몸소 그 먼지와 바람이 될 테니 나더러 그 짓을 하란다. 그 후 삼십 년이란 세월이 흘렀지만 그 괴물을 무화(無化)시키는 길은 정녕 그 짓밖에 없는가?

"너한테 미안하구나, 그렇지만 부탁한다."

어머니도 그 짓밖에 물려줄 수 없는 게 진정으로 미안한 양 표정이 애닯게 이지러졌다.

아아, 나는 그 짓을 또 한 번 할 수밖에 없을 것 같다.

어머니는 아직도 투병 중이시다

01 이 글에 나타나 있지 <u>않은</u> 내용은?

① 어머니의 검소한 생활 태도   ② 어머니의 묘지 문제에 대한 논의
③ 분단으로 인한 이산 가족의 아픔   ④ 의지에 찬 어머니의 단호한 행동
⑤ 어머니의 화장 유언에 대한 나의 반응

02 ㉠과 같은 성격을 지닌 표현에 해당하지 <u>않은</u> 것은?

① 사방은 쥐 죽은 듯이 고요했다.
② 그는 깎아 놓은 밤처럼 단정해 보였다.
③ 무지개가 색동저고리 입고 고운 모습으로 웃는다.
④ 어머니는 너무 쇠약해지셔서 몸이 깃털처럼 가벼웠다.
⑤ 축하해야 한다는 것을 알면서도 나는 한편 배가 아팠다.

03 ㉡에 담긴 인물의 심리로 알맞은 것은?

① 당황함   ② 반가움   ③ 창피함
④ 부끄러움   ⑤ 의심스러움

04 ㉢과 같은 태도가 담겨 있는 것은?

① 별을 노래하는 마음으로/ 모든 죽어 가는 것을 사랑해야지
② 나 보기가 역겨워/ 가실 때에는/ 말 없이 고이 보내 드리오리다.
③ 집집 끼니마다 봄을 씹고 사는 마을,/ 감았던 그 눈을 뜨면 마음 도로 애젓하오.
④ 인생은 살기 어렵다는데/ 시가 이렇게 쉽게 씌어지는 것은/ 부끄러운 일이다.
⑤ 밀리고 흐르는 게 밤 뿐이요/ 흘러도 흘러도 검은 밤 뿐이로다./ 내 마음 둘 곳은 어느 밤 하늘 별이드뇨.

05 〈보기〉의 내용에 해당하는 단어를 찾아 그 기본형을 쓰시오.

> ┤ 보기 ├
>
> 금기(taboo)는 신성시 되거나 추악시 되는 사람, 사물, 장소, 행위, 언어 등에 관하여 말하거나 접근하거나 만지거나 하는 행위를 금하고 꺼려하는 것을 말한다. 우리말에는 직접적 표현을 꺼리는 현상이나 사실에 대해 우회적으로 표현하는 경우가 있는데, 이는 특히 금기와 관련된 것들이다. 이러한 금기 및 금기어에 대한 인식 속에 한국인의 의식이 반영되어 있다.

06 이 글에서 어머니가 딸에게 화장을 부탁한 이유를 본문에서 찾아 쓰시오.

07 이 글에서 분단의 아픔이 지속되고 있음을 암시하는 문장을 찾아 쓰시오.

[08~13] 다음 글을 읽고 물음에 답하시오.

이사간 날, 첫날밤 세 식구가 나란히 누운 자리에서 엄마는 감개무량한 듯이 말했다.

㉠"기어코 서울에도 말뚝을 박았구나, 비록 문 밖이긴 하지만….."

비록 여섯 칸짜리 집이지만 없는 게 없었다. 안방, 마루, 건넌방, 부엌, 아랫방, 대문간 이렇게 여섯 개의 방이 공평하게 한 칸씩이었다. 마당도 있었다. 마당이 네모나지 않고 삼각형인 게 흠이었다. 엄마는 이런 마당을 '우리 괴불 마당'이란 애칭으로 불렀다. 새 집은 셋집처럼 대문 밖이 낭떠러지가 아니고 보통 골목인 대신 직삼각형 마당의 가장변이 긴 쪽이 남의 집 뒤쪽으로 난 담인데 그 밑이 어마어마하게 높은 축대였다.

비가 오는 날 밤이면 오빠는 자주 잠을 깨서 들락거렸다. 축대가 무너질까 봐 잠이 안 온다는 것이었다. 엄마는 "녀석도 사내놈이 옹졸하긴… 여지껏 멀쩡하던 축대가 하필 우리 살 때 무너질까." 하면서 태연한 체 했다. 그 밖엔 아무 걱정도 없었다.

나는 괴불 마당에 분꽃씨도 뿌리고 채송화씨도 뿌리고 봉숭아씨도 뿌렸다. 그러나 이사 가고 나서 나의 외톨이 신세는 좀더 심해졌다. 땜장이 딸하고도 자연히 멀어졌고 나 혼자 매동학교를 다녔기 때문에 그 동네 학교를 다니는 아이들한테는 의식적인 따돌림을 받았다.

㉡엄마는 되레 그걸 바란 것처럼 좋아하는 눈치였다. 문 밖에 살면서 일편단심 문 안에 연연한 엄마는 내가 그 동네 아이들과는 격이 다른 문 안 애가 되길 바랬다. 딸에게 가장 나쁜 거라고 가르친 거짓말까지 시키게 해가며, 또 친척의 주소를 빌리는 번거로움과 치사함을 참아가면서 심지어는 문둥이가 득실댄다는 등성이를 매일 지나다녀야 하는 위험을 무릅쓰게 하고까지 굳이 문 안 학교에 보내지 못해 한 엄마의 뜻은 처음부터 그런 데 있었으니까.

엄마는 자기가 미처 도달하지 못한 이상향과 당장 처한 현실과의 갈등을 부드럽게 하기 위해 부지불식간에 자식을 이용하고 있었지만 정작 자식이 겪는 갈등에 대해선 무지한 편이었다. 나는 동네에서도 친구가 없었지만 학교에서도 친구를 사귀지 못했다. 학교 친구들은 모두 그 근처 아이들이었기 때문에 처음부터 저희들 끼리끼리였다. 그 끼리끼리가 저희들끼리 싸우고 바뀌고 편먹고 할 뿐이지, 처음부터 어떤 끼리 끼리에도 안 속한 이질적인 아이에 대해선 배타적이고 냉혹했다. 나는 가끔 혼자서 거울을 보면서 내가 어디가 어떻게 남과 달라서 여기저기서 따돌림을 받나를 이상하게도 슬프게도 생각했다. 한동네 사는 애들하곤 격이 다르게 만들려고 엄마가 억지로 조성한 나의 우월감이 등성이 하나만 넘어가면 열등감이 된다는 걸 엄마는 한번이라도 생각해 본 적이 있었을까? 우월감과 열등감은 다같이 이질감이라는 것으로 서로 한통속이었다.

08 〈보기〉는 이 작품에 대한 강의의 내용 중 일부이다. 〈보기〉에서 제기한 물음에 대한 답변으로 가장 적절한 것은?

┤ 보기 ├

　　박완서의 소설'엄마의 말뚝'은'엄마'의 삶을 '나'의 회상과 해석에 의해 간접적으로 전달하는 방식을 취함으로써'어머니의 삶에 대한 애착과 이중성'이라는 주제를 효과적으로 드러내고 있어요. 만약 엄마의 삶을 엄마 자신이 이야기하는 방식을 취했더라면 어떤 효과를 거둘 수 있었을까요?

① 엄마의 모습을 다각적으로 조명할 수 있습니다.

② 독자들이 더 객관적으로 사건을 대할 수 있습니다.

③ 엄마의 내면세계를 더 자세히 묘사할 수 있습니다.

④ 인물 간의 갈등 양상을 객관적으로 전달할 수가 있습니다.

⑤ 엄마에 대한 나의 심리적 변화를 더 잘 드러낼 수 있습니다.

09 이 글을 통해 연상할 수 있는 장면이 <u>아닌</u> 것은?

① 서울에 집을 마련하기 위해 고생하는 엄마의 모습

② 학교에서 반 아이들과 편을 나누어 다투는 '나'의 모습

③ 비 오는 밤 불안감 때문에 잠을 이루지 못하는 오빠의 모습

④ 문 안에 사는 친척에서 찾아가 주소지를 빌리기 위해 부탁하는 엄마의 모습

⑤ 동네 아이들이 어울려 노는 것을 멀리서 바라만 보고 있는 '나'의 모습

10 이 글의 '나'가 학교생활을 하면서 엄마의 행동에 대해 가질 수 있는 생각으로 가장 타당한 것은?

① '나에게 이렇게 큰 관심을 가져 주는 엄마, 정말 고마워요.'

② '엄마의 뜻을 좇아 곧 문 안 아이들과 같아지도록 노력해야겠어.'

③ '엄마가 억지로 조성한 우월감이 이 곳에서는 오히려 열등감이 된다는 걸 엄마는 왜 모를까?'

④ '엄마가 그렇게 행동하면 할수록 문 안 학교의 아이들은 나를 더 배척한다는 걸 엄마는 생각해 본 적이 없을까?'

⑤ '엄마는 내가 겪고 있는 갈등을 알고 있으면서도 왜 그런 행동을 하고 있는 건지 정말 이해할 수 없어.'

11 〈보기〉는 '문 밖'과 '문 안'의 의미를 대비한 것이다. 〈보기〉의 ⓐ~ⓔ 중, 의미를 잘못 파악한 것은?

┌─ 보기 ├─

〈문 안〉	〈문 밖〉
ⓐ 상류 사회	하류 사회
ⓑ 잘사는 동네	못사는 동네
ⓒ 이상적 공간	현실적 공간
ⓓ 교육의 기회가 주어진 곳	교육의 기회가 없는 곳
ⓔ 많이 배운 이들이 사는 곳	못 배운 이들이 사는 곳

① ⓐ   ② ⓑ   ③ ⓒ   ④ ⓓ   ⑤ ⓔ

12 ㉠을 통해 알 수 있는 '엄마'의 내면 세계와 거리가 먼 것은?

① 고향에 대한 집착
② 스스로에 대한 자랑스러움
③ 자식에 대한 뜨거운 교육열
④ 의도한 바를 이루었다는 안도감
⑤ 문 밖이라는 점에 대해서 느끼는 아쉬움

13 ㉡에 전제되어 있는 '엄마'의 생각과 관계 깊은 것은?

① 노심초사(勞心焦思)   ② 타산지석(他山之石)
③ 근묵자흑(近墨者黑)   ④ 사필귀정(事必歸正)
⑤ 새옹지마(塞翁之馬)

엄마의 말뚝은 뽑힌 것이다.

나는 오래간만에 실로 오래간만에 나의 어린 시절의 통학로였던 길을 걷고 싶다고 생각했다. 나에겐 통학로였지만 어머니에겐 문 안과 문 밖을 가로막는 성벽도 되었던 등성이는 지금 도시 한가운데의 작은 녹지일 뿐이었다. 그러나 현저동 꼭대기가 끝나고 등성이를 넘어가는 길로 접어들려고 하자 성벽이 가로막는 게 아닌가. 신축될 성벽은 인왕산으로부터 흘러내려와 서대문 쪽까지 이어지고 있었는데 옛 길이 있던 곳엔 성벽의 문이 나 있었다. 어머니가 그토록 상상을 하시던 문 안 문 밖의 구체적인 모습을 지금 와서 볼 줄이야. 그러나 문 안쪽으론 또 한 겹 철조망이 쳐진 채 길은 없어지고 사람의 발길을 거부하는 거 같은 푸르름만이 충충하게 괴어 있었다. 들어오지 말란 팻말 같은 건 못 봤는데도 나는 그 속을 금단의 지역처럼 느꼈다. 문둥이가 득시글거린다고 일컬어지던 예전보다 한층 미개해진 수풀 속을 바라다만 보면서 나는 한 번도 가보지 못한 휴전선을 연상했다.

나는 옛날의 등성이를 넘기를 단념하고 새로 쌓아 내려가고 있는 성벽을 따라 사직터널 방향으로 내려왔다.

샌들 속으로 모래가 들어온 걸 벗어서 털면서 나는 문득 실소를 터뜨렸다. 어머니가 낯설고 바늘 끝도 안 들어가게 척박한 땅에다가 아등바등 말뚝을 박으시면서 나에게 제발 되어지이다라고 그렇게도 간절히 바란 신여성보다 지금 나는 너무 멋쟁이가 돼있지 않은가. 그러나 신여성이 할 수 있는 일이라고 어머니가 생각한 것으로부터는 얼마나 얼토당토않게 못 미쳐 있는가. 엄마의 생각은 그 당시에도 당돌했지만 현재에도 역시 당돌했다. 엄마의 억지는 그뿐이 아니었다. 나로 하여금 끊임없이 근거를 심어 줌으로써 도시에서 만난 웬만한 걸 덮어놓고 무시하도록 부추기다가도 근거의 고향으로 돌아가신 서울내기 흉내를 내도록 조종했다.

어머니가 세운 신여성이란 것의 기준이 되었던 너무 뒤떨어진 외양과 터무니없는 높은 이상과의 갈등, 점잖은 근거와 속된 허영과의 모순, 영원한 문 밖 의식, 그건 아직도 나의 의식 내용이었다. 그러고 보니 나의 의식은 아직도 말뚝을 가지고 있었다. 제아무리 멀리 벗어난 것 같아도 말뚝이 풀어준 새끼줄 길이일 것이다.

㉠새로 복원된 성벽이 도로와 만나면서 끊어지는 데서 나는 성벽과 갈라섰다. 성벽은 길 건너로 다시 이어지고 있었다. 갈라지면서 돌아다 본 성벽은 꼭 신흥 부잣집 담장 같았다. 아아, 내가 오빠한테 회초리를 맞던 허물어진 성터의 이끼 낀 돌은 지금 어디 있는 것일까?

14 이 글에 대한 설명으로 적절하지 <u>않은</u> 것은?

① 과거의 사실을 객관적으로 전달하고 있다.
② 서술자의 복합적 내면 심리를 섬세하게 그려 내고 있다.
③ 상징적인 소재를 통해 작품의 주제를 구체화하고 있다.
④ 서술자가 직접 이야기하는 형식인 1인칭 시점에서 서술하고 있다.
⑤ 엄마를 연민의 심정으로 회소하는 '나'의 태도가 드러나고 있다.

15 이 작품에서 '말뚝'이 지닌 상징적인 의미와 거리가 <u>먼</u> 것은?

① 가족들이 서울에 마련한 생활의 근거지
② '나'를 정신적으로 구속하는 존재
③ '나'의 경제적인 바탕
④ 엄마의 집념과 의지
⑤ 엄마의 허영과 긍지

16 이 글에 나타난 '문 밖 의식'의 구체적인 의미를 가장 바르게 지적한 것은?

① 일반적인 사람과 차별화하려는 의식
② 더 부유하고 많이 배워야 한다는 의식
③ 없으면서도 있는 척하려는 허황된 의식
④ 스스로 체제 내에 존재할 수 없다는 의식
⑤ 자신에 대해 소외된 존재로 인식하는 의식

17 ㉠을 통해 짐작할 수 있는 '나'의 심리로 가장 적절한 것은?

① 과거를 기억하며 그리워하고 있다.
② 자신이 처해 있는 현실에 절망하고 있다.
③ 과거의 악몽을 지워 버리기 위해 애쓰고 있다.
④ 오빠에 대한 증오심에서 벗어나지 못하고 있다.
⑤ 엄마로부터의 구속에서 벗어나기 위해 몸부림치고 있다.

18 이 작품에 나타난 '엄마'의 태도를 현대적 관점에서 평가한 것으로 적절하지 못한 것은?

① 자식들의 행복을 바라며 희생하는 당시 어머니들의 전형적인 모습이라고 생각해.
② 그렇지만 당시의 상황을 고려한다면 이 작품의 '엄마'는 어느 정도 봉건적인 의식을 탈피했다고 볼 수 있어.
③ 그렇지, 딸에게도 교육적 열의를 보이고 있는 것을 보면 그렇다고 할 수 있겠지.
④ 그런데 엄마의 희생적 태도는 엄마 자신의 입장에서 보면 불행한 것이라고 할 수도 있을 것 같아.
⑤ 어쨌든 이 작품의 엄마는 현대 사회에서 어머니의 의무가 구체적으로 무엇인가를 제시해 주는 귀감이 될 수 있었어.

19 〈보기〉는 이 글의 '나'가 '엄마'에게 쓴 편지의 내용 중 일부이다. 이 글에 나타난 '나'의 태도로 볼 때, ⓐ~ⓔ 중, 그 내용으로 적절하지 않은 것은?

┤ 보기 ├

엄마! 이제 나도 어느덧 두 아이의 엄마가 되었네요.
ⓐ 엄마는 그토록 나를 신여성으로 키우기 위해 애를 쓰셨는데, 지금 나의 모습을 보니 엄마의 기대를 충족시켜 주지는 못한 것 같아요.
ⓑ 지금도 엄마가 문 밖 생활을 벗어나 문 안 생활을 하기 위해 애쓰시던 모습이 눈에 선하네요.
ⓒ 그렇지만 그 때 그런 엄마의 모습은 억지스럽고 모순된 것으로 느꼈어요.
ⓓ 그래서 저는 엄마와 같은 삶을 살지는 않겠다고 다짐하며 살았답니다. 하지만 저도 엄마처럼 제 의식 속에도 말뚝을 가지고 있다는 것을 알게 되었지요.
ⓔ 엄마는 '문 밖'에 말뚝을 박으려 하셨지만 저는 '문 안'에 말뚝을 가지고 있는 것이죠. 아무리 엄마처럼 되지 않으려고 해도 결국 벗어날 수 없다는 것을 알았을 때, 엄마를 이해하게 되었어요.

① ⓐ   ② ⓑ   ③ ⓒ   ④ ⓓ   ⑤ ⓔ

[01~04] 다음 글을 읽고 물음에 답하시오.

"그놈 또 왔다. 뭘 하고 있냐? 느이 오래빌 숨겨야지, 어서."

"엄마, 제발 이러시지 좀 마세요. 오빠가 어디 있다고 숨겨요?"

"그럼 느이 오래빌 벌써 잡아갔냐." / "엄마, 제발."

어머니의 손이 사방을 더듬었다. 그러다가 붕대 감긴 자기의 다리에 손이 닿자 날카롭게 속삭였다.

"가엾은 내 새끼 여기 있었구나. 꼼짝 말아. 다 내가 당할테니." / 어머니의 떨리는 손이 다리를 감싸는 시늉을 했다. 그때부터 어머니의 다리는 어머니의 아들이었다. 어머니는 온몸으로 그 다리를 엄호하면서 어머니의 적을 노려보았다. 어머니의 적은 저승의 사자가 아니었다.

"군관 동무, 군관 선생님, 우리 집엔 여자들만 산다니까요."

어머니의 눈의 푸른 기가 애처롭게 흔들리면서 입가에 비굴한 웃음이 감돌았다. 나는 어머니가 환각으로 보고 있는게 무엇이라는 걸 알아차렸다. 〈중략〉

어머니는 그 다리를 어디다 숨기려는지 몸부림쳤다. 그러나 어머니의 다리는 요지부동이었다.

"군관 나으리, 우리 집엔 여자들만 산다니까요. 찾아보실것도 없다니까요. 군관 나으리."

그러나 절체절명의 위기가 어머니에게 육박해 오고 있음을 난들 어쩌랴. 공포와 아직도 ㉮한 가닥 기대를 건 비굴이 어머니의 얼굴을 뒤죽박죽으로 일그러뜨리고 이마에선 구슬같은 땀이 송글송글 솟아오르고 다리를 감싼 손과 앙상한 어깨는 ㉠사시나무 떨듯 떨고 있었다. 〈중략〉

"어머니, 어머니, 이러시지 말고 제발 정신 차리세요."

나는 어머니의 어깨를 흔들면서 울부짖었다. 어머니는 어디서 그런 힘이 솟는지 나를 ㉡검부러기처럼 가볍게 털어내면서 격렬하게 몸부림쳤다.

"안 된다. 안 돼. 이노옴. 안 돼. 너도 사람이냐? 이노옴, 이노옴." / 나는 벽까지 떠다밀린 채 와들와들 떨면서 점점 심해 가는 어머니의 광란을 지켜볼 수밖에 없었다. 어머니의 몸에서 수술한 다리만 빼고는 온몸이 ㉢노한 파도처럼 출렁였다. 그래서 더욱 그 다리는 어머니의 몸이 아닌 이물질처럼 ㉣괴기스러워 보였다. 어머니의 그 다리와 아들과의 동일시가 나한테까지 ㉤옮아 붙은 것처럼 나는 그 다리가 무서웠다.

– 박완서, 「엄마의 말뚝 2」–

01 이 글의 서술상 특징으로 가장 적절한 것은?

① 인물의 삶을 압축적으로 제시하고 있다.

② 현대 사회의 비인간성에 대해 비판하고 있다.

③ 토속적 어휘를 사용하여 생동감을 주고 있다.

④ 상징적 소재를 활용하여 결말을 암시하고 있다.

⑤ 대화를 통해 인물의 관계와 사건을 드러내고 있다.

02 '보기'를 참고하여 이 글을 감상한 것으로 적절하지 <u>않은</u> 것은?

> ┤ 보기 ├
>
> 한국 전쟁이라는 동족상잔의 비극과 이로 인한 분단의 상황은 민족에게 커다란 상처와 불안, 혼돈을 안겨다 주었다. 이러한 시대적 상황에 따라 분열된 민족의 상처와 아픔과 이에 대한 극복 의지를 형상화한 작품들이 창작되었다.

① '나'는 어린 시절부터 현재까지 가족에게 닥친 전쟁의 비극을 지켜보는 입장이군.
② '나'의 가정에 닥친 비극은 나아가 우리 민족의 아픔으로 확장해서 해석해도 될 것 같아.
③ 시간이 많이 흘렀음에도 불구하고 어머니는 전쟁으로 아들을 잃은 상처를 극복하지 못하고 있군.
④ 죽는 것이 전쟁의 상처보다 더 낫다고 말할 정도로 당시 사람들의 충격과 공포가 극심했을 것 같아.
⑤ 어머니가 다리의 상처를 치료해 나가는 과정을 통해 전쟁의 상처에 대한 극복 의지를 드러내고 있어.

03 다음 중 ㉠~㉤을 대신하여 바꿔 쓸 수 있는 말로 적절하지 <u>않은</u> 것은?

① ㉠ : 능청스럽게 ② ㉡ : 깃털처럼 ③ ㉢ : 격하게
④ ㉣ : 어색해 ⑤ ㉤ : 전해진 것처럼

04 [서술형] 이 글을 바탕으로 ㉮의 내용을 한 문장으로 서술하시오.

(가) "요 계집애가 누구요? 설마 유리값 몇 푼 땜에 요 계집애가 당신 딸이 아니라고 우기실 심뽄 아니시겠지."

그가 짓궂게 내 얼굴을 엄마 얼굴에다 갖다 부비다시피 하고 이죽댔다. 엄마 얼굴을 그렇게 가까이서 보긴 처음이었다. 마치 거울에다 얼굴을 바짝 갖다 댔을 때처럼 나하고 똑같은 얼굴이라는 걸 뭉클하게 느낄 수 있었을 뿐 아무것도 보이진 않았다.

"그 애를 썩 내려놓지 못해요?"

엄마의 목소리가 오싹하도록 점잖고 위엄에 넘쳤다.

"곧 유리쟁이 보내서 유리를 끼워 놓도록 할 테니 썩 물러가요." / "진작 그러실 일이지."

㉠나는 그 후 아무리 기다려도 엄마로부터 그 일에 대해 아무런 꾸지람도 듣지 못했다. 엄마는 다만 혼잣말처럼 탄식처럼 중얼거렸을 뿐이었다.

아아, 저런 상것들하고 상종을 하며 살아야 하다니⋯⋯.

엄마는 툭하면 상것들이란 말을 잘 썼다. 늙은 부모에 어린 자식이 올망졸망 딸린 안집 남자가 첩을 얻어 들여서 본처와 한방에서 기거케 하는 걸 보고도 아아 상종 못 할 상것들이다, 하면서 몸서리를 쳤다. 그럴 땐 안집한테 덮어놓고 쩔쩔맬 때와는 딴판으로 엄마는 느닷없이 기품이 있어졌다. 돋보이게 귀골스러워 보이기까지 했다. 서울서 나를 데리러 시골 집에 내려왔을 때도 엄마는 그랬었다. 그때 엄마는 서울이라는 대처를 후광 삼고 그럴 수 있었지만 지금의 엄마는 무얼 믿고 저렇게 도도할 수 있는 것일까. 그건 아마 엄마가 배신한 온갖 과수가 있는 후원과 토종 국화 덤불이 있는 사랑 뜰과 정결하고 간살 넓은 초가집과 선산과 전답과 그 모든 것을 총괄하시는 비록 동풍은 했으되 구학문이 높으신 시아버지가 뒤에 있다고 믿는 마음 때문이 아니었을까. 그게 엄마의 긍지라면, 먼저 것은 엄마의 허영이었다.

– 박완서, 「엄마의 말뚝 1」 –

(나) 무서움증이 큰 힘이 되어 나는 어머니의 팔에서 벗어났다. 어머니는 악귀처럼 무서운 형상을 하고 와들와들 떨면서 문 쪽을 보고 있었다. 문 쪽엔 아무도 없었지만 어머니는 혼신의 힘으로 누군가와 대결을 하고 있었다. 순간 나는 저승의 사자가 어머니를 데리러 와 거기 버티고 서 있는 게 어머니에게만 보일지도 모른다는 생각이 들었다. 피가 얼어붙는 것처럼 무서워서 감히 그쪽으로 발을 옮길 수도 없었다. 그러니 누구한테 구원을 요청할 가망도 없었다. 여든여섯의 노인의 병실을 저승의 사자가 넘보는 건 당연했다. 오늘의 수술 환자 중에서뿐 아니라 이 거대한 종합 병원에 입원한 모든 환자 중에서도 어머니는 최고령일지도 모른다. 〈중략〉나는 이미 저승의 사자한테 어머니를 내줄 각오를 하고 있었다. 여든여섯이면 누가 감히 천수를 못 누렸다 하랴. 다만 몸에 큰 칼자국을 내고 거기서 나는 선혈이 아직 마르기도 전에 끌고 가려는 게 괘씸하지만 세상의 죽음치고 그 정도의 여한도 자식에게 안 남기는 죽음이 어디 있으랴. 각오는 하고 있으니 제발 네 모습을 어머니에게 보이지만 말게 해 다오. 백 살을 살다 죽어도 죽기는 싫은 게 인간의 상정이라면 생의 마지막 순간까지도 네 모습만은 드러내지 않는 게 저승의 사자된 ㉡도리요, 유일한 자비가 아니더냐. 사라져라. 제발. 훠이 훠이.

나는 어머니의 참혹한 공포를 차마 눈 뜨고 볼 수 없어 이렇게 속으로 부르짖었다. 그놈이 내 눈에까지 보이는 일이 일어날까 봐 더더욱 겁이 났다. 그러나 그는 사라지기는커녕 다가오고 있음이 분명했다. 어머니의 부릅뜬 눈동자의 초점거리가 그걸 말해 주고 있었다. 맙소사 나 혼자 어머니의 임종을 지키게 되다니.

– 박완서, 「엄마의 말뚝 2」 –

05 이 글의 내용과 일치하는 것은?

① (가) : 주인집은 어머니의 기품에 쩔쩔매고 있다.

② (가) : '나'는 가게 진열장 유리를 깨트려서 어머니께 꾸중을 들었다.

③ (가) : 어머니는 도시 사람들보다 경제적으로 잘사는데 우월감을 느끼고 있다.

④ (나) : 어머니는 병원에 입원한 환자 중 최고령이다.

⑤ (나) : '나'는 어머니의 이상 행동을 목격하고 두려움에 빠진다.

06 〈보기〉의 내용을 토대로 (가)와 (나)에 쓰인 서술 방식의 효과에 대해 바르게 이해한 것은?

┤ 보기 ├

　　박완서의 소설 '엄마의 말뚝'은 엄마의 삶을 '나'의 회상과 해석에 의해 간접적으로 전달하는 방식을 취함으로써, 어머니의 삶에 대한 연민과 정신적 구속감이라는 이중성을 효과적으로 드러내고 있다.

① 실제 있었던 사건을 그대로 표현할 수 있다.
② 인물 간의 갈등을 객관적으로 드러낼 수 있다.
③ 어머니가 '나'에게 미친 영향을 파악할 수 있다.
④ 작품의 주제 의식을 간접적으로 제시할 수 있다.
⑤ 어머니의 심정의 변화를 세밀하게 전할 수 있다.

07 (가)에 드러난 '나'의 심리 변화로 적절한 것은?

① 뭉클함 → 안도　　　② 망설임 → 기쁨　　　③ 아쉬움 → 분노
④ 두려움 → 좌절　　　⑤ 두려움 → 섭섭함

08 ㉠의 이유를 추측한 것으로 가장 적절한 것은?

① 돈 때문에 존엄성을 잃지 않기 위해
② 딸을 차별한다는 말을 듣지 않기 위해
③ 스스로 반성하는 습관을 길러 주기 위해
④ 자식을 위해 무조건적으로 희생하기 위해
⑤ 구멍가게 주인의 거짓말에 대항하기 위해

09 [서술형] [A]의 흐름으로 보아 '나'가 바라는 임종의 모습은 어떤 것인지 서술하시오.

[10~14] 다음 글을 읽고 물음에 답하시오.

(가) "안 된다, 이노옴"이라는 호통과 "군관 나으리, 군관 선생님, 군관 동무"라는 아부를 번갈아 하며 몸부림치는 서슬에 마침내 링거 줄이 주사 바늘에서 빠져 버렸다. 혈관에 꽂힌 채인 주사 바늘을 통해 피가 역류해 환자복과 시트를 점점 물들였다. 피를 보자 어머니의 광란은 극에 달했다.

"이노옴, 게 섰거라. 이노옴, 나도 죽이고 가거라, 이노옴." 〈중략〉

그들은 어머니를 묶어 놓고 나를 위로하고 병실을 나갔다. 나는 지칠 대로 지쳐서 신 신은 채 보조 침대에 상반신을 꺾었다. 그러나 웬걸, 원한 맺힌 맹수처럼 으르렁대던 어머니가 에잇하고 한 번 기합을 넣자 사지를 묶은 끈은 우지직 끊어지기도 하고 혹은 풀리기도 했다. 어머니는 다시 길길이 뛰기 시작했다. 참으로 불가사의한 괴력이었다. 목소리도 뜻이 통하는 말이 아니라 원한의 울부짖음과 독한 악담이 섞인 소름끼치는 기성이었다. 조금도 과장 없이 간장을 도려내는 아픔과 함께 내 속에서도 불가사의한 괴력이 솟았다. 나는 이를 악물고 어머니에게로 돌진했다. 다시는 아무의 도움도 청하지 않고 어머니와 맞서리라 마음먹었다. 이건 아무의 도움도 간섭도 필요 없는 우리 모녀만의 것이다.

나는 어머니를 힘껏 찍어 눌렀다. 온몸으로 타고 앉다시피했다. 어머니의 경련처럼 괴로운 출렁임이 고스란히 전해 왔다. 조금이라도 마음이 움직이거나 약해져선 안 된다고 생각했다. 그렇게 되면 어머니가 나를 타고 앉게 될지도 모른다. 내가 아무리 전심전력으로 대결해도 어머니의 힘과는 막상막하하여서 내 힘이 위태로워질 때마다 나는 어머니의 뺨을 쳤다.

"엄마, 정신 차려요. 엄마, 정신 차려요."

처음으로 엄마의 뺨을 치고 나는 내 손이 저지른 패륜에 경악해서 두 번째는 더욱 세차게 때렸고, 어머니의 뺨에 솟아오른 내 손자국을 보고 이것은 악몽 속 아니면 지옥일 거라는 일종의 비현실감이 패륜에 패륜을 서슴없이 보태게 했다. 어머니의 힘도 무서웠지만 더 무서운 건 어머니의 얼굴이었다. 그건 내 어머니의 얼굴이 아니었다. 이제 나는 어머니와 싸우고 있는 게 아니라 내 나름의 공포와 싸우고 있었다.

– 박완서, 「엄마의 말뚝 2」 –

(나) "도대체 그처럼 많은 시체를 넘어서야 하는 혁명의 목적이란 무엇인가?"

"착취 없고 계급 없는 사회의 건설."

어린애 같은 질문에 불과하다는 표정의 연호.

"나도 그런 사회가 오기를 간절히 바라고 있네. 그러나 그 목적에 이르는 과정이라는 것, 그것은 어떠한 과정이며 또 언제까지를 과정으로 치나, 과정 속에서도 인간은 살아야 하고 또 인간은 계속 과정 속에서 살아가는 것이 아닌가. 인생의 목적이란 곧 인간이 산다는 것, 사는 그 자체가 목적이 아닌가. 최후의 목적, 그런 것이 있을 리 없지. 구태여 말하자면 조그만 중간 목표가 있다고 할까."

"그럼 자네는 전적으로 이 혁명을 인정치 않는군."

"혁명이 획득한 어떠한 결과도 인간의 생명보다 귀할 수는 없으니까." 〈중략〉

현은 기를 쓰는 반발의 감정 속에서 예기치 않은 ㉠새로운 힘이 움터 오르는 것을 느꼈다. 그 힘이 조금씩 조금씩 마음에 무게를 가하더니 전신에 어떤 충족감이 느껴지자 현은 가슴속에서 갑자기 '우지직' 하고 깨뜨려지는 자기 껍질의 소리를 들었다. 조각을 내고 부서지는 껍질, 그와 함께 거기서 무수한 불꽃이 튀는 듯했다.

[A] 그것은 다음 차원에의 비약을 약속하는 불꽃. 무수한 불꽃, 찬란한 그 섬광, 불타는 생에의 의욕, 전신을 흐르는 생명의 여울, 통절히 느껴지는 해방감(解放感). 현은 끝없이 푸른 하늘로 트이는 마음의 상쾌를 느꼈다.

– 선우휘, 「불꽃」 –

10 이 글에 대한 설명으로 적절하지 <u>않은</u> 것은?

① (가)와 (나)는 모두 전쟁의 비극성을 드러내고 있다.

② (가)와 (나)는 우리 민족의 시련을 바탕으로 하고 있다.

③ (가)와 (나)는 동일한 역사적 사건을 배경으로 하고 있다.

④ (가)는 고향에 대한 추억을, (나)는 이념을 넘어선 화합을 중심 내용으로 하고 있다.

⑤ (가)는 서술자가 자신의 이야기를, (나)는 서술자가 다른 인물들의 이야기를 하고 있다.

11 '보기'를 참고하여 (가)의 제목에 대해 설명한 내용으로 적절하지 <u>않은</u> 것은?

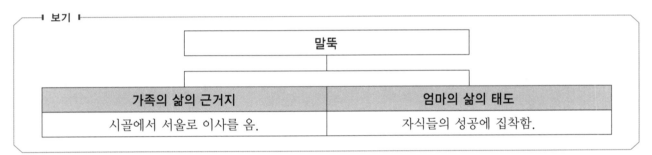

① '말뚝'은 '나'에게 부담으로 작용했을 수도 있을 것이다.

② '말뚝'은 어머니가 가족을 이끄는 원동력이 되었을 것이다.

③ '나'는 어머니로 인한 정신적 구속을 '말뚝'이라고 표현했을 것이다.

④ '말뚝'을 제거하기 위해 '나'는 어머니를 때리는 패륜적 행동을 저질렀을 것이다.

⑤ 전쟁으로 아들을 잃었을 때, 어머니는 '말뚝'이 뽑히는 듯한 충격을 느꼈을 것이다.

12 (가)에서 '나'의 상황을 속담으로 표현한 것으로 가장 적절한 것은?

① 울며 겨자 먹기.　　　　　　　　② 긴병에 효자 없다.

③ 설마가 사람 잡는다.　　　　　　④ 말 안 하면 귀신도 모른다.

⑤ 나무에 오르라 하고 흔드는 격.

13 [A]에 드러난 '현'의 태도와 가장 유사한 것은?

① 남으로 창을 내겠소. / 밭이 한참갈이 / 괭이로 파고 / 호미론 김을 매지요.

— 김상용, 「남으로 창을 내겠소」 —

② 지금 눈 내리고 / 매화 향기 홀로 아득하니 / 내 여기 가난한 노래의 씨를 뿌려라.

— 이육사, 「광야」 —

③ 죽는 날까지 하늘을 우러러 / 한 점 부끄럼 없기를 / 잎새에 이는 바람에도 / 나는 괴로워했다.

— 윤동주, 「서시」 —

④ 문 아주 굳이 닫고 벽에 기대선 채 / 해가 또 한 번 바뀌거늘 / 이 밤도 내 기린은 맘 놓고 울들 못한다.

— 김영랑, 「거문고」 —

⑤ 하여 '나'란 나의 생명이란 / 그 원시의 본연한 자태를 다시 배우지 못하거든 / 차라리 나는 어느 사구에 회한 없는 백골을 쪼이리라.

— 유치환, 「생명의 서」 —

14 [서술형] '보기'가 (나)의 작가가 쓴 글이라는 점을 참고하여 ㉠이 의미하는 바를 유추하여 쓰시오.

[15~20] 다음 글을 읽고 물음에 답하시오.

(가) 우린 우리의 완벽한 은신을 감지덕지할 줄만 알았지 그 허점을 모르고 있었다. 어느 날 우리는 흰 홑이불을 망토처럼 뒤집어쓴 일단의 인민군에 의해 발각되었다. 그들은 서대문 형무소에 주둔하고 있는데 거기서 산동네를 쳐다보면 매일 아침저녁 굴뚝으로 연기가 오르는 집이 몇 집 있더라는 것이었다. 연기 나는 집을 하나하나 다 뒤져 봐도 재수 없게 다 죽게 된 늙은이 아니면 병자가 고작이더니 이 집엔 웬 젊은 여자가 다 있냐고 마침 문을 열어 준 나를 호시탐탐 노려보았다.

"네 그러믄요. 이 집엔 여자들만 산다니까요. 찾아보실 것도 없다니까요"

어머니가 급히 뒤따라 나오면서 안 해도 될 소리를 두서없이 지껄였다. 그들이 어머니를 밀치고 안으로 들어갔다.

㉠"동무도 여자요?"

앞장선 군관이 싸늘하게 웃으면서 오빠에게 물었다. 인민군을 본 오빠가 갑자기 실어증에 걸렸는지 으, 으, 으, 하고 신음할 뿐 뜻이 통하는 소리는 한마디도 못했다.

"갸안 여자는 아니지만서두 병신이에요. 사람값에 못 가는 병신이니까 여자만도 못하죠. 웬수죠. 병신자식은 평생 웬수죠"

어머니의 얼굴에 ㉯공포와 비굴이 처참하게 엇갈렸다. 어머니가 그렇게까지 강조할 것도 없이 오빠는 누가 보기에도 성한 사람은 아니었다. 우락부락 거친 그들과 비교되어 더욱 그랬다. 몸은 파리하고 여위고 눈은 공허하고 입에선 알아들을 수 없는 외마디 소리가 새어나올 뿐이었다. 어머니가 병신자식이라는 걸 너무 강조하지 말았으면 좋았을 것.

— 박완서, 「엄마의 말뚝 2」 —

(나) 전짓불에 대한 기억과 '위험스런 질문'에 대한 박준의 설명이 끝나고 나자 기자가 힐난조로 다시 묻고 있었다. 박준의 대답은 여기서부터 진짜 열이 오르기 시작한다.

— 천만의 말씀이다. 작가는 그 전짓불 뒤에 숨은 사람의 정체가 무엇이든 그들과 상관없이 ⓐ정직한 자기 진술만 하고 있으면 그만이다. 그것이 작가의 ⓑ양심이라는 것 아닌가. 나의 이야기는 다만, 그러나 나에게서는 이미 그 양심이라는 것이 나의 의지하고는 아무 상관도 없이 지켜질 수 없게 되고 있다는 것뿐이다. ⓒ전짓불이 용서하지 않기 때문이다. 전짓불이 어떤 식으로든 선택을 요구하기 때문이다. 아니 나에게는 어떤 선택의 여지조차 없다. 그런 것은 알지도 못한새에 나는 언제나 누군가의 편이 되어 있곤 하는 것이다. 그러고는 가혹한 복수를 당하곤 한다.

— 정직한 진술이 언제나 복수를 당한다고는 할 수 없지 않은가.

— 그건 그렇지 않다. 언제나 복수가 뒤따른다. 그 전짓불은 도대체 처음부터 이쪽을 복수하고 간섭하기 위해서만 존재하는 것이다. 아마 아무도 그 전짓불의 편이 되어 본 사람은 없을 것이다.

— 결국 작가는 침묵을 지킬 수밖에 없다는 것인가.

— 그랬으면 좋겠지만 침묵을 지킬 수는 더욱 없다. 작가는 누가 뭐래도 진술을 끊임없이 계속하지 않고는 살아갈 수가 없는 족속이니까. 괴로운 일이지만 작가는 결국 그 정체가 보이지 않는 전짓불의 공포를 견디면서 죽든 살든 자기의 진술을 계속해 나갈 수밖에 다른 도리가 없는 사람들이다. 만약 그럴 수마저 없게 된다면 그는 아마 영영 해소될 수 없는 진술욕과 그것을 무참히 좌절시켜 버리고 있는 Ⓐ외부의 압력 사이에서 미치광이가 되어 버리지 않고는 배겨날 수가 없을 것이다.

— 이청준, 「소문의 벽」 —

15 이 글의 내용과 일치하지 <u>않는</u> 것은?

① (가) : '나'는 인민군에게 문을 열어 주었다.
② (가) : 어머니는 오빠를 지키고 싶은 마음에 두서없는 소리를 한다.
③ (나) : 박준은 전짓불에 대한 공포스러운 기억을 지니고 있다.
④ (나) : 박준에게 전짓불이란 언제나 선택을 강요하는 존재이다.
⑤ (나) : 박준은 전짓불처럼 세상을 밝히는 작품을 쓰고 싶어 한다.

16 (가)와 (나)를 역사적 맥락에서 해석하고 감상하고자 할 때, 탐구 내용으로 적절하지 <u>않은</u> 것은?

① 작가의 삶과 작품 내용의 다른 점을 살펴본다.
② 한국 전쟁에 참전한 군인들의 후유증을 알아본다.
③ 한국 전쟁 당시 남북한의 이념적 차이를 알아본다.
④ 다른 전후 소설을 읽고 분단의 아픔을 생각해 본다.
⑤ 표현의 자유를 통제하던 시기의 저작물을 찾아본다.

17 군관이 ㉠과 같이 물어본 이유로 가장 적절한 것은?

① 오빠에 대한 정보를 얻기 위해
② 험악한 분위기를 조성하여 협박하기 위해
③ 여자들만 산다는 어머니의 말을 비꼬기 위해
④ 오빠가 군인으로 착출하기 적합한지 알아보기 위해
⑤ 자신을 경계하는 모녀에게 친근감을 표현하기 위해

18 ⓐ~ⓒ의 관계에 대한 설명으로 적절하지 <u>않은</u> 것은?

① ⓒ는 ⓐ를 억압하는 힘을 말한다.
② ⓒ는 작가의 ⓑ를 좌절시키기도 한다.
③ 박준은 ⓒ로 인해 정신적 충격을 겪게 되었다.
④ 작가는 ⓑ와 ⓒ 사이에서 진술의 범위를 적절하게 결정한다.
⑤ 작가는 ⓒ와 같은 억압에도 불구하고 ⓐ를 실천하는 경우가 많다.

19 Ⓐ를 함축적으로 드러내고 있는 소재를 (나)에서 찾아 쓰시오.

20 [서술형] (가)의 내용을 바탕으로 ㉮의 의미를 서술하시오.

책 한 권으로 인생이 바뀐 이야기

제 직업은 천체 사진가입니다. 밑하늘의 별과 천문 현상들을 사진과 영상으로 찍는 일을 합니다. 불과 10년 전만
필자가 하는 일
해도 우리나라에는 없던 직업이고, 세계에서 몇 명 없는 직업이기도 해요. 좋아하는 일을 하다 보니 잘하게 되었고,
천체 사진가가 된 과정
그러다 직업이 된 흔치 않은 경우지요. 좋아하는 일을 하며 사니 행복합니다.

별과의 인연은 책 한 권으로 시작되었어요. 고등학교 때 읽은 별자리에 대한 설명을 담은 한 권의 책이 제 운명을
천체 사진가가 된 계기
바꾸었죠.

어느 날 친구 녀석이 밤하늘을 가리키며 소리 지르듯 외쳤습니다.

"저기 봐! 우아, 오늘은 북두칠성이 진짜 잘 보이네."

친구의 손가락이 가리키는 방향을 따라가 보니, 일곱 개의 밝은 별들이 국자 모양으로 배열되어 있었습니다. 또렷
하게 빛나는 일곱 개의 별! 그 순간 그 일곱 개의 별이 눈에 가득 차면서 제 마음속 어딘가에도 콱 박혀 버렸습니다.
필자가 별에 관심을 갖게 된 순간
밤하늘의 별이 구체적인 이름으로 다가온 순간이었죠. 별자리를 그렇게 쉽게 볼 수 있다는 것이 무척 신기했습니다.
그런데 문득 이 녀석이 별자리를 어떻게 아는 건지 궁금했습니다. 그래서 친구에게 물었죠.

"너 별에 대해 많이 아니?"

"좀 알지."

"누가 가르쳐 줬는데?"

제 물음에 친구는 책상 서랍에서 책 한 권을 꺼내서 제게 보여 주었습니다. 별자리를 소개하는 책인데, 이 책을 읽
별자리를 소개하는 책 → 필자의 인생에 영향을 준 책   필자의 친구가 별자리에 대해 잘 아는 이유
으며 별자리를 알아 가는 중이라고 했습니다. 그날 저는 야간 자습 시간 내내 그 책을 읽었어요. 처음에는 잠깐 훑어
만 보려고 했는데, 수많은 별자리 사진과 설명들이 너무 재미있어서 도저히 손에 서 놓지 못하겠더라고요. 그래서 서
점에 가서 바로 그 책을 구입한 후, 매일같이 밤하늘 여행을 떠났지요.

처음에는 그 책이 저의 인생을 바꿀 줄은 전혀 몰랐습니다. 그 책을 읽기 전까지 저는 새에 빠져 있던 소년이었기
필자의 원래 관심사 – 새
때문이죠. 백과사전, 조류 *도감 등을 보며 새에 대해 열심히 공부했고 별은 그저 밤하늘에 떠 있는 밝은 점에 불과
했습니다. 하지만 그 책을 읽고 난 후 새로운 관심사가 생겨났습니다. 책을 읽고 별자리를 알아 가면서 하늘에 있는
독서를 통해 별에 대한 관심이 생김.
진짜 별들을 보기 시작했습니다.

*도감: 그림이나 사진을 모아 실문 대신 볼 수 있도록 엮은 책

새벽까지 별을 보다 *지평선에서 떠오르는 남쪽물고기자리의 *일등성(一等星) *포말하우트의 아름다운 모습에 감탄하기도 했지요. 어느 날에는 엄청나게 큰 별똥별이 떨어지다 터지는 것을 보고 *간담이 서늘해지기도 했어요. 망
_{몹시 놀라서 섬뜩해짐.}
원경을 구입해서 우주 더 깊숙한 곳으로 떠나기도 했지요. <u>별에 관심이 많아지면서 점점 더 많은 책을 찾게 되었습니</u>
_{별에 대한 관심이 독서의 확장으로 이어짐.}
<u>다.</u> *성운(星雲), *성단(星團), *은하(銀河)에 관한 책도 보고 행성에 관한 책들도 보게 되었지요. 망원경 만드는 법과 *점성학 책까지, 별과 관련된 책들을 닥치는 대로 구해서 읽었습니다.

대학에 진학한 후에는 천문 동아리에 들어가서 망원경으로 별을 보기 시작했습니다. 그런데 망원경으로 별을 관측하면서 기대와 달리 무척 실망스러운 점이 있었어요. <u>망원경으로 관측하는 천체의 모습이 사진에서 보던 것과는 달</u>
_{천체 사진에 관심을 갖게 된 계기}
<u>리 뿌옇게 보이기만 했었죠. 처음에는 왜 그런지 몰랐지만 인간의 눈이 가진 특성상 사진으로 보는 것 같은 천체의</u>
<u>모습은 볼 수 없다는 사실을 알게 되었습니다.</u> 그때부터 사진에 관심을 가지기 시작했어요. 사진은 눈으로 볼 수 없는 *형형색색의 아름다운 모습을 그대로 담아 낼 수 있거든요. 저는 카메라를 들고 직접 천체 사진을 찍기 시작했습니다. 카메라는 다루는 사람의 기술에 따라 결과물에 차이가 확연하기 때문에 많은 노력을 해야 했지요. <u>특히 밤하늘</u>
<u>의 별을 찍는 천체 사진은 높은 전문성이 필요한 분야라 기술적으로 많은 지식도 필요했습니다.</u> 카메라를 *자유자재
_{카메라, 사진과 관련된 책을 읽게 된 배경}
로 다룰 수 있도록 카메라의 기본 원리부터 사진의 기본 원리까지 많은 공부를 해야 했지요. <u>제가 택한 방법은 역시</u>
_{독서를 통해 사진에 대해서 공부함.}
<u>책이었습니다.</u> 처음에는 서점에 있는 카메라와 관련된 책을 모두 구해서 읽기 시작했어요. 사진과 관련된 잡지들도 읽고 사진 학과 친구들이 수업 교재로 사용하는 책들까지 찾아 읽었지요. <u>제가 원하는 사진을 찍기 위해서는 많이 공</u>
_{관심사에 대한 필자의 열정}
<u>부하고 연습하는 수밖에 없었기 때문에 더 열정적으로 매달렸습니다.</u> 처음에는 취미로 시작한 일이었지만 지금은 이렇게 천체 사진을 찍는 일을 직업으로 삼게 되었지요. <u>한 권의 책</u>으로 시작된 여행이 이렇게 길어질 줄은 그때는 몰
_{고등학교 때 읽은, 별자리에 대한 설명을 담은 책}
랐네요.

---

*지평선: 편평한 대지의 끝과 하늘이 맞닿아 경계를 이루는 선
*일등성: 맨눈으로 볼 수 있는 별의 밝기를 여섯 등급으로 나눌 때에 가장 밝게 보이는 별.
*포말하우트: 남쪽물고기자리에서 가장 밝은 별. 청백색의 1등급 별로, 지구에서 거리는 약 23광년이고, 관측하기 좋은 시기는 10월이다.
*간담: 간과 쓸개를 아울러 이르는 말
*성운: 구름 모양으로 퍼져 보이는 천체

*성단: 천구(天球) 위에 군데군데 몰려 있는 항성의 집단.
*은하: 천구(天球) 위에 구름 띠 모양으로 길게 분포되어 있는 수많은 천체의 무리.
*점성학: 점성술. 별의 빛이나 위치, 운행 등을 보고 개인과 국가의 길흉을 점치는 점술
*형형색색: 형상과 빛깔 따위가 서로 다른 여러 가지
*자유자재: 거침없이 자기 마음대로 할 수 있음.

고등학생 때 그 책을 읽지 않았다면 별에 빠지지도 않았을 거고, 별 사진을 찍게 되지도 않았을 겁니다. 이처럼 무
_{고등학교 시절의 우연한 독서가 필자의 진로 결정에 영향을 미침.}
언가를 경험해 본다는 것은 살면서 아주 중요한 것 같아요. 저는 지금까지 스케이트를 한 번도 신어 본 적이 없어요.
그러니 그 분야가 재미있는지, 나에게 그 분야의 재능이 있는지 알지 못합니다. 만약 피겨 스케이팅의 여왕이라고 불
_{경험해 보지 못했기 때문에}　　　　　　　　　　　　　　　　　_{경험의 중요성을 보여 주는 사례 제시}
리는 김연아 선수가 스케이트를 신어 보지 않았다면 어떻게 되었을까요? 자신의 재능을 발견하지 못한 채 평범하게
살았을 수도 있습니다.

　사람은 모두 다르게 태어납니다. 저마다 가진 능력도, 행복을 느끼는 순간도 다 달라요. 그런 내 자신을 스스로 알
_{경험을 통해서 자신의 흥미, 능력, 관심사 등을 알 수 있음.}
기까지 수많은 경험이 필요합니다. 직접 경험이든 간접 경험이든 내가 경험한 것까지가 바로 나의 한계입니다. 요즘
은 텔레비전이나 영화, 인터넷을 통해서도 많은 경험을 할 수 있습니다. 하지만 저는 지금도 책만 한 것이 없다고 생
각해요. 단편적인 정보가 아니라 깊고 넓은 경험을 할 수 있게 해 주니까요. 저는 책을 통해 많은 것을 얻었습니다.
_{독서를 통한 경험의 장점}
중학생 때 관심을 가졌던 새에 대한 지식도 책을 통해 얻을 수 있었고, 천체 사진에 관심을 갖게 해 준 계기도 한 권
_{독서의 장점 ①: 필요한 지식을 얻을 수 있음.}　　　　　　　　_{독서의 장점 ②: 관심사가 확장됨.}
의 책이었지요. 또 대학교에서 사진을 전공하지 않았지만 천체 사진가라는 꿈을 이룰 수 있도록 저를 발전하게 해 준
_{독서의 장점 ③: 꿈을 이룰 수 있게 함.}
것도 책이었습니다. 이런 제 경험에 비추어 볼 때 독서야말로 미래를 위한 가장 효과적인 투자라고 생각해요.
_{글쓴이가 독서를 강조하는 이유}

　참, 고등학생 때 제 운명을 바꾼 그 책의 *개정판 사진은 제가 촬영했답니다. 참 재미있는 인연이지요. 여러분도
책과 만나 더 크고 넓은 경험을 해 보세요. 그래서 자신이 정말 좋아하는 일을 찾아 직업으로 삼으면 행복한 어른이
_{독서를 통해 자신이 좋아하는 것을 찾을 수 있음.}
될 수 있답니다.

*개정판: 전에 출판한 책의 내용을 개정하거나 보완하여 다시 출판한 책

⊙ 핵심정리

갈래	수필
성격	교훈적, 독백적
제재	독서가 진로에 영향을 미친 경험
주제	독서가 진로에 미치는 영향
특징	• 학창 시절의 일화를 통해 독서가 진로 결정에 미친 영향을 보여 줌. • 독서를 통해 전문 지식을 얻었던 경험을 이야기함. • 자신의 경험을 바탕으로 독서의 중요성을 강조함.

01 필자의 직업인 천체 사진가는 흔하게 볼 수 있는 직업이다. ○☐ ×☐

02 필자는 천제 사진가라는 자신의 직업에 만족감을 느끼고 있다. ○☐ ×☐

03 필자는 별자리에 관한 책을 접하기 이전부터 별에 관심이 많았다. ○☐ ×☐

04 필자는 별자리에 관한 책을 접하기 이전엔 책에 관심이 아예 없었다. ○☐ ×☐

05 일등성이란 맨눈으로 볼 수 있는 별의 밝기를 여섯 등급으로 나눌 때에 가장 밝게 보이는 별을 말한다. ○☐ ×☐

06 필자가 별에 관심이 많아지면서 점점 더 많은 책을 찾게 되었다. ○☐ ×☐

07 망원경으로 별을 관측하면 항상 기대 이상의 관측 결과를 얻을 수 있었다. ○☐ ×☐

08 사진은 눈으로 볼 수 없는 형형색색의 아름다운 모습을 그대로 담아 낼 수 있다. ○☐ ×☐

09 밤하늘의 별을 찍는 천체 사진은 전문성이 필요하지 않아 일반인들도 자유자재로 찍을 수 있다. ○☐ ×☐

10 필자는 카메라를 잘 다루기 위해 텔레비전이나 인터넷으로 카메라에 관한 공부를 했다. ○☐ ×☐

11 필자는 처음부터 천체 사진가가 될 목적으로 별에 관심을 가졌다. ○☐ ×☐

12 고등학교 시절의 우연한 독서가 필자의 진로 결정에 영향을 미쳤다. ○☐ ×☐

13 책을 통해 어떠한 분야를 간접적으로 경험해 볼 수 있다. ○☐ ×☐

14 필자는 나 자신을 스스로 알기 위해서는 수많은 경험이 필요하다는 것을 역설하고 있다. ○☐ ×☐

15 텔레비전이나 영화, 인터넷을 통한 경험도 책만큼의 비슷한 간접경험을 제공한다. ○☐ ×☐

16 책은 단편적인 정보가 아니라 깊고 넓은 경험을 할 수 있게 한다. ○☐ ×☐

17 필자는 책을 통해 새에 대한 지식도 얻었다. ○☐ ×☐

18 필자는 책을 통해 천체 사진에 관심을 갖게 되었다. ○☐ ×☐

19 필자는 책을 통해 사진을 전공하여 천체 사진가라는 꿈을 이룰 수 있게 되었다. ○☐ ×☐

20 필자의 경험으로 비추어 볼 때, 독서야말로 미래를 위한 가장 효과적인 투자이다. ○☐ ×☐

단원 종합평가

[01~02] 다음 글을 읽고, 물음에 답하시오.

(가) 구두 닦는 사람을 보면 / 그 사람의 손을 보면
구두 끝을 보면 / 검은 것에서도 빛이 난다.
흰 것만이 빛나는 것은 아니다.

창문 닦는 사람을 보면 / 그 사람의 손을 보면
창문 끝을 보면 / 비누 거품 속에서도 빛이 난다.
맑은 것만이 빛나는 것은 아니다.

청소하는 사람을 보면 / 그 사람의 손을 보면
길 끝을 보면 / 쓰레기 속에서도 빛이 난다.
깨끗한 것만이 빛나는 것은 아니다.

㉠마음 닦는 사람을 보면 / 그 사람의 손을 보면
마음 끝을 보면 / 보이지 않는 것에서도 빛이 난다.
보이는 빛만이 빛은 아니다. / 닦는 것은 빛을 내는 일

성자가 된 청소부는 / 청소를 하면서도 성자이며
성자이면서도 청소를 한다.

— 천양희, 「그 사람의 손을 보면」 —

01 (가)에 대한 설명으로 적절하지 <u>않은</u> 것은?

① 동일한 시구를 반복하여 운율감을 형성하고 있다.
② 명령형 종결 어미를 사용하여 행위가 지닌 의의를 부각하고 있다.
③ 유사한 문장 구조를 병렬적으로 제시하여 시적 의미를 강조하고 있다.
④ '검은 것'–'흰 것' 등의 대립적인 시어들을 활용하여 전달하고자 하는 의미를 가웃하고 있다.
⑤ 시적 대상을 일반적인 인식과는 다른 관점에서 바라보며 화자의 개성적 인식을 드러내고 있다.

02 (가)에서 ㉠과 거리가 먼 사람은?

① 웬디는 자신의 용돈을 모아 구세군 자선냄비에 성금을 냈다.
② 아이린은 장애가 있는 친구가 학교에 잘 적응하도록 도와주었다.
③ 슬기는 힘들어하는 친구의 말을 들어주고 그 친구를 위로하며 감싸주었다.
④ 조이는 남들에게 내세우기 위해 좋은 대학에 가려고 자기주도적으로 열심히 공부했다.
⑤ 예리는 담임 선생님이 검사하지 않아도 자신이 맡은 창조관 특별구역을 매일 성실히 청소했다.

구두 닦는 사람을 보면
그 사람의 손을 보면
㉠구두 끝을 보면
검은 것에서도 빛이 난다.
흰 것만이 빛나는 것은 아니다.
창문 닦는 사람을 보면
그 사람의 손을 보면
창문 끝을 보면
비누 거품 속에서도 빛이 난다.
맑은 것만이 빛나는 것은 아니다.
청소하는 사람을 보면
그 사람의 손을 보면
길 끝을 보면
쓰레기 속에서도 빛이 난다.
깨끗한 것만이 빛나는 것은 아니다.
마음 닦는 사람을 보면
그 사람의 손을 보면
㉡마음 끝을 보면
보이지 않는 것에서도 빛이 난다.
보이는 빛만이 빛은 아니다.
닦는 것은 빛을 내는 일
성자가 된 청소부는
청소를 하면서도 성자이며
성자이면서도 청소를 한다.

– 천양희, 「그 사람의 손을 보면」 –

03 위 시의 표현상 특징으로 적절하지 않은 것은?

① 유사한 통사 구조를 반복하여 사용하였다.
② 대상의 내면에서 느껴지는 아름다움을 예찬하고 있다.
③ 일상생활 속에서 접할 수 있는 소재들을 사용하였다.
④ 대립적 시어나 시구를 사용해서 대비의 효과를 살렸다.
⑤ 화자의 의도를 강조하기 위해 반어적 표현을 사용하였다.

04 ㉠과 ㉡에 대한 설명으로 가장 적절한 것은?

① ㉠은 구체적인 대상이지만 ㉡은 추상적인 대상이다.
② ㉠은 주체의 행동이 미치는 대상이지만 ㉡은 행동의 주체이다.
③ ㉠은 스스로 빛을 내는 존재이지만 ㉡은 반사하여 빛을 내는 존재이다.
④ ㉠은 물질적 가치를 대변하는 존재지만 ㉡은 정신적인 가치를 대변하는 존재이다.
⑤ ㉠은 화자를 비유적으로 표현한 것이지만 ㉡은 화자를 직접적으로 드러낸 것이다.

[05~09] 다음 글을 읽고 물음에 답하시오.

[앞부분의 줄거리] 외출에서 돌아온 '나'는 어머니가 눈길에서 넘어져 다쳤다는 소식을 듣고 병원으로 달려간다. 86세의 고령인 어머니는 부상이 심각하여 결국 전신 마취를 해야 하는 수술을 받게 된다. 그런데 수술이 끝난 후 어머니가 갑자기 허공에 대고 소리치고 몸부림을 치는 등 이상한 행동을 보인다.

"따님 된 마음에 좀 안됐다 싶으셔도 참으세요. 이런 경우는 이 수밖에 없으니까요. 이제 안심하고 눈 좀 붙이세요. 지레 병나시겠어요. 곧 정상으로 돌아오실 테니 염려 마시고……."

그들은 어머니를 묶어 놓고 나를 위로하고 병실을 나갔다. 나는 지칠 대로 지쳐서 ㉠신 신은 채 보조 침대에 상반신을 꺾었다. 그러나 웬걸, 원한 맺힌 맹수처럼 으르렁대던 어머니가 에잇 하고 한 번 기합을 넣자 사지를 묶은 끈은 우지직 끊어지기도 하고 혹은 풀리기도 했다. 어머니는 다시 길길이 뛰기 시작했다. 참으로 불가사의한 괴력이었다. 목소리도 뜻이 통하는 말이 아니라 원한의 울부짖음과 독한 악담이 섞인 소름끼치는 기성[1]이었다. 조금도 과장 없이 간장을 도려내는 아픔과 함께 내 속에서도 불가사의한 괴력이 솟았다. 나는 이를 악물고 어머니에게로 돌진했다. 다시는 아무의 도움도 청하지 않고 어머니와 맞서리라 마음먹었다. 이건 아무의 도움도 간섭도 필요 없는 우리 모녀만의 것이다.

㉡나는 어머니를 힘껏 찍어 눌렀다. 온몸으로 타고 앉다시피 했다. 어머니의 경련처럼 괴로운 출렁임이 고스란히 전해 왔다. 조금이라도 마음이 움직이거나 약해져선 안 된다고 생각했다. 그렇게 되면 어머니가 나를 타고 앉게 될지도 모른다. 내가 아무리 전심전력으로 대결해도 어머니의 힘과는 막상막하여서 내 힘이 위태로워질 때마다 나는 어머니의 뺨을 쳤다. "엄마, 정신 차려요. 엄마, 정신 차려요."

처음으로 엄마의 뺨을 치고 나는 내 손이 저지른 패륜에 경악해서 두 번째는 더욱 세차게 때렸고, 어머니의 뺨에 솟아오른 내 손자국을 보고 이것은 악몽 속 아니면 지옥일 거라는 일종의 비현실감이 패륜에 패륜을 서슴없이 보태게 했다. 어머니의 힘도 무서웠지만 더 무서운 건 어머니의 얼굴이었다. 그건 내 어머니의 얼굴이 아니었다. 이제 나는 어머니와 싸우고 있는 게 아니라 내 나름의 공포와 싸우고 있었다. 나는 어머니를 사랑했고 내가 사랑한 것 중엔 물론 어머니의 얼굴도 포함돼 있었다. 어머니는 늙어 갈수록 아름다운 분이었다. 그건 드물고도 귀한 일이 아닐 수 없었다. 그런 아름다움은 어머니가 말년에 믿게 된 부처님과도 깊은 관계가 있을 것 같았다. 어머니는 부처님을 믿는 걸로 어머니가 당한 남다른 참척[2]과 원한을 거의 극복한 것처럼 보였다. 뿐만 아니라 부처님을 닮은 곱고 자비롭고 천진한 얼굴로 늙어 가셨다. 비록 아들은 잃었으나 거기서 난 손자들을, 그의 짝들을, 거기서 난 증손자들을, 딸과 외손자들을 사랑하며, 그러나 결코 집착진 않으시며 행복하게 늙어 가셨다. 누구보다도 화평하게 누구보다도 아름답게 거의 황홀하리만큼 아름답게 늙으신 어머니를 볼 때마다 나는 저분이야말로 참으로 보살(菩薩)이라고 숙연해지곤 했다.

사람 속의 오지(奧地)는 아무 끝도 없고 한도 없는 거라지만 그런 어머니에게 그런 격정이 숨겨져 있었을 줄이야. 내 어머니의 오지에 감춰진 게 선(善)과 평화와 사랑이 아니라 원한과 저주와 미움이었다는 건 정말 너무했다. 설사 인간이 속속들이 죄의 덩어리라고 하더라도 그건 너무했다.

악과 악의 대결처럼 살벌하고 무자비한 모녀의 힘의 대결에서 어머니가 패색을 보이기 시작했다. 나는 나의 손가락 자국대로 선명하게 부풀어 오른 어머니의 뺨에 비로소 내 뺨을 비비며 소리 내어 통곡했다.

어머니가 그때 왜 현저동 꼭대기를 우리의 은신처로 생각했는지 모를 일이다. 그때 우린 그 동네의 가난으로부터 벗어나서 남부럽지 않게 산 지 오래되었지만 그때 우리가 처한 곤경은 참으로 억울하고 난처한 것이었다. 죽을 수도 살 수도 없는 곤경이었다. 그런 막다른 곤경이 엄마가 서울 와서 처음 말뚝 박은 동네를 고향 다음 가는 신뢰감으로 의지하게 했는지도 모른다. 또 우리의 곤경의 특수성과도 관계가 있음직하다. 그때의 우리 곤경은 6·25라는 커다란 민족적 비극 속의 한 작은 단위에 불과했지만 중산층이 모여 사는 점잖은 동네의 인심의 간사함, 표리부동성과도 불가분의 관계가 있었다. 오빠가 의용군에 지원한 일만 해도 그랬다. 오빠는 해방 후 한때 좌익 운동에 가담했다가 전향한 적이 있는데 그것 때문에 남하를 못 하고 적 치하에 서울에 남은 걸 극도로 불안해했다.

(중략)

사람이 살기 위해선 못 익숙해질 게 없었다. 독사와 더불어 춤을 추는 것 같은 섬뜩하고 아슬아슬한 곡예로 하루하루를 넘겼다.

㉢다시 포성이 가까워지고 그들의 눈에 핏발이 서기 시작했다. 어머니는 앉으나 서나 그들이 곱게 물러가기만을 축수했다. "그저 내 자식 해코저만 마소서. 불쌍한 내 자식 해코저만 마소서." 마침내 보위군관이 작별하러 왔다. 그의 작별 방법은 특이했다.

"내가 동무들같이 간사한 무리들한테 끝까지 속을 것 같소. 지금이라도 바른대로 대시오. 이래도 바른 소리를 못 하겠소?"그가 허리에 찬 권총을 빼 오빠에게 겨누며 말했다.

"안 된다. 안 돼. 이노옴, 너도 사람이냐? 이노옴."

ⓔ어머니가 외마디 소리를 지르며 그의 팔에 매달렸다. 오빠는 으, 으, 으, 으, 짐승 같은 소리로 신음하는 게 고작이었다. 그가 어머니를 획 뿌리쳤다.

"이래도 이래도 바른말을 안 할 테냐? 이래도."

총성이 울렸다. 다리였다. 오빠는 으, 으, 으, 으, 같은 소리밖에 못 냈다."좋다. 이래도 바른말을 안 할 테냐? 이래도." 또 총성이 울렸다. 같은 말과 총성이 서너 번이나 되풀이됐다. 잔혹하게도 그 당장 목숨이 끊어지지 않게 하체만 겨냥하고 쏴댔다.

오빠는 유혈이 낭자한 가운데 기절해 꼬꾸라지고 어머니도 그가 뿌리쳐 나동그라진 자리에서 처절한 외마디 소리만 지르다가 까무러쳤다.

"죽기 전에 바른말 할 기회를 주기 위해 당장 죽이진 않겠다."그 후 군관은 다시 나타나지 않았다. 며칠 만에 세상은 또 바뀌었다.

오빠의 총상은 다 치명상이 아니었는데도 며칠 만에 운명했다. 출혈이 심한데다 적절한 치료를 받을 수가 없었기 때문이다. 그 며칠 동안에도 오빠의 실어증은 회복되지 않았다. 그 며칠 동안의 낭자한 유혈과 하늘에 맺힌 원한을 어찌 잊으랴. 그러나 덮어 둘 순 있었다.

나는 남자를 만나 사랑을 하고 자식을 낳아 또 사랑하는 걸로, 어머니는 손자를 거두어 기르며 부처님께 귀의하는 걸로. 마취가 깨어날 때 부린 난동으로 어머니는 어찌나 많은 힘을 소모하였는지 그 후 오랫동안 탈진 상태가 계속됐다. ⓜ 부피도 무게도 호흡도 없이 불면 날아갈 듯 한 장의 백지장이 되어 누워 있었다.

— 박완서, 〈엄마의 말뚝2〉 —

[어휘 풀이] **1) 기성**: 기이한 소리.   **2) 참척**: 아들딸이나 손자 손녀가 앞서 죽음. 또는 그 일.

---

05 윗글에 대한 설명으로 가장 적절한 것은?

① 과거를 잊지 못하는 인물의 심리가 대화를 통해 나타나고 있다.
② 현재와 과거 사건의 관련성이 서술자의 회상을 통해 드러나고 있다.
③ 인물의 성격 변화가 상징적인 소재의 대비를 통해 암시되고 있다.
④ 사건에 대한 비판적 인식이 인물의 과장된 행동을 통해 드러나고 있다.
⑤ 인물이 살아온 삶이 시대적 배경 묘사를 통해 다각적으로 조명되고 있다.

06 윗글의 인물에 대한 이해로 가장 적절한 것은?

① '오빠'는 적의 치하가 된 서울에 남는 것을 자랑스럽게 생각했다.
② '오빠'는 총상을 입고 기절하는 순간까지도 실어증을 회복하지 못하였다.
③ '나'와 '어머니' 사이의 격렬한 싸움은 결국 '나'의 항복으로 끝이 나게 되었다.
④ '어머니'는 '나'와 '오빠'의 만류에도 불구하고 현저동 꼭대기를 벗어나고 싶어 했다.
⑤ '나'는 '어머니'의 울부짖음을 듣고 자신이 혼자서 어머니를 감당할 수 없다고 판단했다.

07 〈보기〉를 참고하여 윗글을 감상한 내용으로 적절하지 <u>않은</u> 것은?

┤ 보기 ├

「엄마의 말뚝2」에서 '어머니'의 이상한 행동은 정신적 외상(trauma)으로 인한 정신적 병증의 하나로 볼 수 있다. 이것은 과거의 충격적 경험에서 비롯된 것인데, 이 경험에 대한 기억은 무의식에 잠재되었다가 의식이 차단되는 어떤 계기를 맞게 되었을 때 다시 떠올라 기이한 신체 현상을 동반한 정신적 병증으로 나타나게 된다. 공동체의 위기 상황으로 인해 가해진 정신적 외상은 개인의 노력만으로는 해결하기 어렵다는 점에서 공동체의 관심과 노력이 요구된다.

① 마취가 깨어날 때 '어머니'가 난동을 부렸다는 점에서, 수술로 인한 의식의 차단이 '어머니'의 잠재된 기억을 떠오르게 하는 계기로 작용한 것이겠군.

② '어머니'가 힘 없는 노인임에도 '불가사의한 괴력'을 보였다는 점에서, 정신적 외상으로 인한 기이한 신체 현상이 '어머니'에게 나타난 것으로 볼 수 있겠군.

③ '어머니'가 부처님께 귀의하여 누구보다 화평하고 아름답게 살아왔다는 점에서, '어머니'는 개인적으로 잠재된 무의식을 떠올리기 위해 노력해 온 것이겠군.

④ '나'가 '어머니'의 이상한 행동과 관련된 사건을 '우리 모녀만의 것'으로 받아들이고 있다는 점에서, '나'는 '어머니'와 정신적 외상을 공유하고 있음을 알 수 있겠군.

⑤ '나'가 '어머니'의 이상한 행동이 전쟁 중에 죽은 '오빠'와 관련이 있다고 생각했다는 점에서, '어머니'의 정신적 외상은 민족 공동체가 겪은 위기 상황과 연관되어 있는 것이겠군.

08 ㉠~㉤에 대한 설명으로 적절하지 <u>않은</u> 것은?

① ㉠: 힘든 일을 겪어 지친 인물의 모습이 행동으로 구체화되고 있다.

② ㉡: 상대방의 고통에 공감한 인물의 심리가 의도하지 않은 행동으로 표현되고 있다.

③ ㉢: 가까워진 전선과 그로 인해 더욱 날카로워진 인물의 공격성이 감각적으로 제시되고 있다.

④ ㉣: 극단적인 상황을 막아 보려는 인물의 간절함이 절박한 음성과 행동으로 나타나고 있다.

⑤ ㉤: 힘을 다 소진하고 탈진해 버린 인물의 연약한 모습이 비유적으로 묘사되고 있다.

(가)

"그래, 마침 듣기 잘했다. 그렇잖아도 언제고 꼭 일러두려 했는데. 유언 삼아 일러두는 게니 잘 들어 뒀다 어김없이 시행토록 해라. 나 죽거든 내가 느이 오래비한테 해 준 것처럼 해 다오. 누가 뭐래도 그렇게 해 다오. 누가 뭐라든 상관하지 않고 그럴 수 있는 건 너밖에 없기에 부탁하는 거다."

"오빠처럼요?"

"그래, 꼭 그대로. 그걸 설마 잊고 있진 않겠지?"

"잊다니요. 그걸 어떻게 잊을 수가……."

어머니의 손의 악력은 정정했을 때처럼 아니, 나를 끌고 농바위 고개를 넘을 때처럼 강한 줏대와 고집을 느끼게 했다.

오빠의 시신은 처음엔 무악재 고개 너머 벌판의 밭머리에 가매장(假埋葬)했다. 행려병사자 취급하듯이 형식과 절차 없는 매장이었지만 무정부 상태의 텅 빈 도시에서 우리 모녀의 가냘픈 힘만으로 그것 이상은 가능한 일이 아니었다. 서울이 수복(收復)되고 화장장이 정상화되자마자 어머니는 오빠를 화장할 것을 의논해 왔다. 그때 우리와 합하게 된 올케는 아비 없는 아들들에게 무덤이라도 남겨 줘야 한다고 공동묘지로라도 이장할 것을 주장했다. 어머니는 오빠를 죽게 한 것이 자기 죄처럼, 젊어 과부 된 며느리한테 기가 죽어 지냈는데 그때만은 조금도 양보할 기세가 아니었다. 남편의 임종도 못 보고 과부가 된 것도 억울한데 그 무덤까지 말살하려는 시어머니의 모진 마음이 야속하고 정떨어졌으련만 그런 기세 속엔 거역할 수 없는 위엄과 비통한 의지가 담겨 있어 종당엔 올케도 순종을 하고 말았다. 오빠의 살은 연기가 되고 뼈는 한 줌의 가루가 되었다. 어머니는 앞장서서 강화로 가는 시외버스 정류장으로 갔다. 우린 묵묵히 뒤따랐다. 강화도에서 내린 어머니는 사람들에게 묻고 물어서 멀리 개풍군 땅이 보이는 바닷가에 섰다. 그리고 지척(咫尺)으로 보이되 갈 수 없는 땅을 향해 그 한 줌의 먼지를 훨훨 날렸다. 개풍군 땅은 우리 가족의 선영이 있는 땅이었지만 선영에 못 묻히는 한을 그런 방법으로 풀고 있다곤 생각되지 않았다. 어머니의 모습엔 운명에 순종하고 한을 지그시 품고 삭이는 약하고 다소곳한 여자 티는 조금도 없었다. 방금 출전(出戰)하려는 용사처럼 씩씩하고 도전적이었다. 어머니는 한 줌의 먼지와 바람으로써 너무도 엄청난 것과의 싸움을 시도하고 있었다. 어머니에게 그 한 줌의 먼지와 바람은 결코 미약한게 아니었다. 그야말로 어머니를 짓밟고 모든 것을 빼앗아 간, 어머니가 도저히 이해할 수 없는 분단이란 괴물을 홀로 거역할 수 있는 유일한 수단이었다.

어머니는 나더러 그때 그 자리에서 또 그 짓을 하란다. 이젠 자기가 몸소 그 먼지와 바람이 될 테니 나더러 그 짓을 하란다. 그 후 30년이란 세월이 흘렀건만 그 괴물을 무화(無化)시키는 길은 정녕 그 짓밖에없는가?

"너한테 미안하구나, 그렇지만 부탁한다."

어머니도 그 짓밖에 물려줄 수 없는 게 진정으로 미안한 양 표정이 애달프게 이지러졌다.

아아, 나는 그 짓을 또 한 번 할 수밖에 없을 것 같다.

어머니는 아직도 투병 중이시다.

– 박완서, 「엄마의 말뚝2」 –

(나)

제 직업은 천체 사진가입니다. 밤하늘의 별과 천문 현상들을 사진과 영상으로 찍는 일을 합니다. 불과 10년 전만 해도 우리나라에는 없던 직업이고, 세계에서 몇 명 없는 직업이기도 해요. 좋아하는 일을 하다보니 ⓐ잘하게 되었고, 그러다 직업이 된 흔치 않은 경우지요. 좋아하는 일을 하며 사니 행복합니다.

별과의 인연은 책 한 권으로 시작되었어요. 고등학교 때 읽은 별자리에 대한 설명을 담은 한 권의 책이 제 운명을 바꾸었죠.

어느 날 친구 녀석이 밤하늘을 가리키며 소리 지르듯 외쳤습니다.

"저기 봐! 우아, 오늘은 북두칠성이 진짜 잘 보이네."

친구의 손가락이 가리키는 방향을 따라가 보니, 일곱 개의 밝은 별들이 국자 모양으로 배열되어 있었습니다. 또렷하게 빛나는 일곱 개의 별! 그 순간 그 일곱 개의 별이 눈에 가득 차면서 제 마음속 어딘가에도 콱 박혀 버렸습니다. 밤하늘의 별이 구체적인 이름으로 다가온 순간이었죠. 별자리를 그렇게 쉽게 볼 수 있다는 것이 무척 신기했습니다. 그런데 문득 이 녀석이 별자리를 어떻게 아는 건지 궁금했습니다. 그래서 친구에게 물었죠.

"너 별에 대해 많이 아니?"

"좀 알지."

"누가 가르쳐 줬는데?"

제 물음에 친구는 책상 서랍에서 책 한 권을 꺼내서 제게 보여 주었습니다. 별자리를 소개하는 책인데, 이 책을 읽으며 별자리를 알아 가는 중이라고 했습니다. 그날 저는 야간 자습 시간 내내 그 책을 읽었어요. 처음에는 잠깐 훑어만 보려고 했는데, 수많은 별자리 사진과 설명들이 너무 재미있어서 도저히 손에 서 놓지 못하겠더라고요. 그래서 서점에 가서 바로 그 책을 구입한 후, 매일같이 밤하늘 여행을 떠났지요.

09 (가)와 (나)에 나타난 사건을 이해한 것 중 적절하지 <u>않은</u> 것은?

① (가)에서 '올케'는 처음에는 남편의 시신을 화장하는 것을 반대하였다.

② (가)에서 '어머니'의 가족으로는 '나' 이외에도 며느리와 손자가 더 있었다.

③ (가)에서 '어머니'와 '나'는 단 둘이 강화도로 가서 '오빠'를 화장한 재를 뿌렸다.

④ (나)에서 필자는 천체를 영상과 사진으로 찍는 일을 처음에는 취미로 시작하게 되었다.

⑤ (나)에서 글쓴이는 고등학교 때 친구가 보여 준 책을 통해서 별자리에 관심을 갖게 되었다.

10 (가)의 서술 방식에 대한 설명으로 적절한 것은?

① 시간의 순서를 바꾸어 내용을 전개하고 있다.

② 서술자의 내면 의식이 흘러가는 대로 서술하고 있다.

③ 하나의 주제 아래 독립된 여러 이야기들을 제시하고 있다.

④ 서술자를 교체하여 새로운 사건의 발생을 암시하고 있다.

⑤ 동시에 일어나는 두 개의 사건을 나란히 제시하여 긴장감을 고조하고 있다.

11 ⓐ와 문맥적 의미가 동일하게 사용된 것은?

① 그는 영어를 아주 잘하는 학생이다.

② 술을 잘하는 것은 자랑거리가 아니다.

③ 사람은 어디서든지 처신을 잘해야 한다.

④ 잘하면 올해도 작년처럼 큰 풍년이 들겠다.

⑤ 누가 잘하고 잘못했는지는 따져봐야만 안다.

7

우리 문학의 전통 과 가치

(1) 어떻게 읽을까
① 향가와 시조
② 관동별곡

(2) 우리의 이야기
유자소전(이문구)

㉮ 제망매가(祭亡妹歌)
죽은 누이를 제사 지내는 노래

생사 길은
삶과 죽음

예 있으매 머뭇거리고,
여기(이승)

나는 간다는 말도
누이

몯다 이르고 어찌 갑니까.
▶ 1~4구: 죽은 누이에 대한 혈육의 정과 슬픔

어느 가을 이른 바람에
누이의 요절(비유법)

이에 저에 떨어질 잎처럼,
누이의 죽음(비유법)

한 가지에 나고
같은 부모(비유법) →화자와 시적 대상이 동기간임을 암시함.

가는 곳 모르온저.
삶의 무상함
▶ 5~8구: 누이의 죽음에서 느끼는 삶의 무상감

아아, *미타찰에서 만날 나
낙구 첫머리의 감탄사 → 10구체 향가의 특징

도 닦아 기다리겠노라.
의지적 태도
▶ 9~10구: 슬픔의 종교적 승화

– 김완진 해독 –

*미타찰: 아미타불이 있는 서방 정토.

◉ 핵심정리

갈래	10구체 향가
성격	애상적, 추도적, 불교적
제재	누이의 죽음
주제	죽은 누이에 대한 추모와 종교적 극복
특징	• 누이의 죽음으로 인한 슬픔과 비탄을 종교적으로 초극함. • '바람', '잎', '한 가지' 등의 비유적 표현을 사용해 문학적 수준이 높음.

보충 | 10구체 향가의 특징

• 1~4구, 5~8구, 9~10구의 3단 구조임.
• 9~10구를 '낙구'라고 하며, 시상을 집약하고 마무리하는 역할을 함.
• 낙구의 첫머리에는 감탄사가 등장함.

㉯ 시조 두 편

십 년(十年)을 *경영(經營)ᄒ여 초려 삼간(草廬三間) 지여 내니

▶ 초장: 초려 삼간을 지음.

나 ᄒ 간 ᄃᆞᆯ ᄒ 간에 청풍(淸風) ᄒ 간 맛져 두고
달, 청풍과 집을 나누어 씀. → 의인법

▶ 중장: '나', '달', '청풍'에 한 칸씩 맡김.

강산(江山)은 들일 ᄃᆡ 업스니 둘러 두고 보리라.
'강산'을 병풍에 빗댐.

▶ 종장: 강산은 둘러 두고 봄.

– 송순 –

*동지(冬至)ㅅᄃᆞᆯ 기나긴 밤을 한 허리를 버혀 내여
임과 이별한 상황 – 부정적 시간

▶ 초장: 동짓달 긴 밤의 가운데를 베어 냄.

춘풍(春風) 니불 아래 서리서리 너헛다가
봄바람같이 따뜻한 이불   음성 상징어 – 우리말의 묘미를 살림.

▶ 중장: 베어 낸 밤을 춘풍 이불 아래 넣어 둠.

어론 님 오신 날 밤이여든 구븨구븨 펴리라.
임과 만난 날 밤 – 긍정적 시간   음성 상징어 – 우리말의 묘미를 살림

▶ 종장: 임 오신 날 베어 둔 밤을 펼침.

– 황진이 –

*경영: 기초를 닦고 계획을 세워 어떤 일을 해 나감. 계획을 세워 집을 지음.
*동지: 일 년 중 밤이 가장 긴 날

⊙ 핵심정리

	십 년을 경영ᄒ여 ……	동지ㅅᄃᆞᆯ 기나긴 밤을 ……
갈래	평시조	평시조
성격	전원적, 풍류적, 한정가	감상적, 낭만적, 연정가
제재	전원생활	동짓달의 긴 밤, 임에 대한 연정
주제	자연 속에서의 안빈낙도	임에 대한 기다림과 사랑
특징	• '달'과 '청풍'을 의인화한 표현과 '강산'을 병풍처럼 둘러 두고 보겠다는 기발한 발상으로 화자의 정서를 드러냄. • 자연과 하나가 된 물아일체의 경지가 드러남.	• 추상적 개념을 구체적으로 형상화하여 참신하게 표현함 • 음성 상징어를 활용하여 우리말의 묘미를 살림

보충 시가 문학의 전통: 의미 구조의 계승

향가 '제망매가'
시상의 발단
시상의 전개
시상의 전환(낙구 첫머리의 감탄사)
시상의 마무리

▶

시조 두 편
시상의 발단(초장)
시상의 전개(중장)
시상의 전환(종장 첫 구 3음절)
시상의 마무리(종장

01 제망매가는 죽은 누이를 그리워하는 노래이다. O☐ X☐

02 '나는 간다는 말도 몯다 이르고'로 미루어 보아 누이의 죽음이 갑작스러웠음을 알 수 있다. O☐ X☐

03 '이른 바람'은 누이가 일찍 죽었음을 의미한다. O☐ X☐

04 '떨어질 잎'은 누이의 죽음을 비유한 것이다. O☐ X☐

05 '한 가지'는 같은 부모를 비유한 말로 화자와 시적 대상인 누이가 남매간임을 암시한다. O☐ X☐

06 '도 닦아 기다리겠노라.'에서는 누이의 죽음을 받아들이는 체념적 태도가 드러난다. O☐ X☐

07 '미타찰'에서 만날 것을 고대하는 것으로 보아 불교적 성격을 지녔다고 볼 수 있다. O☐ X☐

08 향가는 4구체, 8구체, 10구체 향가로 구분되는데, '제망매가'는 8구체 향가에 속한다. O☐ X☐

09 10구체 향가의 특징으로는 낙구 첫머리는 2음절로 맞추는 특징이 있다. O☐ X☐

10 향가의 구조는 후에 시조의 구조에 영향을 미친다. O☐ X☐

11 '초려 삼간'에서 소박한 삶에 만족감을 느끼는 화자의 모습을 엿볼 수 있다. O☐ X☐

12 세 칸의 방에 '나', '둘', 청풍'을 맡겨 두는 모습에서 자연과 함께하고 싶어 하는 물아일체의 모습을 엿볼 수 있다.
O☐ X☐

13 송순의 시조는 원경에서 근경으로의 시상 전개 방법이 보인다. O☐ X☐

14 '둘', '청풍', '강산'은 '자연'을 의미하는데 이렇게 사물의 한 부분이나 특징 등을 들어 그 자체나 전체를 나타내는 표현법을 쓰시오. (   )

15 '둘 흔 간에 청풍 흔 간 맛져 두고'에서 알 수 있는 표현법을 쓰시오. (   )

16 '동지ㅅ둘 기나긴 밤의 한 허리를 버혀 내여', '서리서리 너헛다가', '구뷔구뷔 펴리라'에서 알 수 있는 표현법을 쓰고 그 표현법에 대해 설명하시오.
(   )

17 '동지ㅅ둘 기나긴 밤'과 '어론 님 오신 날 밤'은 서로 대조적인 시구이다. O☐ X☐

18 '서리서리', '구뷔구뷔'는 음성상징어(의태어)이며 이는 우리말의 묘미를 아주 잘 살렸다고 평가된다. O☐ X☐

19 황진이의 시조에서는 계절적이미지를 확인할 수 없다. O☐ X☐

20 시조 종장의 첫머리는 3음절인데, 이는 향가의 낙구 첫머리의 감탄사의 구조적 형식에서 영향을 받았다고 볼 수 있다. O☐ X☐

[01~04] 다음 지문을 읽고 물음에 답하시오.

(가) 십 년(十年)을 경영(經營)ᄒ여 ㉠초려 삼간(草廬三間) 지여 내니
　　　나 ᄒᆞᆫ 간 ㉡ᄃᆞᆯ ᄒᆞᆫ 간에 청풍(淸風) ᄒᆞᆫ 간 맛져 두고
　　　강산(江山)은 들일 ᄃᆡ 업스니 둘러 두고 보리라.

(나) 동지(冬至)ㅅᄃᆞᆯ 기나긴 밤을 ㉢한 허리를 버혀 내여
　　　춘풍(春風) 니불 아레 ㉣서리서리 너헛다가
　　　㉤어론 님 오신 날 밤이여든 구뷔구뷔 펴리라.

(다) 개를 여라믄이나 기르되 요 개ᄀᆞᆺ치 얄믜오랴.
　　　뮈온 님 오며는 ᄭᅩ리를 홰홰 치며 쒸락 ᄂᆞ리 쒸락 반겨셔 내ᄃᆞᆺ고
　　　㉥고온 님 오며는 뒷발을 버동버동 므르락 나으락 캉캉 즈져셔 도라가게 ᄒᆞᆫ다.
　　　쉰밥이 그릇그릇 난들 너 머길 줄이 이시랴

01 (가), (나), (다)장르에 대한 설명으로 옳지 않은 것은?

① 위 장르는 고려초에 발생하여 조선조말까지 이어진 시조라는 장르이다.
② 위 장르는 초장 중장 종장으로 3장 6구 45자 내외를 기본형식으로 한다.
③ 종장의 첫음보는 엇시조나 사설시조에서도 반드시 세자로 고정되어 있다.
④ 조선 중기 이후에는 (다)와 같이 두 구 이상이 길어진 사설시조가 등장한다.
⑤ 조선후기에는 남녀간의 사랑, 다양한 생활모습과 감정, 현실에 대한 비판 등을 노래한 작품들이 등장한다.

02 위 시에 대해서 설명한 것 중 옳지 않은 것은?

① (가)작품은 전원적이며 풍류적이고 전원생활을 제재로 하고 있음을 짐작할 수 있다.
② (나)작품은 감상적이며 낭만적인 노래로 임에 대한 연정을 노래하고 있다.
③ (다)작품은 해학적인 연정가로 오지 않는 임에 대한 원망을 주제로 하고 있다.
④ (다)는 과장된 표현과 의태어만을 사용하고 있다.
⑤ (나)의 화자는 내용상 여성일 것이라 추정된다.

03 위 작품들에 대한 설명으로 적절하지 않은 것은?

① (가)에서 화자는 자연에 은거하는 청빈한 생활을 하고있다.
② (가)에서 ᄃᆞᆯ, 청 풍(淸風), 강산(江山)은 자연을 상징하는 시어이다.
③ (나)에서 임에 대한 화자의 심리는 시간이 흐름에 따라 변화하고 있다.
④ (나)는 계절적 이미지를 활용하여 시적 분위기를 조성하고있다.
⑤ (다)에서 개의 얄미운 행동을 해학적으로 묘사하고 있다.

04 다음의 밑줄친 부분에 대한 설명으로 적절하지 <u>않은</u> 것은?

① ㉠초려 삼 간(草廬三間)-세 칸 밖에 안되는 초가라는 뜻으로 소박한 삶에 만족감을 느끼는 안분지족(安分知足)의 자세가 보인다.

② ㉡둘 흔 간에 청풍(淸風) 흔 간 맛져 두고-달과 청풍이 자연의 의미로 사용된다고 할 때 사용된 수사법은 대유법과 직유법이다.

③ ㉢한 허리를 버혀 내여, 서리서리 너헛다가-추상적 개념인 시간(밤)을 눈에 보이는 사물을 표현하듯 시각적으로 형상화하였다.

④ ㉣어론 님 오신 날 밤-긍정적 시간으로서 임과 만난 날 밤을 의미한다.

⑤ ㉤고온 님-작품상의 원망의 대상은 '개'이지만 실제 원망의 대상이다.

[05~11] 다음 지문을 읽고 물음에 답하시오.

(가)

생사 길은
예 있으매 머뭇거리고,
나는 간다는 말도
몯다 이르고 어찌 갑니까.
어느 가을 이른 바람에
이에 저에 떨어질 잎처럼,
한 가지에 나고
가는 곳 모르온저.
아아, 미타찰에서 만날 나
도 닦아 기다리겠노라.

－월명사, 「제망매가」－

(나)

십 년(十年)을 경영(經營)ᄒ여 초려 삼간(草廬三間) 지여 내니
나 흔 간 둘 흔 간에 청풍(淸風) 흔 간 맛져 두고
강산(江山)은 들일 듸 업스니 둘러 두고 보리라.

－ 송순의 시조 －

(다)

동지(冬至)ㅅ둘 기나긴 ㉠밤을 한 허리를 버혀 내여
춘풍(春風) 니불 아레 서리서리 너헛다가
어론 님 오신 날 밤이여든 구뷔구뷔 펴리라.

－ 황진이의 시조 －

05 (가), (나)에 대한 설명으로 적절한 것은?

① (가)와 달리 (나)의 화자는 대상과의 재회를 소망하고 있다.
② (나)와 달리 (가)의 화자는 대상에 대한 안타까움의 정서를 드러내고 있다.
③ (가)와 달리 (나)의 화자는 삶의 목적을 잃고 방황하는 태도를 보이고 있다.
④ (나)와 달리 (가)의 화자는 자연 친화적인 정서를 바탕으로 시상을 전개하고 있다.
⑤ (가), (나)의 화자는 모두 희망을 통해 자신이 처한 부정적 현실에서 벗어나고자 한다.

06 (가)와 (다)의 공통점으로 적절한 것은?

① 대상의 부재를 시적 모티프로 하고 있다.
② 과거 회상을 통해 화자의 삶을 반성하고 있다.
③ 특정 사물에 화자의 감정을 이입하여 노래하고 있다.
④ 음성 상징어를 통해 시적 상황을 생생하게 드러내고 있다.
⑤ 자연물과 화자의 상황을 대조하여 화자의 정서를 강조하고 있다.

07 (가)의 내용을 이해한 것으로 적절하지 <u>않은</u> 것은?

① '생사 길'을 통해 화자가 삶과 죽음의 문제를 노래하고 있음을 알 수 있다.
② '이른 바람에'를 통해 시적 대상이 요절했음을 짐작할 수 있다.
③ '떨어질 잎'은 시적 대상과의 이별로 상심한 화자의 처지를 비유적으로 나타낸 것이다.
④ '한 가지'를 통해 시적 대상이 화자와 같은 부모에게서 태어난 동기간임을 알 수 있다.
⑤ '미타찰'은 화자가 시적 대상과 재회할 수 있는 공간을 의미한다.

08 (가)를 수업 시간에 낭송하려 할 때 가장 적절한 것은?

① 밝고 명랑한 목소리로 낭송한다.
② 억울한 표정으로 울먹이며 낭송한다.
③ 슬프지만 경건한 느낌으로 낭송한다.
④ 자신감 넘치는 표정으로 또박또박 낭송한다.
⑤ 담담한 표정으로 냉소적인 어조로 낭송한다.

09 (나)의 화자와 〈보기〉의 화자의 공통점으로 가장 적절한 것은?

┤ 보기 ├

보리밥 픗ᄂ물을 알마초 머근 후(後)에
바횟긋 믉ᄀ의 슬ᄏ지 노니노라.
그 나믄 녀나믄 일이야 부롤 줄이 이시랴

– 윤선도, 「만흥 中」 –

① 자연 속에서 소박하게 지내는 삶을 긍정하고 있다.
② 자연물에서 발견한 가치를 통해 현실을 비판하고 있다.
③ 자연 속에 은거하고 있는 현실에 대해 안타까워하고 있다.
④ 자연을 즐기면서도 현실 세계에 대한 미련을 드러내고 있다
⑤ 현실과 이상 사이의 괴리로 인한 심리적 갈등을 겪고 있다.

10 (다)의 ㉠과 〈보기〉의 ㉡을 이해한 내용으로 가장 적절한 것은?

┤ 보기 ├

임이 오마 하거늘 저녁밥을 일찍 지어 먹고
중문(中門) 나서 대문(大門) 나가 지방 위에 올라가 앉아 손을 이마에 대고 오는가 가는가 건넌 산 바라보니
거머희뜩* 서 있거늘 저것이 임이로구나. 버선을 벗어 품에 품고 신 벗어 손에 쥐고 곰비임비 임비곰비* 천
방지방 지방천방* 진 데 마른 데 가리지 말고 위렁퉁탕 건너가서 정(情)엣말 하려 하고 곁눈으로 흘깃 보니
작년 칠월사흗날 껍질 벗긴 주추리 삼대가 살뜰히도 날 속였구나.
모쳐라* ㉡밤이기에 망정이지 행여나 낮이런들 남 웃길 뻔하였어라.

– 작자 미상 –

*거머희뜩: 검은빛과 흰빛이 뒤섞인 모양.   *천방지방 지방천방: 허둥지둥
*곰비임비 임비곰비: 엎치락뒤치락   *모쳐라: 마침.

① ㉠, ㉡ 모두 화자의 인내심이 투영된 시간이다.
② ㉠, ㉡ 모두 화자와 임이 서로에 대한 사랑을 확인하는 시간이다.
③ ㉠에는 화자의 만족감이, ㉡에는 화자의 불만이 드러난다.
④ ㉠에는 화자의 외로움이, ㉡에는 화자의 안도감이 드러난다.
⑤ ㉠에는 화자의 희망적 태도가, ㉡에는 화자의 의지적 태도가 드러난다.

11 작품에 드러난 발상 및 표현이 (다)와 가장 유사한 것은?

① 전원(田園)에 나믄 흥(興)을 전나귀에 모도 싯고
　계산(溪山) 니근 길로 흥치며 돌아와서
　아히 금서(琴書)를 다스려라 나믄 히를 보내리라.

－ 김천택 －

② 한산(閑山)셤 둘 불근 밤의 수루(戍樓)에 혼자 안자,
　큰 칼 녀픠 츠고 기픈 시름 ᄒᆞᄂᆞᆫ 적의,
　어디서 일성 호가(一聲胡笳)ᄂᆞᆫ 놈의 애를 긋ᄂᆞ니.

－이순신 －

③ 산촌(山村)에 눈이 오니 돌길이 무쳐셰라.
　시비(柴扉)를 여지 마라, 날 츠즈리 뉘 이시리.
　밤즁만 일편 명월(一片明月)이 긔 벗인가 ᄒᆞ노라.

－ 신흠 －

④ 두류산(頭流山) 양단수(兩端水)를 녜 듯고 이졔 보니
　도화(桃花) 쓴 묽은 믈에 산영(山影)조ᄎᆞ 잠겼셰라
　아희야 무릉(武陵)이 어디오 나ᄂᆞᆫ 옌가 ᄒᆞ노라.

－ 성혼 －

⑤ 구룸 비치 조타 ᄒᆞ나 검기를 ᄌᆞ로 ᄒᆞᆫ다.
　ᄇᆞ람 소ᄅᆡ 묽다 ᄒᆞ나 그칠 적이 하노매라.
　조코도 그츨 뉘 업기는 믈뿐인가 ᄒᆞ노라.

－ 윤선도 －

[01~04] 다음 지문을 읽고 물음에 답하시오.

(가)
㉠제망매가(祭亡妹歌)

생사 길은
㉡예 있으매 머뭇거리고,
㉢나는 간다는 말도
몯다 이르고 어찌 갑니까.
어느 가을 이른 바람에
이에 저에 떨어질 잎처럼,
㉣한 가지에 나고
가는 곳 모르온저.
아아, 미타찰에서 만날 ㉤나
도 닦아 기다리겠노라.

(나)
㉥관(棺)이 내렸다.
깊은 가슴 안에 밧줄로 달아 내리듯.
주여.
용납하옵소서.
머리맡에 성경을 얹어 주고
나는 옷자락에 흙을 받아
좌르르 하직했다.
그 후로
그를 꿈에서 만났다.
턱이 긴 얼굴이 나를 돌아보고
형(兄)님!
불렀다.
오오냐. 나는 전신(全身)으로 대답했다.
㉦그래도 그는 못 들었으리라.
이제
네 음성을
나만 듣는 여기는 눈과 비가 오는 세상.

너는
어디로 갔느냐.
그 어질고 안쓰럽고 다정한 눈짓을 하고.
형님!
부르는 목소리는 들리는데
내 목소리는 미치지 못하는.
다만 여기는
열매가 떨어지면
툭 하는 소리가 들리는 세상.

01 (가)작품에 대한 설명으로 적절하지 <u>않은</u> 것은?

① 화자와 시적 대상이 혈육임을 암시하는 시어가 나타나 있지 않다.

② 누이의 죽음으로 인한 슬픔과 비탄을 종교적으로 초극한 작품이다.

③ 작품의 갈래는 향가이며 애상적이며 추도적이고 불교적이다.

④ 9구와 10구의 내용으로 보아 불교의 윤회사상에 기반을 둔다.

⑤ 신라시대 10구체 향가로서 삶과 죽음의 의미를 깊이 있게 성찰한 작품이다.

02 (가)의 밑줄 친 부분에 대한 설명 중 잘못된 것은?(2.3점)

① ㉠-죽은 누이를 제사지내는 노래라는 뜻이다

② ㉡-이승과 저승이란 뜻이다.

③ ㉢-죽은 누이를 지칭한다.

④ ㉣-화자의 태도는 삶의 무상감이다.

⑤ ㉤-작품의 작자인 화자이다.

03 (가)작품에 대한 설명으로 적절하지 <u>않은</u> 것은?

① 위 작품을 지은 작가는 신라 경덕왕 때의 승려로서 주요작품으로는 '도솔가'가 있다.

② 작품의 구성은 1~4구, 5~8구, 9~10구의 3단 구성으로 되어 있다.

③ 낙구의 첫 번째 어절의 감탄사는 10구체 향가의 특징이다.

④ 작품에 나타나는 '미타찰'이란 단어는 화자와 누이가 재회할 공감임을 나타내며 화자의 신분을 짐작할 수 있는 시어이다.

⑤ '도 닦아 기다리겠노라.'에 나타난 화자의 태도는 회의적이다.

04 (나)시에 대한 감상으로 적절하지 <u>않은</u> 것은?

① 하강의 이미지가 드러난다.

② 아우의 죽음을 암시하는 시어가 있음을 알 수 있다.

③ 이승과 저승의 단절감으로 인한 거리감을 느낄 수 있다.

④ 나타나는 시어로 미루어 볼 때 (가)시의 작자와 종교가 일치하고 있음을 알 수 있다.

⑤ 경건한 종교적 어조와 기도를 하는 듯한 담담한 어조로 감정을 절제하고 있다.

[05~09] 다음 글을 읽고, 물음에 답하시오.

(가)
㉠동지(冬至)ㅅ둘 기나긴 밤을 한 허리를 버혀 내어
㉡춘풍(春風) 니불 아레 서리서리 너헛다가
㉢어론 님 오신 날 밤이여든 구뷔구뷔 펴리라.

– 황진이, 「동짓돌 기나긴 밤을」 –

(나)
저렇게 많은 중에서
㉣별 하나가 나를 내려다본다
이렇게 많은 사람 중에서
그 별 하나를 쳐다본다

㉤밤이 깊을수록
별은 밝음 속에 사라지고
나는 어둠 속에 사라진다

이렇게 정다운
너 하나 나 하나는
어디서 무엇이 되어
다시 만나랴

– 김광섭, 「저녁에」 –

05 (가)의 표현에 대한 설명 중 적절하지 <u>않은</u> 것은?

① 의미상 대립되는 어휘를 적절하게 사용했다.
② 청각적인 심상을 통해 표현의 효과를 높이고 있다.
③ '서리서리'와 '구뷔구뷔'의 반복으로 리듬감을 자아낸다.
④ 비물질적 대상을 물질인 것처럼 다루는 발상을 보여준다.
⑤ '어론 님'이 오시지 않거나, 금방 돌아가는 상황을 전제로 표현하였다.

06 ㉠~㉤에 대한 해설 중 적절하지 <u>않은</u> 것은?

① ㉠ : 임이 부재하는 부정적 시간
② ㉡ : 봄바람처럼 따뜻한 이불
③ ㉢ : 임과 함께 하는 긍정적 시간
④ ㉣ : 인간과 친밀하게 교감하는 대상
⑤ ㉤ : 시적 화자가 소망을 이루는 시간

07 (가)와 (나)를 비교한 것 중 적절하지 <u>않은</u> 것은?

	(가)	(나)
① 연과 행	3장 6구 형식	3행, 또는 4행의 3연 구조
② 운율	4음보의 정형률	2음보와 3음보의 자유율
③ 성격	감상적, 낭만적	서정적, 사색적 연정적
④ 어조	자기 반성의 어조	진리 탐구의 어조
⑤ 제재	밤	별

08 (가), (나)에 대한 설명으로 적절하지 <u>않은</u> 것은?

① (가)는 각 행을 네 박자의 호흡에 맞추어 읽는다.
② (가)는 정형적인 운율을 통해 리듬감을 형성하고 있다.
③ (나)는 대비와 대구를 통해 철학적 주제를 형상화하고 있다.
④ (가)와 (나)는 음성 상징어를 사용해 생동감을 부여하고 있다.
⑤ (가)와 (나)는 단어가 함축적이고 화자의 정서를 압축하여 보여 준다.

09 (가)는 어떠한 발상을 주제를 형상화했는지 정리한 것이다. 적절하지 <u>않은</u> 것은?

무엇을	어떻게		
(기나긴) ① 밤을	② 버혀 내어 →	(이불 속에) 넣었다가 →	펴리라

• 발상의 특징
  ③ 비물질적인 대상을 물질처럼 표현함
• 발상의 효과
  ④ 현실에서 불가능한 상황을 상상하여 만들어 냄
  ⑤ 임에 대한 원망과 이별의 애절함을 강조함

[10~13] 다음 글을 읽고, 물음에 답하시오.

(가)

동지(冬至)ㅅ둘 기나긴 밤을 한 허리를 ㉠버혀 내어
춘풍(春風) ㉡니불 아레 서리서리 너헛다가
㉢어론 님 오신 날 밤이여든 구뷔구뷔 펴리라.

　　　　　　　　　　　　　　　　　　　　　　　　　　- 황진이 -

(나)

저렇게 많은 중에서
별 하나가 나를 내려다본다
이렇게 많은 사람 중에서
그 별 하나를 쳐다본다

밤이 깊을수록
별은 밝음 속에 사라지고
나는 어둠 속에 사라진다

이렇게 정다운
너 하나 나 하나는
어디서 무엇이 되어
다시 만나랴

　　　　　　　　　　　　　　　　　　　　　　　- 김광섭, 「저녁에」 -

10 (가)와 (나)에 대한 이해로 적절한 것은?

① (가)와 (나)는 3·4(4·4)조의 음수율을 통해 리듬감을 형성하고 있다.
② (가)는 4음보로 된 정형시이나, (나)는 음보가 일정하지 않은 자유시이다.
③ (가)의 '귀뷔구뷔 펴리라'와 (나)의 '다시 만나랴'에서 화자의 강한 의지가 드러난다.
④ (가)는 각 장이 2구씩, 총 6구로 된 평시조이며, (나)는 3연으로 이루어진 연시조이다.
⑤ (가)와 (나)는 인간과 자연의 대비를 통해 철학적 주제를 구체적으로 형상화하고 있다.

11 (가)의 표현상의 특징으로 적절한 것은?

① 추상적 대상을 구체적인 사물처럼 표현하여 화자의 정서를 강조한다.
② 가정적 상황을 설정하여 자신의 답답한 마음을 효과적으로 드러내고 있다.
③ 상대에게 말을 건네는 방식으로 시상을 전개히여 독자에게 친근감을 준다.
④ 자연물 '춘풍'에 화자의 감정을 이입하여 원망의 정서를 진솔하게 드러내고 있다.
⑤ 임과의 만남을 방해하는 장애물을 통해 임을 기다리는 화자의 마음을 해학적으로 드러낸다.

12 화자의 정서가 (가)와 가장 유사한 것은?

① 산은 옛 산이로되 물은 옛 물이 아니로다
　주야(晝夜)에 흐르거든 옛 물이 *있을손가
　인걸(人傑)도 물과 같도다 가고 아니 오는 것은

② 청산(靑山)은 내 뜻이요 녹수(綠水)는 님의 정이
　녹수 흘러간들 청산이야 *변할손가
　녹수도 청산을 못 잊어 울어 *에어 가는고

③ 잔 들고 혼자 안자 먼 뫼흘 브라보니,
　그리던 님이 오다 반가움이 이러ᄒ랴
　말씀도 *우움도 아녀고 몯내 됴하 ᄒ노라

④ 한겨울에 베옷 입고 바위굴에 눈비 맞아
　구름 낀 볕도 쬔 적이 없지만
　서산에 해 졌다는 소식에 눈물 나는구나

⑤ 어져 내일이야 그릴 줄을 모로ᄃ냐
　이시라 ᄒ더면 가랴마ᄂ 제 구ᄐ여
　보니고 그리ᄂ 정(情)은 나도 몰라 ᄒ노라

13 (가)와 (나)에서 대조적 이미지를 지닌 시어를 찾아 연결한 것 중 바르지 <u>않은</u> 것은?

① 밤 – 허리
② 서리서리 – 구뷔구뷔
③ 동지(冬至)ㅅ도ᆞ르 – 춘풍(春風)
④ 기나긴 밤 – 님 오신 날 밤
⑤ 밝음 속에 – 어둠 속에

[14~21] 다음 글을 읽고, 물음에 답하시오.

(가)
동지(冬至)ㅅ들 기나긴 밤을 한 허리를 버혀 내어
춘풍(春風) 니불 아레 서리서리 너헛다가
어론 님 오신 날 밤이여든 구뷔구뷔 퍼리라.

(나)
저렇게 많은 중에서
별 하나가 나를 내려다본다
이렇게 많은 사람 중에서
그 별 하나를 쳐다본다

밤이 깊을수록
별은 밝음 속에 사라지고
나는 어둠 속에 사라진다

이렇게 정다운
너 하나 나 하나는
어디서 무엇이 되어
다시 만나랴

14 (가)에 대한 설명으로 적절한 것은?

① 동지(冬至)ㅅ들 : 음력으로 12월을 일컫는 용어이다.
② 춘풍(春風) 니불 : 촉각적 심상이 청각적 심상으로 전이된 부분이다.
③ 서리서리 : 의성어를 사용하여 우리말의 묘미를 살린 부분이다.
④ 오신 날 : '오셨던 날'이라는 과거를 회상하고 있는 부분이다.
⑤ 퍼리라 : '너헛다가'와 의미상 대비를 보이고 있는 부분이다.

15 (가)에 대한 설명으로 적절하지 않은 것은?

① 우리말 자음 중 비음을 가장 많이 활용하여 부드러운 운율감을 형성하고 있다.
② '동지(冬至)ㅅ들'은 '임이 부재하는 밤'의 비유적 표현으로도 볼 수 있다.
③ 화자는 상상력을 통해 대상의 일반적 특징을 주관적으로 변용하고 있다.
④ 이 작품에 사용된 음성상징어들은 대상에 동적인 이미지를 부여하고 있다.
⑤ 화자는 임에 대한 원망의 정서를 보이지 않고 능동적 태도를 유지하고 있다.

16 〈보기〉의 ㉠~㉤에 들어갈 용어가 바르게 연결된 것은?

> ┤ 보기 ├
>
> 　문학은 그 특성에 따라 크게 네 갈래로 나뉜다. 이들은 모두 언어를 수단으로 재미와 감동을 준다는 공통점을 지니지만, ㉠_____의 방법, 곧 주제나 내용을 언어로 표현하는 방법에서 차이를 보인다. ㉡_____ 갈래는 세계와 삶에 관한 성찰을 자유로운 형식으로 전달한다. 또한 ㉢_____ 갈래는 대사와 행동으로 사건의 양상을 직접 보여준다. ㉣_____ 갈래는 대체로 매력 있는 인물, 긴장감이 넘치는 사건 전개, 개성 있는 문체와 표현 기법으로 구성되어 있다. 그리고 ㉤_____ 갈래는 시어를 섬세하게 사용하고 비유, 상징, 이미지, 운율 등을 통해 정서를 집약하여 표현한다.

	㉠	㉡	㉢	㉣	㉤
①	형상화	교술	서사	극	서정
②	서술	교술	서사	극	서정
③	형상화	교술	극	서사	서정
④	서술	서사	교술	극	서정
⑤	형상화	서정	서사	극	교술

17 (가)글에 대한 설명으로 적절하지 <u>않은</u> 것은?

① 추상적인 대상을 구체적인 사물인 것처럼 형상화하였다.
② 동일한 형태소가 반복되는 순우리말을 사용하여 순우리말의 묘미를 살렸다.
③ 의성어와 의태어를 적절하게 배열하여 내면 심리를 섬세하게 표현하였다.
④ 비슷한 길이의 유사한 표현을 나란히 배치하여 운율을 형성하였다.

18 (가)에 나타난 의미를 대립 관계로 적절하지 <u>않은</u> 것은?

① 임의 존재 여부
② 계절의 춥고 따뜻함
③ 상황에 따른 상반되는 입장
④ 시적 자아와 임
⑤ 시간의 길고 짧음

19 다음 중 (가) 시조에 드러난 정서와 가장 거리가 먼 것은?

① 마을 하늘은 물이런 듯 맑고 달빛도 푸르구나./ 지다 남은 잎에 서리가 쌓일 때/ 긴 주렴 드리우고 혼자서 잠을 자려니 /병풍의 원앙새가 부러웁네/

– 취선 –

② 묏버들 가려 꺾어 보내노라 임에게/ 잠자는 창 밖에 심어 두고 보소서/ 밤비에 새 잎 나거든 나인가 여기소서.

– 홍랑 –

③ 배꽃 흩어 뿌릴 때 울며 잡고 이별한 임/ 추풍낙엽에 저도 날 생각하는가/ 천리에 외로운 꿈만 오락가락 하는구나.

– 계랑 –

④ 어져 내 일이야 그럴 줄을 모르던가/ 이시야 하더면 가랴마는 제 구태여/ 보내고 그리는 정은 나도 몰라 하노라.

– 황진이 –

⑤ 반중 조홍감이 고와도 보이나다/ 유자 아니라도 품엄즉도 하다마난/품어 가 반길 이 없을새 그를 설워하나이다.

– 박인로 –

20 (나) 시가 전달하고자 하는 메시지에 초점을 맞추어 일기를 썼다. 그 내용으로 적절하지 <u>않은</u> 것은?

> ⓐ누구를 만나든 성실과 정직을 최선으로 해야 한다는 아버님의 말씀을 오늘에야 깨달았다. ⓑ지난 번 길가에서 우연히 한 할머니의 짐을 들어드렸는데 오늘 그 할머니를 우리 가게에서 만났다. ⓒ할머니는 내게 고마움을 표시하면서 필요하지 않은 물건까지 많이 사시는 듯했다. ⓓ할머니와 나는 이런 저런 이야기를 하면서 정다운 시간을 잠시 가졌다. ⓔ사람은 또 어디에서 만나게 될지 모른다는 생각을 다시금 생각하게 만든 일이었다.

① ⓐ   ② ⓑ   ③ ⓒ   ④ ⓓ   ⑤ ⓔ

21 문학의 갈래에 대한 설명으로 적절하지 <u>않은</u> 것은?

① 서정 갈래 : 보편적이고 객관적인 목소리로 정서와 감정을 표출하는 문학이다.
② 서사 갈래 : 허구성을 바탕으로 삶의 진실을 드러내는 문학이다.
③ 교술 갈래 : 작가가 체험한 내용을 직접 제시하여 교훈이나 관념을 드러내는 문학이다.
④ 극 갈래 : 이야기를 전달하되 직접 보여 주는 문학이다.
⑤ 서사 갈래 : 이야기를 하는 서술자와 서술 방식이 중요하게 작용한다.

관(棺)을 내렸다. / 깊은 가슴 안에 밧줄로 달아 내리듯

주여 / 용납하옵소서

머리맡에 성경을 얹어주고

나는 옷자락에 흙을 받아 / 좌르르 하직했다.

그 후로 / 그를 꿈에서 만났다.

턱이 긴 얼굴이 나를 알아보고

형(兄)님! / 불렀다.

오오냐 나는 전신으로 대답했다. / 그래도 그는 못 들었으리라

이제 / 네 음성을

나만 듣는 여기는 눈과 비가 오는 세상.

너는 어디로 갔느냐 / 그 어질고 안쓰럽고 다정한 눈짓을 하고

형님! / 부르는 목소리는 들리는데

내 목소리는 미치지 못하는

다만 여기는 / 열매가 떨어지면 / 툭하고 소리가 들리는 세상.

— 박목월, 「하관(下棺)」 —

22 윗글의 표현상 특징으로 적절하지 <u>않은</u> 것은?

① 하강의 이미지를 반복적으로 사용하고 있다.

② 일상적 표현을 사용하여 시상을 전개하고 있다.

③ 상징적인 표현을 통하여 절제된 감정을 형상화하고 있다.

④ 이승과 저승의 거리감이 드러내는 표현을 사용하고 있다.

⑤ 의성어를 사용하여 화자의 정서를 직접적으로 드러내고 있다.

23 〈보기〉의 화자가 윗글을 읽은 후 보인 반응으로 적절하지 <u>않은</u> 것은?

┤ 보기 ├

생사 길은 / 예 있으매 머뭇거리고,

나는 간다는 말도 / 못다 이르고 어찌 갑니까.

어느 가을 이른 바람에 / 이에 저에 떨어질 잎처럼,

한 가지에 나고 / 가는 곳 모르온저

아아, 미타찰에서 만날 나 / 도 닦아 기다리겠노라.

— 월명사, 「제망매가」 —

① 윗글과 〈보기〉에서는 모두 시적 대상을 떠나보낸 사람의 슬픔이 나타나고 있군.

② 〈보기〉와 윗글은 모두 같은 부모로 삶이 시작되어도, 각자의 삶의 끝은 다를 수 있음을 보여주고 있군.

③ 〈보기〉는 시적 대상과 미타찰에서 재회할 것을 바라고 있고, 윗글의 화자는 꿈에서 시적 대상을 만나고 있군.

④ 〈보기〉와 윗글에서 시적 화자와 시적 대상이 만나는 공간은 산 사람의 세계와 죽은 사람의 세계로 구분되고 있군.

⑤ 〈보기〉의 시적 대상이 어디로 갔는지 모르듯, 윗글의 시적 대상도 어디로 간지 모르므로 시적 화자가 답답해하고 있군.

[01] 다음 글을 읽고, 물음에 답하시오.

(가)
동지(冬至)ㅅ돌 기나긴 밤을 한 허리를 버혀 내여
춘풍(春風) 니불 아레 서리서리 너헛다가
어론 님 오신 날 밤이여든 구뷔구뷔 펴리라.

(나)
개를 여라믄이나 기르되 요 개ᄀᆞᆺ치 얄믜오랴.
뮈온 님 오며는 쏘리를 홰홰 치며 쒸락 ᄂᆞ리 쒸락 반겨셔 내닷고
고온 님 오며는 뒷발을 버동버동 므르락 나으락 캉캉 즈져셔 도라가게 ᄒᆞᆫ다.
쉰밥이 그릇그릇 난들 너 머길 줄이 이시랴

---

01 (가)의 시와 (나)의 시를 비교해 보고 두 작품의 내용상의 공통점과 형식상의 공통점에 대해 서술하라.

---

[02] 다음 글을 읽고, 물음에 답하시오.

(가)
생사 길은
예 있으매 머뭇거리고,
나는 간다는 말도
몯다 이르고 어찌 갑니까.
어느 가을 이른 바람에
이에 저에 떨어질 잎처럼,
한 가지에 나고
가는 곳 모르온저.
아아, 미타찰에서 만날 나
도 닦아 기다리겠노라.

– 월명사, 「제망매가」 –

(나)
십 년(十年)을 경영(經營)ᄒᆞ여 초려 삼간(草廬三間) 지여 내니
나 ᄒᆞᆫ 간 ᄃᆞᆯ ᄒᆞᆫ 간에 청풍(淸風) ᄒᆞᆫ 간 맛져 두고
강산(江山)은 들일 ᄃᆡ 업스니 둘러 두고 보리라.

– 송순의 시조 –

02 (가)의 형식적 특징 2가지는 (나)로 계승되어 나타난다. (가)의 형식적 특징이 (나)에 어떻게 계승되었는지 〈예시〉를 참고하여 나머지 하나를 서술하시오.

┤ 예시 ├

(가)의 '1~4행, 5~8행, 9~10행의 3단 구성'의 특징은 (나)의 초장, 중장, 종장의 3단 구성의 특징으로 계승되었다.

┤ 예시 ├

1. (가)의 ~ 특징은 (나)의 ~ 특징으로 계승되었다. 의 문장구조로 서술할 것.
2. '특징'- 계승'을 모두 올바르게 적을 시에만 정답으로 인정.
3. '특징'- 계승'을 구체적으로 서술하지 않을 시 2점 감점.
4. 제시된 문장 구조를 어길 시 1점 감점.

03 〈보기〉에서 비유적 표현이 사용된 시구를 찾아 쓰고 그 의미를 문장으로 서술하시오.

┤ 보기 ├

생사 길은
예 있으매 머뭇거리고,
나는 간다는 말도
몯다 이르고 어찌 갑니까.
어느 가을 이른 바람에
이에 저에 떨어질 잎처럼,
한 가지에 나고
가는 곳 모르온저.
아아, 미타찰에서 만날 나
도 닦아 기다리겠노라

– 월명사, 「제망매가」 –

서사

강호: 자연   듁님: 대숲. 벼슬을 버리고 묻혀 사는 자연을 뜻함.

강호(江湖)애 병(病)이 깁퍼 듁님(竹林)의 누엇더니.
자연을 사랑하는 마음으로 인해 병이 생김. = 천석고황(泉石膏肓), 연하고질(煙霞痼疾)

관동(關東) 팔빅(八百) 니(里)에 *방면(方面)을 맛디시니,
강원도 지방

어와 셩은(聖恩)이야 가디록 망극(罔極)ᄒ다.
임금님의 큰 은혜

「**연츄문(延秋門) 드리ᄃ라 경회(慶會) 남문(南門) 브라보며,**
경복궁의 서쪽 문   광화문

하직(下直)고 믈너나니 *옥졀(玉節)이 알픠 셧다.」

「」: 생략법. 임금을 뵙고 하직하는 장면과 부임을 위한 행사 준비 절차가 과감하게 생략되어, 관찰사로 부임하는 과정이 속도감 있게 전개됨.

평구역(平丘驛) 물을 ᄀ라 흑슈(黑水)로 도라드니,
양주   여주

셤강(蟾江)은 어듸메오 티악(雉岳)이 여긔로다.   ▶ 관찰사 임명과 부임의 과정
원주 섬강   원주 치악산

쇼양강(昭陽江) 느린 믈이 어드러로 든단 말고.
춘천

*고신거국(孤臣去國)에 빅발(白髮)도 하도 할샤. → 우국지정(憂國之情)

동쥬(東州)ㅣ 밤 계오 새와 븍관뎡(北寬亭)의 올나ᄒ니,
철원

삼각산(三角山) 뎨일봉(第一峰)이 ᄒ마면 뵈리로다. → 연군지정(戀君之情)
임금이 계신 곳

「**궁왕(弓王) 대궐(大闕) 터희 *오쟉(烏鵲)이 지지괴니,**
'궁예'의 다른 이름

쳔고(千古) 흥망(興亡)을 아ᄂ다 몰ᄋᄂ다.」

「」: 맥수지탄(麥秀之嘆), 인생무상(人生無常)

「**회양(淮陽) 녜 일홈이 마초아 ᄀ툴시고.**
강원도 북부에 위치한 지명

*급댱유(汲長孺) 풍치(風彩)를 고텨 아니 볼 게이고.」   ▶ 관래 순시와 선정에 대한 포부

「」: 화자의 선정의 포부가 드러남(급장유의 고사를 연상함.).

---

*방면: '방면지임(方面之任)'의 준말. 관찰사의 소임.

*옥졀: 옥으로 만든. 임금이 신표로 주는 패. 관찰사의 상징물.

*고신거국: 임금의 신임이나 사랑을 받지 못하는 신하가 서울을 떠남.

*오쟉: 까마귀와 까치를 아울러 이르는 말.

*급댱유: 중국 한 무제 때 사람. 일찍이 회양의 태수가 도어 고을을 누워서 다스릴 정도로 선치(善治)했다고 함.

본사1

영듕(營中)이 무스(無事)ᄒ고 시졀(時節)이 삼월(三月)인 제,
관찰사로서 근심 없이 유람길에 오를 수 있음.

화쳔(花川) 시내길히 풍악(楓岳)으로 버더 잇다.
봉이므로 금강산이라고 해야 하는데 흥취를 돋우기 위해 풍악(금강산의 가을 이름)이라고 함.

ᄒᆡᆼ장(行裝)을 다 썰티고 셕경(石逕)의 막대 디퍼,
여행할 때 쓰는 물건과 차림   돌이 많은 좁은 길

빅쳔동(百川洞) 겨틔 두고 만폭동(萬瀑洞) 드러가니,

은(銀) ᄀᆞ튼 무지게 옥(玉) ᄀᆞ튼 룡(龍)의 초리,
폭포의 모습. '은(銀) ᄀᆞ튼 무지게'와 '옥(玉) ᄀᆞ튼 룡(龍)의 초리'가 대구를 이룸.

*섯돌며 뿜ᄂᆞᆫ 소ᄅᆡ 십(十) 리(里)의 ᄌᆞ자시니,

들을 제ᄂᆞᆫ 우레러니 보니ᄂᆞᆫ 눈이로다. → 폭포의 역동성이 드러남.
          청각적 심상   시각적 심상

금강ᄃᆡ(金剛臺) 민 우층(層)의 션학(仙鶴)이 삿기 치니, → 도교적 신선 사상이 드러남.
                    신선이 타고 논다는 학

츈풍(春風) 옥뎍셩(玉笛聲)의 첫ᄌᆞᆷ을 ᄭᆡ돗던디,
          옥피리 소리

*호의현샹(縞衣玄裳)이 반공(半空)의 소소 쓰니,
                반공중(땅으로부터 그리 높지 아니한 허공)

셔호(西湖) 녯 쥬인(主人)을 반겨셔 넘노ᄂᆞᆫ 듯.   ▶ 금강대에서의 신선적 풍모
임포 → 화자 자신을 비유

쇼향노(小香爐) 대향노(大香爐) 눈 아래 구버보고,
만폭동 어귀의 크고 작은 봉우리

졍양ᄉ(正陽寺) 진헐ᄃᆡ(眞歇臺) 고텨 올나 안즌마리,

녀산(廬山) 진면목(眞面目)이 여긔야 다 뵈ᄂᆞ다.
금강산의 참 아름다움(소동파의 시 '제서림벽'에서 인용함.)

어와 *조화옹(造化翁)이 헌ᄉᆞ토 헌ᄉᆞᄒᆞᆯ샤.
                야단스럽기도 야단스럽다.

「놀거든 뛰디 마나 셧거든 솟디 마나.」
 송순의 '면앙정가'의 영향을 받음.   「」: 송순의 '면앙정가'의 영향을 받음.

부용(芙蓉)을 고잣ᄂᆞᆫ 듯 빅옥(白玉)을 믓것ᄂᆞᆫ 듯, → 산봉우리의 정적인 모습
연꽃

동명(東溟)을 박ᄎᆞᆫᆫ 듯 북극(北極)을 괴왓ᄂᆞᆫ 듯. → 웅장하게 높은 산봉우리
동해

***섯돌며**: 섞이어 돌며
***호의현상**: 흰 비단 저고리와 검은 치마 차림. 두루미의 깨끗하고 아름다운 모습을 비유적으로 이르는 말. 소동파의 '적벽부'에서 나온 말임.
***조화옹**: 만물을 창조하는 노인이라는 뜻으로, '조물주'를 이르는 말.

놉흘시고 망고되(望高臺) 외로올샤 혈망봉(穴望峰)이
  강직하고 지조 있는 신하(화자 자신)   강직하고 지조 있는 신하(화자 자신)

「하늘의 추미러 므스 일을 스로리라,
   임금   치밀어

천만(千萬) 겁(劫) 디나두록 구필 줄 모르는다.」
                              「」: 산의 의연한 모습에서 굳은 의지와 절개를 느낌.

어와 너여이고 너 フ트니 쏘 잇는가.   ▶ 진혈대에서의 조망과 망고대, 혈망봉의 기개
            망고대, 혈망봉   없다.

기심되(開心臺) 고텨 올나 듕향성(衆香城) ㅂ라보며,

만(萬) 이쳔봉(二千峰)을 녁녁(歷歷)히 혀여ᄒ니,
  금강산   분명히   헤아려 보니

봉(峰)마다 뫼쳐 잇고 긋마다 서린 긔운,

몱거든 조티 마나 조커든 몱디 마나. → 송순의 '면앙정가'의 영향을 받음
깨끗하고 맑은 산의 정기

뎌 긔운 흐터 내야 인걸(人傑)을 믄들고쟈. → 우국지정(憂國之情)
              특히 뛰어난 인재

형용(形容)도 그지업고 *톄셰(體勢)도 하도 할샤.
금강산의 변화무쌍한 모습

「텬디(天地) 삼기실 제 ᄌ연(自然)이 되연마ᄂ,

이제 와 보게 되니 유졍(有情)도 유졍(有情)홀샤.」
                              「」: 조물주의 솜씨를 찬양함.

비로봉(毗盧峰) 샹샹두(上上頭)의 올라 보니 긔 뉘신고.
            맨 꼭대기

「동산(東山) 태산(泰山)이 어ᄂ야 놉돗던고.
  중국 산동성에 있는 산

노국(魯國) 조븐 줄도 우리는 모르거든,
노나라 → 공자가 태어난 나라

넙거나 넙은 텬하(天下) 엇찌ᄒ야 젹닷 말고.」
                  어찌하여 작다고 말했는가?   「」: 공자의 넓고 큰 정신적 경지를 찬양함.

어와 뎌 디위를 어이ᄒ면 알 거이고. → 공자의 경지에 이르지 못함을 한탄함.
      공자의 정신적 경지

오르디 못ᄒ거니 ᄂ려가미 고이홀가.   ▶ 개심대에서 비로봉을 본 감회
비로봉 꼭대기에 오르지 못하는 자신의 처지를 정당화함.

원통(圓通)골 フ는 길로 ᄉᄌ봉(獅子峰)을 추자가니,

그 알픠 너러바회 화룡(化龍)쇠 되어셰라.
          너럭바위. 넓고 평평한 큰 돌

쳔년(千年) 노룡(老龍)이 구비구비 서려 이셔,
오랜 경륜과 포부를 지닌 늙은이 = 화자 자신

듀야(晝夜)의 흘녀 내여 창ᄒᆡ(滄海)예 니어시니,
              넓고 큰 바다

*톄셰: 산의 동태. '형용'이 산의 정적인 모습이라면 '톄셰'는 산의 동적인 모습

「풍운(風雲)을 언제 어더 삼일우(三日雨)를 디련는다.
선정을 베풀 수 있는 기회   선정. 임금의 은총

*음애(陰崖)예 이온 플을 다 살와 내여스라.」
헐벗고 굶주린 백성들   「」: 선정에 대한 포부가 드러남.   ▶ 화룡소에서의 감회

마하연(磨訶衍) 묘길샹(妙吉祥) 안문(雁門)재 너머 디여,

외나모 뻐근 드리 블뎡디(佛頂臺) 올라ᄒᆞ니,
낡고 썩은 다리

*쳔심졀벽(千尋絶壁)을 반공(半空)애 셰여 두고,

은하슈(銀河水) 한 구비를 촌촌이 버혀 내여,
십이 폭포(은유법)

실ᄀᆞ티 플텨이셔 뵈ᄀᆞ티 거러시니,
폭포의 근경   폭포의 원경

도경(圖經) 열두 구비 내 보매는 여러히라.
산수의 지세(地勢)를 그   십이 폭포   열두 구비가 넘는 것 같다.
림으로 그려 설명한 책

*니뎍션(李謫仙) 이제 이셔 고텨 의논ᄒᆞ게 되면,

녀산(廬山)이 여긔도곤 낫단 말 못ᄒᆞ려니.   ▶ 불정대 십이 폭포의 장관
이백의 시 '망여산폭포(望廬山瀑布)'에 나오는 여산 폭포를 가리킴.

본사2

산듕(山中)을 미양 보랴 동ᄒᆡ(東海)로 가쟈스라.
여정의 변화가 나타남.

*남여완보(籃輿緩步)ᄒᆞ야 산영누(山映樓)의 올나ᄒᆞ니,

녕농(玲瓏) 벽계(碧溪)와 수셩(數聲) 뎨됴(啼鳥)는 니별(離別)을 원(怨)ᄒᆞᄂᆞᆫ 듯,
소리가 맑고 눈부시게 아름다운 시냇물   여러 가지 아름다운 소리로 우는 새   원망하는 듯

졍긔(旌旗)를 썰티니 오ᄉᆡᆨ(五色)이 넘노는 듯,
관찰사의 행렬을 상징하는 여러 깃발

고각(鼓角)을 섯부니 ᄒᆡ운(海雲)이 다 것는 듯.
군중(軍中)에서 호령할 때 쓰던 북과 나발

명사(鳴沙)길 니근 ᄆᆞᆯ이 취션(醉仙)을 빗기 시러,
아주 곱고 깨끗한 모래   취한 신선 → 자연에 도취된 화자 자신

바다ᄒᆞᆯ 겻ᄐᆡ 두고 ᄒᆡ당화(海棠花)로 드러가니,

ᄇᆡᆨ구(白鷗)야 ᄂᆞ디 마라 네 버딘 줄 엇디 아ᄂᆞᆫ.   ▶ 동해로 향하는 감회
갈매기와 벗하면서 자연 속에서 노닐고자 함.(물아일체) → 자연 친화 사상이 드러남.

*음애: 햇빛이 들지 아니하는 낭떠러지나 언덕.
*천심절벽: 천 길이나 되는 절벽.
*니뎍션: 중국 당나라의 시인 이태백. 시선(詩仙)으로 칭하여짐.
*남여완보: 남여를 타고 천천히 감. '남여'는 의자와 비슷하고 뚜껑이 없는 작은 가마임.

「금난굴(金闌窟) 도라드러 총셕뎡(叢石亭) 올라ᄒᆞ니,

「빅옥누(白玉樓) 남은 기동 다만 네히 셔 잇고야.
옥황 상제가 거처한다는 누각   넷이

*공슈(工倕)의 *셩녕인가 *귀부(鬼斧)로 다ᄃᆞ문가.

구ᄐᆞ야 뉵면(六面)은 므어슬 *샹(象)톳던고.」   ▶ 총석정에서 본 사선봉의 장관
            육합(천지와 사방을 통틀어 이르는 말)을 상징함.   「」: 사선봉의 모습을 예찬함.

고셩(高城)을란 뎌만 두고 삼일포(三日浦)를 ᄎᆞ자가니,
    강원도 고성군에 있는 호수. 신라 때에 네 화랑(사선)이 이곳에 왔다가 아름다운 경치에 매료되어 사흘을 머물렀다고 하는 데서 유래된 명칭임.

*단셔(丹書)ᄂᆞᆫ 완연(宛然)ᄒᆞ되 *ᄉᆞ션(四仙)은 어ᄃᆡ 가니.

예 사흘 머믄 후(後)의 어ᄃᆡ 가 ᄯᅩ 머믈고.
    '삼일포'라는 지명의 유래

션유담(仙遊潭) 영낭호(永郎湖) 거긔나 가 잇ᄂᆞᆫ가.
    사선과 관련된 지명

쳥간뎡(淸澗亭) 만경ᄃᆡ(萬景臺) 몃 고ᄃᆡ 안돗던고.   ▶ 삼일포에서 사선을 추모함
    관동 팔경의 하나

니화(梨花)ᄂᆞᆫ 불셔 디고 졉동새 슬피 울 제,
    계절적 배경 – 늦봄, 분위기 묘사

낙산(洛山) 동반(東畔)으로 의샹ᄃᆡ(義相臺)예 올라 안자,
        동쪽 둔덕

일츌(日出)을 보리라 밤듕만 니러ᄒᆞ니,
    임금

샹운(祥雲)이 집픠ᄂᆞᆫ 동 뉵뇽(六龍)이 바퇴ᄂᆞᆫ 동,   → 해가 막 솟아오르는 모습
    상서로운 구름   충신   떠받치는

바다히 ᄯᅥ날 제ᄂᆞᆫ 만국(萬國)이 *일위더니,   → 해가 수평선 위로 솟는 모습

텬듕(天中)의 티ᄯᅳ니 호발(毫髮)을 혜리로다.   → 해가 완전히 떠오른 모습
            임금의 총명과 예지

아마도 녈구름 근쳐의 머믈셰라.   → 이백의 시 '등금릉봉황대'의 시구를 인용함.
    간신배

시션(詩仙)은 어ᄃᆡ 가고 힉타(咳唾)만 나맛ᄂᆞ니.
    이백   어른의 말씀. 여기서는 이백의 시 '등금릉봉황대'의 한 구절을 의미함.

텬디간(天地間) 장(壯)ᄒᆞᆫ 긔별 ᄌᆞ셔히도 ᄒᆞᆯ셔이고.   ▶ 의상대에서 바라본 일출의 장관
    이백이 '등금릉봉황대'에서 묘사한 일출의 경관

*공슈: 중국 고대의 솜씨 좋은 공장(工匠)의 이름.

*셩녕: 연장을 벼리는 일. 제작한다는 뜻. 솜씨.

*귀부: 귀신의 도끼라는 뜻으로, 신기한 연장이나 훌륭한 세공을 이르는 말.

*샹톳던고: 형상했던가.

*단셔: 붉은 글씨. '영랑 무리가 남성에 가다[永郎徒南石行]'라는 글씨가 있었다 함.

*ᄉᆞ션: 신라 때의 선도(善導) 네 사람. 술랑, 남랑, 영랑, 안상을 가리킴.

*일위더니: 일렁거리더니

샤양(斜陽) 현산(峴山)의 텩툑(躑躅)을 므니불와,
　　　　　　　　　　　철쭉　　　　　　잇따라 밟아, 계속해서 밟아

우개지륜(羽蓋芝輪)이 경포(鏡浦)로 ᄂᆞ려가니,
깃을 단 신선의 수레 → 화자 자신을 신선에 비유함.(도교적 신선 사상)

십(十) 리(里) *빙환(氷紈)을 다리고 고텨 다려,
　　　　　　　　경포 호수의 잔잔한 수면을 비유한 말임.

댱숑(長松) 울흔 소개 슬ᄏᆞ장 펴뎌시니,
잘 자란 큰 소나무　　　　실컷

믈결도 자도 잘샤 모래ᄅᆞᆯ 혜리로다.

고쥬(孤舟) 히람(解纜)ᄒᆞ야 뎡ᄌᆞ(亭子) 우희 올나가니,
외로이 떠 있는 배　배가 항구를 떠남.

강문교(江門橋) 너믄 겨틔 대양(大洋)이 거긔로다.
경포 동쪽 입구에 있는 다리　　　　　동해

둉용(從容)ᄒᆞ댜 이 긔샹(氣像) 활원(闊遠)ᄒᆞ댜 뎌 경계(境界),
조용하구나

의도곤 가즌 ᄃᆡ 쏘 어듸 잇닷 말고.
경포보다　갖춘

*홍장(紅粧) 고ᄉᆞ(古事)ᄅᆞᆯ 헌ᄉᆞ타 ᄒᆞ리로다.
조용하고 아름다운 경포에 비해 홍장의 고사가 야단스러움.

강능(江陵) 대도호(大都護) 풍쇽(風俗)이 됴흘시고.
　　　　　행정 구역 이름

*절효정문(節孝旌門)이 골골이 버러시니,

*비옥가봉(比屋可封)이 이제도 잇다 ᄒᆞ다.
　　　화자의 선정 과시 → 태평성대(太平聖代)

▶ 경포 호수의 장관과 강릉의 미풍양속

진쥬관(眞珠館) 듁셔루(竹西樓) 오십쳔(五十川) ᄂᆞ린 믈이,
삼척부에 있던 객관(나그네를 묵게 하는 집)

태빅산(太白山) 그림재를 동히(東海)로 다마 가니,
태백산의 아름다운 경치

출하리 한강(漢江)의 목멱(木覓)의 다히고겨.　→ 연군지정(戀君之情)
　　　　　　임금이 계신 곳

왕뎡(王程)이 유흔(有限)ᄒᆞ고 풍경(風景)이 못 슬믜니,
임금의 일로 다니는 여정 → 화자의 신분 암시　　　　싫고 미우니

*빙환: 얼음같이 희고 빛이 고운 명주.
*홍장고ᄉᆞ: 홍장의 고사. 홍장은 고려 말 강릉의 명기로, 당시의 강원 감사 박신이 임기가 만료되어 서울로 돌아가려 할 때, 부사 조운흘이
　　　　경포에 뱃놀이를 차려 홍장으로 하여금 선녀로 변장해 박신을 현혹하게 하였다는 고사.
*절효정문: 충신, 효자, 열녀 등을 표창하고 그 정신을 기리기 위하여 세운, 붉은 칠을 한 문.
*비옥가봉: 집집마다 덕행이 있어 모두 표창할 만하다는 뜻. 요순시절이 태평대라 백성들이 모두 착했음을 이른 데서 끌어온 말.

*유회(幽懷)도 하도 할샤 긱수(客愁)도 둘 듸 업다.
　　　　　　　객지에서 느끼는 쓸쓸함이나 시름

「*션사(仙槎)룰 띄워 내여 *두우(斗牛)로 향(向)ㅎ살가,
　　　　　　　　　　　고성 남쪽에 있는 굴로, 사선이 여기서 놀았다는 전설이 있음.

　션인(仙人)을 ᄎᄌ려 단혈(丹穴)의 머므살가.」　　　　　　▶ 죽서루에서의 객수
신선 → 사선(술랑, 남랑, 영랑, 안상)　　　　　　　　「　」: 화자의 심리적 갈등이 심화된 부분으로, 속세로 돌아가기 싫어 차라
　　　　　　　　　　　　　　　　　　　　리 신선이 되어 살고 싶다는 소망을 표현함(초월적 세계를 추구함.).

*텬근(天根)을 못내 보와 망양뎡(望洋亭)의 올은말이,

바다 밧근 하늘이니 하늘 밧근 므서신고.
일망무제(一望無際): 한눈에 바라볼 수 없을 정도로 아득하게 멀고 넓어서 끝이 없음.

ᄀᄌ득 노흔 고래 뉘라셔 놀내관듸,
　　　　　　거칠고 성난 파도. → 파도의 비유적 표현

블거니 쒐거니 어즈러이 구ᄂᆞ디고.

은산(銀山)을 것거 내여 *뉵합(六合)의 ᄂᆞ리ᄂᆞᆫ 듯,
높이 솟아 부서지는 흰 파도. → 파도의 비유적 표현

오월(五月) 댱텬(長天)의 빅셜(白雪)은 므ᄉ 일고.　　　　　▶ 망양정에서 본 파도의 장관
　　끝없이 잇닿아 멀고도 넓은 하늘　하얗게 부서지는 물보라. → 파도의 비유적 표현

결사

겨근덧 밤이 드러 풍낭(風浪)이 뎡(定)ㅎ거늘,
잠깐 사이에

부상(扶桑) 지쳑(咫尺)의 명월(明月)을 기ᄃᆞ리니,
해가 뜨는 동쪽 바다

셔광(瑞光) 쳔댱(千丈)이 뵈ᄂᆞᆫ 듯 숨ᄂᆞᆫ고야.
천 길이나 길게 뻗친 상서로운 달빛 → 소동파의 '중추명월(仲秋明月)'이라는 시에서 인용함.

쥬렴(珠簾)을 고텨 것고 옥계(玉階)를 다시 쓸며,
구슬 따위를 꿰어 만든 발　　　옥같이 고운 섬돌

계명셩(啓明星) 돗도록 곳초 안자 ᄇᆞ라보니,
샛별

「빅년화(白蓮花) ᄒᆞᆫ 가지를 뉘라셔 보내신고.
　흰 연꽃 → 달 → 임금의 은혜

일이 됴흔 셰계(世界) ᄂᆞᆷ대되 다 뵈고져.」
　　　　　　　　　　「　」: 선정에 대한 포부와 애민 정신이 나타나 있음.

*뉴하쥬(流霞酒) ᄀᆞ득 부어 들ᄃᆞ려 무론 말이,
　화자 자신을 신선에 비유함.

*유회: 마음속 깊이 품은 생각.　　　　　　*텬근: 하늘의 맨 끝을 상상하여 이르는 말.

*션사: 신선이 탄다는 배.　　　　　　　　*뉵합: 천지와 사방을 통틀어 이르는 말. 곧, 하늘과 땅, 동, 서, 남, 북.

*두우: 북두성과 견우성　　　　　　　　　*뉴하쥬: 신선이 먹는다는 술

영웅(英雄)은 어딘 가며 스션(四仙)은 긔 뉘러니,
이백

아민나 맛나 보아 녯 긔별 뭇쟈 ᄒᆞ니,
이백과 사선에 관한 소식

션산(仙山) 동ᄒᆡ(東海)예 갈 길히 머도 멀샤.

▶ 망양정에서의 달맞이와 신선적 풍류

숑근(松根)을 볘여 누어 픗줌을 얼픗 드니,
소나무의 뿌리

화자
꿈애 ᄒᆞᆫ 사름이 날ᄃᆞ려 닐온 말이,
꿈에서 만난 신선 → 갈등 해결의 매개자

「그ᄃᆡ를 내 모ᄅᆞ랴 샹계(上界)예 진션(眞仙)이라.
신선   하늘 나라   도를 성취한 신선

*황뎡경(黃庭經) 일ᄌᆞ(一字)를 엇디 그릇 닐거 두고,

인간(人間)의 내려와셔 우리를 ᄯᆞ오ᄂᆞᆫ다.
인간 세상   신선

져근덧 가디 마오 이 술 ᄒᆞᆫ 잔 머거 보오.」
잠깐   「」: 신선의 말→ 신선적 풍모를 지니고 싶은 화자의 마음이 표현되어 있음.

븍두셩(北斗星) 기우려 챵ᄒᆡ슈(滄海水) 부어 내여,   → 화자의 호방한 기상이 드러남.
북두칠성 → 술 국자   푸른 바닷물 → 술(뉴하쥬)

져 먹고 날 머겨늘 서너 잔 거후로니,

「화풍(和風)이 습습(習習)ᄒᆞ야 *냥익(兩腋)을 추혀드니,
솔솔 부는 화창한 바람   추켜드니

구만(九萬) 리(里) 댱공(長空)애 져기면 ᄂᆞ리로다.」
아득하게 높고 먼 하늘   잠깐이면   「」: 소동파의 '적벽부'에 나오는 '우화이등선(羽化而登仙)'이라는 구절에서 연상한 말임.
                                                                            → 신선이 된 기분을 하늘로 날아오를 것만 같다고 표현함.

「이 술 가져다가 스ᄒᆡ(四海)예 고로 ᄂᆞ화,
온 세상

*억만창ᄉᆡᆼ(億萬蒼生)을 다 취(醉)케 밍근 후(後)의,

그제야 고텨 맛나 ᄯᅩ ᄒᆞᆫ 잔 ᄒᆞ쟛고야.」
                「」: 화자의 말 → 애민 정신. 선우후락(세상의 근심할 일은 남 보다 먼저 근심하고 즐거워할 일은 남보다 나중에 즐거워함.)

*황뎡경: 도가(道家)의 경서. 신선이 옥황상제 앞에서 이 경서의 한 글자만 잘못 읽어도 그 죄로 이 세상에 내쳐진다는 말이 있음.
*냥익: 양쪽 겨드랑이.
*억만창ᄉᆡᆼ: 억조창생. 수많은 백성.

말 디쟈 학(鶴)을 트고 구공(九空)의 올나가니,
<u>끝나자</u>

공듕(空中) 옥쇼(玉簫) 소리 어제런가 그제런가.
<u>신선이 분다는 옥피리 소리</u>

나도 좀을 씌여 바다홀 구버보니,

기픠롤 모르거니 フ인들 엇디 알리.

<u>명월(明月)</u>이 <u>쳔산만낙(千山萬落)</u>의 아니 비쵠 디 업다.
임금의 은총 온 세상

▶ 꿈속에서 신선과 만남.

⊙ **핵심정리**

갈래	기행가사, 양반가사
제재	금강산, 관동 팔경
성격	서사적, 서정적, 비유적, 유교적, 도교적
주제	관동 지방의 절경 유람과 연군, 선정의 포부
특징	• 여정, 산수, 풍경, 고사, 풍속, 감회 등 다양한 내용을 담고 있음. • 화자의 정서적 추이와 갈등이 함축적으로 드러남. • 3(4) · 4조, 4음보의 율격을 지니고 있음. • 우리말의 묘미를 살리는 표현이 많음. • 시간과 공간의 이동에 따라 내용을 전개하고 있음.

⊙ **구성**

서사	본사	결사
강원도 관찰사 부임과 관내 순력	금강산과 관동 팔경 유람	동해의 달맞이와 풍류

⊙ **여정에 따른 화자의 태도 변화**

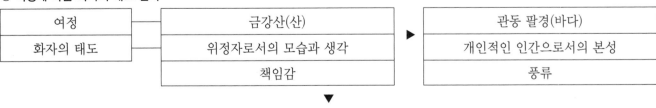

여정	금강산(산)	관동 팔경(바다)
화자의 태도	위정자로서의 모습과 생각	개인적인 인간으로서의 본성
	책임감	풍류

산에서는 위정자로서의 책임 의식이 많이 드러났으나, 바다에서부터는 인간 본연의 모습이 표출됨.

01 작품에서 우국지정의 모습과, 연군지정의 모습을 알 수 있다.　　　　　　O☐ X☐

02 화자는 관찰사로 부임하여 선정에의 포부를 드러낸다.　　　　　　O☐ X☐

03 관찰사로 부임지 도착까지의 여정이 제시되어 있다.　　　　　　O☐ X☐

04 화자가 실제로 선계에서 하강한 신선임을 알 수 있다.　　　　　　O☐ X☐

05 바다(관동팔경)에서 금강산으로의 여정을 확인 할 수 있다.　　　　　　O☐ X☐

06 공간의 이동에 따른 화자의 심리 변화를 잘 나타내고 있다.　　　　　　O☐ X☐

07 화자는 위정자로서의 모습과 인간 본연의 모습 사이에서 갈등을 느끼고 있다.　　　　　　O☐ X☐

08 화자는 제시되는 자연의 아름다움에 경탄하고 있다.　　　　　　O☐ X☐

09 화자는 신선의 풍모를 흠모하는 심정을 드러내고 있다.　　　　　　O☐ X☐

10 산에서 바다로 장소를 옮겨 가며 경치에 대해 감탄하고 있다.　　　　　　O☐ X☐

11 바다에서 관찰사로서의(위정자로서의) 자세를 보다 잘 드러내고 있다.　　　　　　O☐ X☐

12 금강산을 떠나기 아쉬운 심정을 자연물에 의탁하여 표현하고 있다.　　　　　　O☐ X☐

13 여러 가지 고사를 인용하여 자신의 태도와 연관 짓고 있다.　　　　　　O☐ X☐

14 산과 바다의 이미지를 통해 상반되는 인간의 두 얼굴을 제시하고 있다.　　　　　　O☐ X☐

15 화자는 인간의 양면성을 솔직하게 토로하고 그것을 인간적인 측면에서 해결하려고 노력했다.　　　　　　O☐ X☐

16 연추문과 경회 남문, 그리고 옥절만을 제시함으로써 부임 과정을 세세하게 묘사하였다.　　　　　　O☐ X☐

[01~04] 다음 글을 읽고 물음에 답하시오.

Ⓐ강호(江湖)애 병(病)이 깁퍼 듁님(竹林)의 누엇더니,
관동(關東) 팔빅(八百) 니(里)에 ㉠방면(方面)을 맛디시니,
어와 셩은(聖恩)이야 가디록 망극(罔極)ㅎ다.
연츄문(延秋門) 드리ᄃ라 경회(慶會) 남문(南門) 브라보며,
하직(下直)고 믈너나니 ㉡옥졀(玉節)이 알픠셧다.
평구역(平丘驛) 믈을 ᄀ라 흑슈(黑水)로 도라드니,
셤강(蟾江)은 어듸메오 티악(雉岳)이 여긔로다.
Ⓑ쇼양강(昭陽江) ᄂ린 믈이 어드러로 든단 말고.
Ⓒ고신거국(孤臣去國)에 빅발(白髮)도 하도 할샤.
동쥬(東州)ㅣ 밤 계오 새와 븍관뎡(北寬亭)의 올나ᄒ니,
삼각산(三角山) 뎨일봉(第一峰)이 ᄒ마면 뵈리로다.
궁왕(弓王) 대궐(大闕) 터희 오쟉(烏鵲)이 지지괴니,
㉢쳔고(千古) 흥망(興亡)을 아ᄂ다 몰ᄋᄂ다.
회양(淮陽) 녜 일홈이 마초아 ᄀᄐᆯ시고.
㉣급댱유(汲長孺) 풍치(風彩)를 고텨 아니 볼 게이고.
영듕(營中)이 무ᄉ(無事)ᄒ고 시졀(時節)이 삼월(三月)인 제,
화쳔(花川) 시내길히 풍악(楓岳)으로 버더 잇다.
ᄒᆼ장(行裝)을 다 썰티고 ㉤셕경(石逕)의 막대 디퍼,
빅쳔동(百川洞) 겨틔두고 만폭동(萬瀑洞) 드러가니,
은(銀) ᄀᄐᆫ무지게 옥(玉) ᄀᄐᆫ룡(龍)의 초리,

셧돌며 ᄲᆷᄂ 소ᄅᆡ 십(十) 리(里)의 ᄌ자시니,
들을 제ᄂ 우레러니 보니ᄂ 눈이로다.
금강ᄃᆡ(金剛臺) 민 우층(層)의 션학(仙鶴)이 삿기 치니,
츈풍(春風) 옥뎍셩(玉笛聲)의 첫ᄌᆷ을 ᄭᅵᆺ둣던디,
㉥호의현샹(縞衣玄裳)이 반공(半空)의 소소 ᄯᅳ니,
셔호(西湖) 녯 쥬인(主人)을 반겨셔 넘노ᄂ 둣.
쇼향노(小香爐) 대향노(大香爐) 눈 아래 구버보고,
졍양ᄉ(正陽寺) 진혈ᄃᆡ(眞歇臺) 고텨 올나 안준마리,
녀산(廬山) 진면목(眞面目)이 여긔야 다 뵈ᄂ다.
어와 조화옹(造化翁)이 헌ᄉ토 헌ᄉ홀샤.
놀거든 ᄯᅱ디 마나 셧거든 솟디 마나.
㉦부용(芙蓉)을 고잣ᄂ 둣 빅옥(白玉)을 믓것ᄂ 둣,
동명(東溟)을 박ᄎᄂ 둣 북극(北極)을 괴왓ᄂ 둣.
놉흘시고 망고ᄃᆡ(望高臺) 외로올샤 혈망봉(穴望峰)이
하ᄂᆯ의 추미러 므스일을 ᄉ로리라,
쳔만(千萬) 겁(劫) 디나ᄃ록 구필 줄 모ᄅᄂ다.
어와 너여이고 너 ᄀᄐ니 ᄯᅩ 잇ᄂ가.
ᄀᆡ심ᄃᆡ(開心臺) 고텨 올나 듕향셩(衆香城) 브라보며,
만(萬) 이쳔봉(二千峰)을 녁녁(歷歷)히 혀여ᄒ니,

봉(峰)마다 밋쳐 잇고 굿마다 서린 긔운,

묽거든 조티 마나 조커든 묽디 마나.

뎌 긔운 흐터 내야 인걸(人傑)을 믄들고쟈.

형용(形容)도 그지업고 톄셰(體勢)도 하도 할샤.

텬디(天地) 삼기실 제 ㅈ연(自然)이 되연마는,

이제 와 보게 되니 유졍(有情)도 유졍(有情)홀샤.

비로봉(毗盧峰) 샹샹두(上上頭)의 올라 보니 긔 뉘신고.

동산(東山) 태산(泰山)이 어느야 놉돗던고.

노국(魯國) 조븐 줄도 우리는 모르거든,

넙거나 넙은 텬하(天下) 엇찌ㅎ야 젹닷 말고.

ⓕ어와 뎌 디위를 어이ㅎ면 알 거이고.

오르디 못ㅎ거니 느려가미 고이홀가.

원통(圓通)골 ㄱ는 길로 ㅅㅈ봉(獅子峰)을 ㅊ자가니,

그 알픠 너러바회 화룡(化龍)쇠 되여셰라.

ⓗ쳔년(千年) 노룡(老龍)이 구비구비 서려 이셔,

듀야(晝夜)의 흘녀 내여 창해(滄海)예 니어시니,

Ⓐ풍운(風雲)을 언제 어더 ⒹⒹ삼일우(三日雨)를 디련는다.

Ⓩ음애(陰崖)예 이온 플을 다 살와 내여ㅅ라.

마하연(磨訶衍) 묘길샹(妙吉祥) 안문(雁門)재 너머 디여,

외나모 뻐근 드리 블뎡딩(佛頂臺) 올라ㅎ니,

쳔심졀벽(千尋絶壁)을 반공(半空)애 셰여 두고,

Ⓩ은하슈(銀河水) 한 구비를 촌촌이 버혀 내여,

실ㄱ티 플텨이셔 뵈ㄱ티 거러시니,

도경(圖經) 열두 구비 내 보매는 여러히라.

니뎍션(李謫仙) 이제 이셔 고텨 의논ㅎ게 되면,

녀산(廬山)이 여긔도곤 낫단 말 못ㅎ려니.

---

01 위 작품 '관동별곡'에 대한 설명으로 적절하지 **않은** 것은?

① 영탄, 대구, 은유, 직유 등의 다양한 표현 방법을 사용함.

② 우리말의 묘미를 살리는 표현이 많이 드러나 있음.

③ 3(4)·4조, 3음보의 율격으로 우리말의 묘미를 잘 살림.

④ 시간과 공간의 이동에 따라 내용을 전개하고 있음.

⑤ 관동 지방의 절경 유람과 연군, 선정의 포부 등이 나타남.

02 밑줄 친 Ⓐ~Ⓔ가 의미하는 바를 한자성어와 연결해 보았다. 자연스럽지 **않은** 것은?

① Ⓐ-연하고질(煙霞痼疾) 　　② Ⓑ-연군지정(戀君之情)

③ Ⓒ-우국지정(憂國之情) 　　④ Ⓓ-맥수지탄(麥秀之嘆)

⑤ Ⓔ-읍참마속(泣斬馬謖)

03 ㉠~㉢의 의미를 풀이한 것으로 자연스럽지 **않은** 것은?

① ㉠ – 방면지임(方面之任)의 준말.
② ㉡ – 옥으로 만든 임금이 주는 신표
③ ㉢ – 돌이 많은 좁은 길
④ ㉣ – 흰 비단 저고리와 검은 치마 차림.
⑤ ㉤ – 전설 속 동해 바다 위 뽕나무.

04 ㉥~㉨, 어휘의 비유적 의미를 연결한 것으로 적절하지 **않은** 것은?

① ㉥ 천년노룡 – 경륜과 포부를 지닌 화자 자신.
② ㉦ 풍운 – 선정을 베풀 수 있는 기회.
③ ㉧ 삼일우 – 선정(善政), 임금의 은총.
④ ㉨ 음애예 이온 플 – 헐벗고 굶주린 백성들.
⑤ ㉩ 은하슈 – 여산의 폭포를 비유함.

[05~08] 다음 글을 읽고 물음에 답하시오.

(가)

금강ᄃᆡ(金剛臺) 민 우층(層)의 션학(仙鶴)이 삿기 치니,
츈풍(春風) 옥뎍셩(玉笛聲)의 첫줌을 씨돗던디,
호의현샹(縞衣玄裳)이 반공(半空)의 소소 쓰니,
셔호(西湖) 녯 쥬인(主人)을 반겨셔 넘노는 듯.
쇼향노(小香爐) 대향노(大香爐) 눈 아래 구버보고,
정양ᄉᆞ(正陽寺) 진헐ᄃᆡ(眞歇臺) 고텨 올나 안즌마리,
㉠녀산(廬山) 진면목(眞面目)이 여긔야 다 뵈ᄂᆞ다.
어와 조화옹(造化翁)이 헌ᄉᆞ토 헌ᄉᆞ홀샤.
늘거든 쒸디 마나 셧거든 솟디 마나.
부용(芙蓉)을 고잣ᄂᆞᆫ 듯 빅옥(白玉)을 믓것ᄂᆞᆫ 듯,
동명(東溟)을 박츠ᄂᆞᆫ 듯 북극(北極)을 괴왓ᄂᆞᆫ 듯.
놉흘시고 망고ᄃᆡ(望高臺) 외로올샤 혈망봉(穴望峰)이
하늘의 추미러 므스 일을 ᄉᆞ로리라,
쳔만(千萬) 겁(劫) 디나ᄃᆞ록 구필 줄 모ᄅᆞᆫ다.
어와 너여이고 너 ᄀᆞᄐᆞ니 ᄯᅩ 잇는가.

(나)

기심디(開心臺) 고텨 올나 듕향셩(衆香城) 부라보며,

만(萬) 이쳔봉(二千峰)을 녁녁(歷歷)히 혀여ᄒ니,

봉(峰)마다 및쳐 잇고 긋마다 서린 긔운,

ᄆᆰ거든 조티 마나 조커든 ᄆᆰ디 마나.

ⓒ뎌 긔운 흐터 내야 인걸(人傑)을 ᄆᆞᆫ들고쟈.

형용(形容)도 그지업고 톄셰(體勢)도 하도 할샤.

텬디(天地) 삼기실 제 ᄌᆞ연(自然)이 되연마ᄂᆞᆫ,

이제 와 보게 되니 유졍(有情)도 유졍(有情)홀샤.

비로봉(毗盧峰) 샹샹두(上上頭)의 올라 보니 긔 뉘신고.

동산(東山) 태산(泰山)이 어ᄂᆞ야 놉돗던고.

노국(魯國) 조븐 줄도 우리는 모ᄅᆞ거든,

넙거나 넙은 텬하(天下) 엇씨ᄒ야 젹닷 말고.

어와 뎌 디위ᄅᆞᆯ 어이ᄒ면 알 거이고.

오ᄅᆞ디 못ᄒ거니 ᄂᆞ려가미 고이ᄒᆞᆯ가.

원통(圓通)골 ᄀᆞᄂᆞ 길로 ᄉᆞᄌᆞ봉(獅子峰)을 ᄎᆞ자가니,

그 알ᄑᆡ 너러바회 화룡(化龍)쇠 되여셰라.

쳔년(千年) 노룡(老龍)이 구비구비 서려 이셔,

듀야(晝夜)의 흘녀 내여 창ᄒᆡ(滄海)예 니어시니,

풍운(風雲)을 언제 어더 삼일우(三日雨)ᄅᆞᆯ 디련ᄂᆞᆫ다.

ⓒ음애(陰崖)예 이온 플을 다 살와 내여ᄉᆞ라.

(다)

진쥬관(眞珠館) 듁셔루(竹西樓) 오십쳔(五十川) ᄂᆞ린 믈이,

태ᄇᆡᆨ산(太白山) 그림재ᄅᆞᆯ 동ᄒᆡ(東海)로 다마 가니,

ⓔ출하리 한강(漢江)의 목멱(木覓)의 다히고져.

ⓐ왕뎡(王程)이 유ᄒᆞᆫ(有限)ᄒ고 풍경(風景)이 못 슬믜니,

유회(幽懷)도 하도 할샤 긱수(客愁)도 둘 듸 업다.

션사(仙槎)ᄅᆞᆯ 씌워 내여 두우(斗牛)로 향(向)ᄒᆞ살가,

션인(仙人)을 ᄎᆞᄌᆞ려 단혈(丹穴)의 머므살가.

텬근(天根)을 못내 보와 망양뎡(望洋亭)의 올은말이,

바다 밧근 하ᄂᆞᆯ이니 하ᄂᆞᆯ 밧근 므서신고.

ᄀᆞᆺ득 노ᄒᆞᆫ 고래 뉘라셔 놀내관ᄃᆡ,

블거니 ᄲᅢᆷ거니 어즈러이 구ᄂᆞᆫ디고.

은산(銀山)을 것거 내여 뉵합(六合)의 ᄂᆞ리ᄂᆞᆫ 듯,

오월(五月) 댱텬(長天)의 ᄇᆡᆨ셜(白雪)은 므ᄉᆞ 일고.

(라)

져근덧 밤이 드러 풍낭(風浪)이 뎡(定)ᄒ거늘,

부상(扶桑) 지쳑(咫尺)의 명월(明月)을 기ᄃᆞ리니,

셔광(瑞光) 쳔댱(千丈)이 뵈ᄂᆞᆫ 듯 숨ᄂᆞᆫ고야.

쥬렴(珠簾)을 고텨 것고 옥계(玉階)ᄅᆞᆯ 다시 쓸며,

계명셩(啓明星) 돗도록 곳초 안자 브라보니,
빅년화(白蓮花) 흔 가지를 뉘라셔 보내신고.
ⓜ일이 됴흔 셰계(世界) 놈대되 다 뵈고져.
뉴하쥬(流霞酒) 구득 부어 둘두려 무론 말이,
영웅(英雄)은 어듸 가며 스션(四仙)은 긔 뉘러니,
아미나 맛나 보아 녯 긔별 뭇쟈 하니,
션산(仙山) 동해(東海)예 갈 길히 머도 멀샤.
숑근(松根)을 볘여 누어 픗줌을 얼픗 드니,
꿈애 흔 사름이 날두려 닐온 말이,
그디를 내 모르랴 샹계(上界)예 진션(眞仙)이라.
황뎡경(黃庭經) 일주(一字)를 엇디 그릇 닐거 두고,
인간(人間)의 내려와셔 우리를 뽈오는다.
져근덧 가디 마오 이 술 흔 잔 머거 보오.
븍두셩(北斗星) 기우려 챵해슈(滄海水) 부어 내여,
저 먹고 날 머겨늘 서너 잔 거후로니,
화풍(和風)이 습습(習習)하야 냥익(兩腋)을 추혀드니,
구만(九萬) 리(里) 댱공(長空)애 져기면 느리로다.
이 술 가져다가 스해(四海)예 고로 논화,
억만창싱(億萬蒼生)을 다 취(醉)케 밍근 후(後)의,
그제야 고텨 맛나 또 흔 잔 하쟛고야.
말 디쟈 학(鶴)을 트고 구공(九空)의 올나가니,
공듕(空中) 옥쇼(玉簫) 소리 어제런가 그제런가.
나도 줌을 세여 바다홀 구버보니,
기픠를 모르거니 구인들 엇디 알리.
명월(明月)이 쳔산만낙(千山萬落)의 아니 비쵠 듸 업다.

－정철, 「관동별곡」－

05 **(가)~(라)의 표현상 특징으로 적절하지 않은 것은?**

① 공간의 이동에 따라 시상을 전개하고 있다.

② 비유적 표현을 사용하여 대상을 묘사하고 있다.

③ 의문형 문장을 통해 자연에 대한 감탄을 드러내고 있다.

④ 유사한 문장 구조를 반복하여 리듬감을 형성하고 있다.

⑤ 3음보 연속체를 통해 운율을 형성하고 있다.

06 (가)~(라)에서 화자가 보고 느낀 것이 <u>아닌</u> 것은?

① 화룡소를 보며 선정을 베풀 것을 다짐했다.

② 망고대와 혈망봉을 보며 충직한 신하의 모습을 떠올렸다.

③ 비로봉 상상두에 올라 바라본 천하의 넓은 모습에 감탄했다.

④ 금강대에서 학이 나는 모습을 보며 마치 자신을 반기는 듯하다고 생각했다.

⑤ 망양정에서 바라본 동해 바다의 파도치는 모습이 마치 화가 난 고래같다고 생각했다.

07 ㉠~㉤ 중, 〈보기〉의 밑줄 친 내용에 해당하지 <u>않는</u> 것은?

┤ 보기 ├

　정철은 조선 중기의 문신이자 시인이다. 그는 명종 17년(1562년)문과에 급제하여, 1580년 강원도 관찰사로 부임하였다. '관동별곡'은 강원도 관찰사로 부임하는 과정에서 금강산과 관동 팔경을 유람하고쓴 작품이다. 정철은 '관동별곡'에서 아름다운 경치를 마음껏 완상(玩賞)하고 싶은 욕망을 드러내면서도, <u>관찰사로서의 책임감이나 우국지정(憂國之情), 연군지정(戀君之情), 애민정신(愛民精神)과 같은 유교적의식을 표출하고 있다.</u>

① ㉠　　　　② ㉡　　　　③ ㉢　　　　④ ㉣　　　　⑤ ㉤

08 [서술형2] ⓐ에 드러난 화자의 내적 갈등을 ⓐ에 나타난 '시어'를 사용하여 〈조건〉에 맞춰 서술하시오.

┤ 조건 ├

1. ⓐ에 드러난 화자의 갈등은 '시어 ~'와(과) '시어 ~' 사이에서의 갈등으로 볼 수 있으며 이는 ~ 사이에서 갈등하는 화자의 모습을 나타낸다. 의 문장 구조로 서술할 것.

2. 시어 1개 당, 1점 부여.

3. 시어는 본문에 제시된 형태 그대로 옮겨 적을 것. (한자는 쓰지 않아도 됨)

4. 갈등 양상을 구체적으로 서술하지 않을 시 2점 감점.

5. 제시된 문장 구조를 어길 시 1점 감점.

[01~06] 다음 글을 읽고 물음에 답하시오.

[A]
산듕(山中)을 미양 보랴 동히(東海)로 가쟈스라.
남여완보(籃輿緩步)ᄒ야 산영누(山映樓)의 올나ᄒ니,
녕농(玲瓏) 벽계(碧溪)와 수셩(數聲) 뎨됴(啼鳥)는 니별(離別)을 원(怨)ᄒ는 듯,
졍긔(旌旗)를 썰티니 오식(五色)이 넘노는 듯,
고각(鼓角)을 섯부니 히운(海雲)이 다 것는 듯.
명사(鳴沙)길 니근 몰이 취션(醉仙)을 빗기 시러,
바다ᄒ 겻티 두고 히당화(海棠花)로 드러가니,
빅구(白鷗)야 ᄂ디 마라 네 버딘 줄 엇디 아는.

금난굴(金闌窟) 도라드러 총셕뎡(叢石亭) 올라ᄒ니,
빅옥누(白玉樓) 남은 기동 다만 네히 셔 잇고야.
공슈(工倕)의 셩녕인가 귀부(鬼斧)로 다ᄃ 몬가.
구ᄐ야 뉵면(六面)은 므어슬 샹(象)톳던고.
고셩(高城)을란 뎌만 두고 ㉮삼일포(三日浦)를 ᄎ자가니,
단셔(丹書)는 완연(宛然)ᄒ되 ᄉ션(四仙)은 어ᄃ 가니.
예 사흘 머믄 후(後)의 어듸 가 ᄯ 머믈고.
션유담(仙遊潭) 영낭호(永郎湖) 거긔나 가 잇는가.

청간뎡(淸澗亭) 만경디(萬景臺) 몃 고듸 안돗던고.
ⓐ니화(梨花)는 불셔 디고 졉동새 슬피 울 제,
낙산(洛山) 동반(東畔)으로 의샹디(義相臺)예 올라 안자,
㉠일츌(日出)을 보리라 밤듕만 니러ᄒ니,
샹운(祥雲)이 집픠는 동 ㉡뉵농(六龍)이 바퇴는 동,
바다ᄒ셔 날 제는 만국(萬國)이 일위더니,
텬듕(天中)의 티쓰니 ㉢호발(毫髮)을 혜리로다.
아마도 ㉣녈구름 근쳐의 머믈셰라.
㉤시션(詩仙)은 어듸 가고 히타(咳唾)만 나맛ᄂ니.

[B]
텬디간(天地間) 장(壯)ᄒ 긔별 ᄌ셔히도 홀셔이고.
샤양(斜陽) 현산(峴山)의 텩툑(躑躅)을 므니 불와,
우개지륜(羽蓋芝輪)이 경포(鏡浦)로 ᄂ려가니,
십(十) 리(里) 빙환(氷紈)을 다리고 고텨 다려,
댱숑(長松) 울흔 소개 슬ᄏ장 펴뎌시니,
믈결도 자도 잘샤 모래를 혜리로다.
고쥬(孤舟) 히람(解纜)ᄒ야 뎡ᄌ(亭子) 우히 올나가니,
강문교(江門橋) 너믄 겨티 대양(大洋)이 거긔로다.
동용(從容)ᄒ다 이 긔샹(氣像) 활원(闊遠)ᄒ다 뎌 경계(境界),
이도곤 가ᄌ딘 ᄯ 어듸 잇닷 말고.
홍장(紅粧) 고ᄉ(古事)를 헌ᄉ타 ᄒ리로다.
강능(江陵) 대도호(大都護) 풍속(風俗)이 됴흘시고.
졀효졍문(節孝旌門)이 골골이 버러시니,
비옥가봉(比屋可封)이 이제도 잇다 홀다.

진쥬관(眞珠館) 듁셔루(竹西樓) 오십쳔(五十川) ᄂᆞ린 믈이,

태ᄇᆡᆨ산(太白山) 그림재ᄅᆞᆯ 동ᄒᆡ(東海)로 다마 가니,

ⓑ출하리 한강(漢江)의 목멱(木覓)의 다히고져.

┌─ 왕뎡(王程)이 유ᄒᆞᆫ(有限)ᄒᆞ고 풍경(風景)이 못 슬믜니,

│ 유회(幽懷)도 하도 할샤 긱수(客愁)도 둘 듸 업다.

│ 션사(仙槎)ᄅᆞᆯ 씌워 내여 두우(斗牛)로 향(向)ᄒᆞ살가,

│ 션인(仙人)을 ᄎᆞᄌᆞ려 단혈(丹穴)의 머므살가.

[C] 텬근(天根)을 못내 보와 망양뎡(望洋亭)의 올은말이,

│   바다 밧근 하늘이니 하늘 밧근 므서신고.

│ ᄀᆞᆺ득 노ᄒᆞᆫ고래 뉘라셔 놀내관ᄃᆡ,

└─ 블거니 ᄲᅳᆷ거니 어즈러이 구ᄂᆞᆫ디고.

은산(銀山)을 것거 내여 뉵합(六合)의 ᄂᆞ리ᄂᆞᆫ 듯,

오월(五月) 댱텬(長天)의 빅셜(白雪)은 므스일고.

– 정철,「관동별곡(關東別曲)」中–

---

01 [A]의 화자에 대한 설명으로 가장 적절한 것은?

① 말을 타고 가면서 자연에 도취된 신선을 찾고 있다.

② 금강산에 만족하지 못하여 바다로 여정을 변화시키고자 한다.

③ 의인화된 소재를 활용하여 자신의 내면 심리를 표현하고 있다.

④ 처음 본 자신을 알아보는 소재에 대해 낯선 기분을 느끼고 있다.

⑤ 자신의 직분을 상징하는 소재들을 활용하여 책임감을 드러내고 있다.

02 다음 중 ⓐ와 동일한 계절이 표현된 것은?

① 이곡(二曲)은 어드믜고 화암(花巖)에 춘만(春晚)커다

　벽파(碧波)에 곳츨 ᄯᅴ워 야외(野外)로 보내노라

　살롬이 승지(勝地)를 몰은이 알게 흔들 엇더리

② 설월(雪月)의 매화(梅花)를 보려 쟌을 좝고 창(窓)을 여니

　셕권 곳 여윈 속이자ᄌᆞᆫᄂᆞᆫ이 향기(香氣)로다

　어즈버 호접(胡蝶)이 이 향긔 알면 애 ᄭᅳᆫ츨가 ᄒᆞ노라

③ 반중(盤中) 조홍(早紅)감이 고아도 보이ᄂᆞ다

　유자(柚子) 안이라도 품엄즉도 ᄒᆞ다마ᄂᆞᆫ

　품어가 반기 리 업슬싀글노 설워ᄒᆞ노라

④ 동리(東籬)에 국화(菊花) 피니 중양(重陽)이 거에로다

　자채(自蔡)로 비즌술이 ᄒᆞ마 아니 니것ᄂᆞᆫ냐

　아히야 자해 황계(紫蟹黃鷄)로 안주(酒) 쟝만ᄒᆞ야라

⑤ 강호(江湖)에 ᄀᆞ을이 드니 고기마다 술져 잇다

　소정(小艇)에 그물 시러 흘리 ᄯᅴ여 더뎌 두고

　이 몸이 소일(消日)ᄒᆞ옴도 역군은(亦君恩)이샷다

03 ⊙~⑩의 의미로 적절하지 않은 것은?

① ⊙ : 임금
② ⓒ : 선대 임금님들
③ ⓒ : 임금의 총명과 예지
④ ② : 간신배
⑤ ⑩ : 이백

04 화자의 정서가 ⓑ와 가장 유사한 것은?

① 노래 삼긴 사름 시름도 하도 할샤
  닐러 다 못 닐러 불러나 푸돗든가
  진실(眞實)로 풀릴 거시면은 나도 불러 보리라
② 추성(楸城) 진호루(鎭湖樓) 밧긔 우러 예는 져 시내야
  므음 호리라 주야(晝夜)에 흐르는다
  님 향(向)흔 내 뜯을 조차 그칠 뉘를 모르느다
③ 이 듕에 시름업스니 어부(漁父)의 생애(生涯)로다
  일엽편주(一葉扁舟)를 만경파(萬頃波)애 씌워 두고
  인세(人世)를 다 니젯거니 날 가는 주를 알랴
④ 이런들 엇더ᄒ며 져런들 엇더ᄒ료
  초야우생(草野愚生)이 이러타 엇더ᄒ료
  ᄒ믈며 천석고황(泉石膏肓)을 고쳐 므슴ᄒ료
⑤ 천심절벽(千尋絶壁) 섯난 아래 일대 장강(一帶長江) 흘러간다
  백구(白鷗)로 벗을 삼아 어조 생애(漁釣生涯) 늘거가니
  두어라 세간 소식(世間消息) 나는 몰라 하노라

05 [B]에 대한 이해로 적절하지 않은 것은?

① 넓고 아득한 동해의 경계를 제시하고 있다.
② 수레를 활용하여 도교적 신선 사상을 드러내고 있다.
③ 잔잔한 경포 호수의 모습을 비유적으로 표현하고 있다.
④ 홍장 고사가 경포 호수의 분위기와 어울린다는 점을 강조하고 있다.
⑤ 강릉 대도호의 태평성대를 언급하며 화자 자신의 선정을 과시하고 있다.

06 [C]에 대한 설명으로 적절하지 않은 것은?

① 거칠고 성난 파도의 모습을 역동적으로 묘사하고 있다.
② 하얗게 부서지는 물보라를 비유적 표현을 활용하여 표현하고 있다.
③ 속세로 돌아가기 싫어 신선이 되어 살고 싶다는 소망을 표현하고 있다.
④ 아득하게 멀고 넓은 바다와 아름답고 높은 산을 대조적으로 제시하고 있다.
⑤ 관찰사로서의 책임감과 인간 본연의 욕망 사이에서 갈등하는 화자의 심리가 드러나 있다.

[07~09] 다음 글을 읽고 물음에 답하시오.

져근덧 밤이 드러 풍낭(風浪)이 뎡(定)ㅎ거늘,
부상(扶桑) 지쳑(咫尺)의 명월(明月)을 기드리니,
셔광(瑞光) 쳔댱(千丈)이 뵈는 듯 숨는고야.
쥬렴(珠簾)을 고텨 것고 옥계(玉階)를 다시 쓸며,
계명셩(啓明星) 돗도록 곳초 안자 브라보니,
빅년화(白蓮花) 흔 가지를 뉘라셔 보내신고.
㉮일이 됴흔 셰계(世界) 눔대되 다 뵈고져.
뉴하쥬(流霞酒) フ득 부어 둘 드려 무론 말이,
영웅(英雄)은 어딕 가며 스션(四仙)은 긔 뉘러니,
아미나 맛나 보아 녯 긔별 뭇쟈 ㅎ니,
㉠션산(仙山) 동힉(東海)예 갈 길히 머도 멀샤.
숑근(松根)을 볘여 누어 픗줌을 얼픗 드니,
꿈애 ⓐ혼사롬이 날드려 닐온 말이,
그디를 ⓑ내 모르랴 샹계(上界)예 ⓒ진션(眞仙)이라.
황뎡경(黃庭經) 일즈(一字)를 엇디 그릇 닐거 두고,
인간(人間)의 내려와셔 ⓓ우리를 똘오는다.
져근덧 가디 마오 이 술 흔 잔 머거 보오.
븍두셩(北斗星) 기우려 챵힉슈(滄海水) 부어 내여,
ⓔ저 먹고 날 머겨늘 서너 잔 거후로니,
화풍(和風)이 습습(習習)ㅎ야 냥익(兩腋)을 추혀드니,
㉡구만(九萬) 리(里) 댱공(長空)애 져기면 늘리로다.
이 술 가져다가 스힉(四海)예 고로 눈화,
㉢억만창싱(億萬蒼生)을 다 취(醉)케 밍근 후(後)의,
㉣그제야 고텨 맛나 쏘 흔 잔 ㅎ쟛고야.
말 디쟈 학(鶴)을 투고 구공(九空)의 올나가니,
㉤공듕(空中) 옥쇼(玉簫) 소릭 어제런가 그제런가.
　┌ 나도 줌을 씩여 바다흘 구버보니,
[A]　기픠룰 모르거니 フ인들 엇디 알리.
　└ 명월(明月)이 쳔산만낙(千山萬落)의 아니 비쵠 딕 업다.

－ 정철, 「관동별곡(關東別曲)」中 －

07 ㉠~㉤ 중 화자의 태도가 ㉮와 가장 유사한 것은?

① ㉠   ② ㉡   ③ ㉢   ④ ㉣   ⑤ ㉤

08 ⓐ~ⓔ 중 지시하는 대상이 다른 것은?

① ⓐ 흔 사룸
② ⓑ 내
③ ⓒ 진션(眞仙)
④ ⓓ 우리
⑤ ⓔ 저

09 [A]와 〈보기〉의 공통점으로 가장 적절한 것은?

┤ 보기 ├

보리밥 풋노물을 알마초 머근 후(後)에
바횟긋 묽노의 슬코지 노니노라.
그 나믄 녀나믄 일이야 부룰 줄이 이시랴.

– 윤선도, 「만흥(漫興) 제2수」 –

① 색채어를 사용하여 시의 분위기를 형성하고 있다.
② 도치의 방식을 활용하여 시적 의미를 강조하고 있다.
③ 반어적 표현을 사용하여 화자의 감정을 드러내고 있다.
④ 설의적 표현을 사용하여 화자의 정서를 강조하고 있다.
⑤ 대조의 표현 방식을 활용하여 화자의 태도를 부각하고 있다.

서술형 심화문제

[01] 다음은 관동별곡의 일부이다. 질문에 답하시오.

노국(魯國) 조븐 줄도 우리는 모르거든,
넙거나 넙은 텬하(天下) 엇씨ᄒ야 젹닷 말고.
어와 뎌 디위를 어이ᄒ면 알 거이고.
오르디 못ᄒ거니 ᄂ려가미 고이ᄒ가.
원통(圓通)골 ᄀᄂ 길로 ᄉᄌ봉(獅子峰)을 ᄎ자가니,
그 알픠 너러바회 화룡(化龍)쇠 되여셰라.

01 '어와 뎌 디위ᄅ 어이ᄒ면 알 거이고.'이 의미하는 바를, 반드시 그 의미 속 해당되는 인물(人物)을 넣어서 서술하시오. (인물을 넣지 않고 서술하면 감점 처리함.)

[02] 다음 글을 읽고 물음에 답하시오.

고성(高城)을란 뎌만 두고 ㉮삼일포(三日浦)를 ᄎ자가니,
단셔(丹書)는 완연(宛然)ᄒ되 ᄉ션(四仙)은 어디 가니.
예 사흘 머믄 후(後)의 어디 가 또 머믈고.
션유담(仙遊潭) 영낭호(永郎湖) 거긔나 가 잇ᄂ가.

02 (1) ㉮ 삼일포(三日浦) 지명의 유래와 관련된 구절을 윗글에서 찾아 쓰고, (2) 삼일포(三日浦)에서 화자가 추모하고 있는 대상을 윗글에서 찾아 쓰시오.

03 [A]–〈보기〉에 나타난 삶의 자세를 나타내는 한자성어를 쓰고 그 의미를 설명하라. [B]–'관동별곡'과 〈보기〉의 갈래를 밝히고, 두 갈래의 '율격, 구성, 특정 부분의 공통점'에 대하여 문장으로 서술하시오.

┤ 보기 ├
보리밥 픗ᄂ물을 알마초 머근 후(後)에
바횟긋 믉ᄀ의 슬ᄏ지 노니노라.
그 나믄 녀나믄 일이야 부룰 줄이 이시랴.

– 윤선도, 「만흥(漫興)」 중 –

┤ 조건 ├
1. [A]는 한자성어와 의미 설명 모두 맞아야 정답으로 인정합니다.(한자성어를 한자로 쓸 필요는 없습니다.)
2. [A]는 완전한 문장으로 서술하지 않아도 감점 없습니다.
3. [A]의 초성은 'ㅇㅂㅈㅈ'입니다.
4. [B]를 서술할 때 완성된 문장으로 서술하십시오. 문장의 수는 제한이 없습니다.
5. [B]에서 공통점을 서술할 때에는 'ㅇㅇ이 같다'가 아니라 '윗글과 〈보기〉가 ㅇㅇ이 ~인 것이 공통점이다'는 것을 밝혀야 합니다. ('관동별곡'의 특징을 나열한 후에 '만흥'의 특징을 나열해 놓고 공통점 언급했다고 주장하면 점수 인정하지 않습니다.)

<u>한 친구가 있었다.</u>
유재필

<u>그냥 보면 그저 그렇고 그런 보통 사람에 불과한 친구였다.</u>
겉으로 보기에는 특별한 점이 없음.

그러나 여느 사람처럼 이 땅에 그런 사람이 있는지 마는지 하게 그럭저럭 살다가 <u>제물</u>에 흐지부지하고 몸을 마친
저 혼자 스스로의 바람에

예사 *허릅숭이는 아니었다.

그의 이름은 <u>유재필(兪哉弼)</u>이다. <u>1941년 홍성군 광천에서 태어나 보령군 대천에 와서 자라고 배웠다. 그리고 그</u>
작품의 주인공 유자(兪子)   구체적인 연도와 지명 제시 → 사실성을 부여함.

<u>나머지는 서울에서 살았다.</u> 그는 어려서부터 타고난 <u>총기</u>와 숫기로 또래에서 <u>별쫑맞고</u> 무리에서 두드러진 바가 있
총명한 기운   말이나 하는 짓이 아주 별스럽고

어, *비색(否塞)한 <u>가운</u>과 불우한 환경 속에서도 여러모로 일찍 터득하고 앞서 나아감에 따라 소년 시절은 장히 <u>숙성</u>
집안의 운수   나이에 비하여 지각이나 발육이 빠르고

하고, 청년 시절은 자못 <u>노련</u>하고, 장년에 들어서서는 속절없이 *노성(老成)하였으니, 무릇 이것이 그가 보통 사람
많은 경험으로 익숙하고 능란하고

가운데서도 항상 깨어 있는 삶을 살게 된 바탕이었다.

<u>그의 생애는 풀밭에서 뚜렷하고 쑥밭에서 우뚝하였다.</u>
비슷한 풀들, 납작한 쑥들 사이에서 돋보임. → 유자의 존재감이 두드러짐.

그는 애초에 심성이 밝고 깔끔하였다. <u>매사</u>에 생각이 깊고 침착하였으며, 성품이 곧고 굳은 위에 몸소 겪음한
하나하나의 모든 일

바와 힘써 널리 보고 애써 널리 들은 것을 더하여, 스스로 갖추어진 <u>줏대</u>와 나름껏 이루어진 *주견(主見)으로
자기의 처지나 생각을 꿋꿋이 지키고 내세우는 기질이나 기풍

<u>갈피</u> 있는 태도를 흩트리지 아니하였다.
일이나 사물의 갈래가 구별되는 어름

그러므로 <u>주변머리 없이 기대거나 *자발머리없이 나대어서 남을 *폐롭히거나 누를 끼치는 자</u>는 반드시 <u>장마의 물</u>
유자가 싫어하는 인물 유형 ①   쓸데없는 존재

걸레처럼 쳐다보기를 한결같이 하였고, <u>분수없이 남을 제끼거나 밟고 일어서서 섣불리 무엇인 척하고 으스대는 자</u>는
유자가 싫어하는 인물 유형 ②

<u>"삼국지"에서 조조 망하기를 기다리듯</u> 미워하여 매양 속으로 밑줄을 그어 두기에 소홀함이 없었다.
계략과 술책에 능한 조조가 얄미워서 망하기를 기다리듯 속으로 벼른다는 의미임.

---

* **허릅숭이**: 일을 실답게 하지 못하는 사람을 낮잡아 이르는 말.
* **비색한**: 운수가 꽉 막힌.
* **노성하였으니**: 많은 경험을 쌓아 세상일에 익숙하였으니.

* **주견**: 자기의 주장이 있는 의견.
* **자발머리없이**: 행동이 가볍고 참을성이 없이.
* **폐롭히거나**: 성가시고 귀찮게 하거나.

또 모름지기 세상의 일에 알면 아는 대로 <u>힘지게</u> 말하고, 모르면 모르는 대로 *숫지게 말하여 마땅한 자리임에도 불
<small>힘이 있게</small>

구하고 <u>어딘지 떳떳지 못하게 주눅부터 들어서 좌우의 눈치에 딱 부러지게 흑백을 하지 못하는 자</u>가 있으면, 마치 말
<small>유자가 싫어하는 인물 유형 ③</small>

만 한 딸을 서울 가게 하는 데에 힘입어 그날로 이자 돈을 놓는 <u>매몰스런</u> 구두쇠를 보듯이 으레 가래침을 멀리 뱉기
<small>보기에 인정이나 싹싹한 맛이 없고 쌀쌀맞은 데가 있는</small>

에 <u>의력</u>이 난 터이었다.
<small>많이 겪어 보아서 얻게 된 슬기</small>

그의 됨됨이는 물론 그것이 전부는 아니었다. 체취는 그윽하고 체온은 따뜻하며 체질이 <u>묵중한</u> 사내였다. 또한 남
<small>말이 적고 몸가짐이 신중한</small>

의 아픔이 자신의 아픔임을 깨달아 아픔을 나누고 눈물을 나누되, 자기가 아는 바 사람 사는 도리에 이르기를 진정으

로 바라던 위인이었으니, 짐짓 저 옛말을 빌려서 말한다면 그야말로 때아닌 *특립독행(特立獨行)의 돌출이요, 이른

바 "세상 사람들의 걱정거리를 그들보다 앞서서 걱정하고, <u>세상 사람들이 즐거워함을 본 연후에야 즐거움을 누린다</u>
<small>선우후락(先憂後樂), 지사(志士)나 어진 사람의 마음씨를 이르는 말로, 범중엄의 '악양루기'에 나오는 말임.</small>

<u>[先天下之憂而憂 後天下之樂而樂]</u>."라고 말한 선비적인 *덕량(德量)의 본보기라 하지 않을 수 없는 친구였다.

"이간감? 나 <u>유가여</u>."
<small>유재필이 스스로를 칭하는 말</small>

그가 내게 전화를 할 때마다 매번 거르지 않던 첫마디였다.

그렇지만 유가는 이미 다른 사람을 이르는 말이었다. 그는 유자(俞子)였다.

[중략 부분의 줄거리] 유자는 특유의 붙임성과 눈썰미로 학교의 명물로 이름을 날린다. 중학교 졸업 후 선거 운동원과 국회 의원

비서관을 지내다가 군에 입대하게 되는데, 입영 열차 안에서 <u>당사주책</u>을 읽은 덕분에 군에 입대해서도 '도사'라는 애칭을 얻고 편하
<small>중국에서 들어온 사주점을 칠 때에 보는 책</small>

게 지낸다. 제대 후 유자는 택시 운전을 하다 재벌 그룹 <u>총수</u>의 운전사가 된다.
<small>어떤 집단의 우두머리</small>

<u>1970년, 내가 지금의 세종 문화 회관 자리에 있던 예총 회관의 문인 협회 사무실에서 협회 기관지를 편집하고 있</u>
<small>서술자인 '내'가 유자와의 일화를 떠올리는 부분 → 시간적 배경과 서술자에 대한 정보 제시</small>

<u>을 어름이었다.</u>

어느 날 난데없이 유자가 불쑥 찾아왔다. 10년도 넘어 된 <u>해후</u>였다. *<u>이산(怡山)</u>의 시처럼 "어디서 무엇이 되어 다
<small>오랫동안 헤어졌다가 뜻밖에 다시 만남.</small>

시 만나랴." 했더니, 그는 <u>재벌 그룹 총수의 승용차 운전수</u>가 되고, 나는 글이라고 끄적거려 봤자 누구 하나 알아주는
<small>유자의 직업</small>

이가 없는 <u>무명작가</u>가 되어서 다시 만나게 된 것이었다.
<small>'나'의 직업</small>

***숫지게**: 순박하고 인정이 두텁게.
***특립독행**: 세속(世俗)에 따르지 않고 스스로 믿는 바를 행함.
***덕량**: 어질고 너그러운 마음씨나 생각.

***이산**: 김광섭의 호. "어디서 무엇이 되어 다시 만나랴."는 '저녁
에;라는 시의 한 구절임.

그가 잡지를 보다가 우연히 나를 알아보고, 그 잡지사에 전화로 내 소재를 찾는 번거로운 절차를 무릅쓰고 찾아온
〔어떤 곳에 있음. 또는 있는 곳〕

데에는 그 나름의 속셈이 한 가지 있었기 때문이었다. 지금은 대학교수의 부인이 된 자기 누이동생을 내게 중매해 봤
〔'나'가 누이동생의 남편감으로 적합한지 살펴보려고〕

으면 하고 찾아본 것이었다. 아니, 결혼을 하면 처자를 굶길 놈인지 먹일 놈인지 우선 그것부터 슬쩍 엿보려고 온 것

이었다. 그는 해가 바뀌어 그 누이동생을 여의고 난 뒤에야 비로소 그 말을 내게 하였다. 그는 처음 만났던 날 저녁에
〔시집보내고〕

내가 말술을 마시고도 양에 안 차 하는 데에 질려서 대번에 가위표를 쳐 버리고 말았다는 것이었다.
〔많이 마시는 술〕

한번은 다 본 책이 있으면 달라고 하여 번역판 "*사기(史記)"를 한 질 주었더니, 그 후부터는 올 때마다 책 탐을 드
〔여러 권으로 된 책의 한 벌을 세는 단위〕

러내는 것이었다. 잡지사 편집실에는 사시장철 기증본으로 들어오는 책만 해도 이루 주체를 못 하도록 더미로 *답쌓
〔사철 중 어느 때나 늘〕   〔많은 물건이 한데 모여 쌓인 큰 덩어리〕

이기 마련이었다. 그는 오는 족족 자기 욕심껏 그 책 더미를 헐어 갔다. 장근 17년 동안 밥상머리에서도 책을 놓지 않
〔거의〕

았던 그의 열정적인 독서 생활이야말로 실은 그렇게 출발한 것이었다.

또 책 때문에 오는 것만도 아니었다. 직장에서 답답한 일이 있으면 터놓고 하소연할 만한 상대로서 나를 택했던 것

도 비일비재의 경우에 속하였다.
〔같은 현상이나 일이 한두 번이나 한둘이 아니고 많음.〕

하루는 어디로 어디로 해서 어디로 좀 와 보라고 하기에 물어물어 찾아갔더니, *귀꿈맞게도 붕어니 메기니 하고

민물고기로만 술상을 보는 후미진 대폿집이었다.
〔아주 구석지고 으슥한〕

나는 *한내를 떠난 이래 처음 대하는 민물고기 요리여서 새삼스럽게도 해감내가 역하고 싫었으나, 그는 흙탕 내도
〔고향을 떠난 이후 민물고기 요리를 먹지 않았음.〕   〔바닷물 따위에서 흙과 유기물이 썩어서 생긴 찌꺼기의 냄새〕

아니고 시궁 내도 아닌 그 해감내가 문득 그리워져서 부득이 그 집으로 불러냈다는 것이었다.
〔민물고기를 먹으러 온 이유〕

"허울 좋은 하눌타리지, 수챗구녕 내가 나서 워디 먹겠나, 이까짓 냄새가 뭣이 그리워서 이걸 다 돈 주고 사 먹어.
〔보기만 좋았지 아무 실속이 없는 사람이나 사물을 비유적으로 이르는 말 → 민물고기 요리에 대한 '나'의 생각을 드러냄.〕

나 원 참, 취미두 별 움둑가지 같은 취미가 다 있구면."
〔괴상한, 희한한〕

내가 사뭇 마뜩잖아했더니,

*사기: 중국 한나라의 사마천이 역대 왕조의 사적을 엮은 역사책.   *귀꿈맞게도: 전혀 어울리지 아니하고 촌스럽게도.
*답쌓이기: 한군데로 들이 덮쳐서 쌓이기   *한내: 충청남도 대천(大川)의 옛 지명.

<u>"그래두 좀 구적구적헌 디서 사는 고기가 *하꾸라이버덤은 맛이 낫어."</u>
해감내 나는 민물고기가 수입산 비단잉어보다 맛이 나음.

하면서 <u>그날사 말고</u> 수그러들 기미를 보이지 않는 것이었다. 그가 자기주장에 완강할 때는 반드시 <u>경험론적인 설득</u>
그날따라   경험을 통해 얻은 근거를 가지고

<u>논리로써</u> 무장이 되어 있는 경우였다.

"무슨 얘기가 있는 모양이구먼."

"있다면 있구 읎다면 읎는디, 들어 볼라남?"

그는 <u>이야기</u>를 펼쳐 놓았다.
       총수와 관련된 이야기

총수의 자택에 연못이 생긴 것은 그 며칠 전의 일이었다. 뜰 안에다 벽이고 바닥이고 시멘트를 들이부어 만들었으니 연못이라기보다는 수족관이라고 하는 편이 알맞은 시설이었다. 시멘트가 굳어지자 물을 채우고 울긋불긋한 비단 잉어들을 풀어 놓았다.

비단잉어들은 화려하고 귀티나는 맵시로 보는 사람마다 탄성을 자아내게 하였으나, 그는 처음부터 <u>흘기눈을 떴다.</u>
                                                                                                 흘겨보기. 눈동자가 한쪽으로 쏠려, 정면으로 보지 못하고 언제나 흘겨보는 사람
비행기를 타고 온 수입 고기라서가 아니었다. <u>그 회사 직원의 몇 사람 치 월급을 합쳐도 못 미치는 상식 밖의 몸값</u> 때
                                            유자가 비단잉어를 못마땅하게 생각하는 이유.
문이었다.

"<u>대관절</u> 월매짜리 고기간디 그려?"
   여러 말 할 것 없이 요점만 말하건대
내가 물어보았다.

"마리당 팔십만 원씩 주구 가져왔댜."

「그 회사 직원들의 봉급 수준을 모르기에 내 월급으로 계산을 해 보니, 자그마치 <u>3년 4개월 동안이나 봉투째로 쌓</u>
                                                                        당시 '나'의 월급이 대략 2만 원이었음.
<u>아야 겨우 한 마리 만져 볼까 말까 한 값이었다.</u>」
                                        「 」: 서민의 삶과 괴리되는 상류층의 사치스러운 생활
"웬 늠으 잉어가 사람버덤 비싸다나?"

내가 기가 막혀 두런거렸더니,

「"보통 것은 아닐러먼그려. <u>뺄어낸메네또(베토벤)</u>라나 뭬라나를 틀어 주면 그 가락대루 따러서 허구, <u>차에코풀구싶</u>
                       발음의 유사성을 이용한 언어유희   발음의 유사성을 이용한 언어유희
<u>어(차이콥스키)</u>라나 뭬라나를 틀어 주면 또 그 가락대루 따러서 허구, 좌우간 곡을 틀어 주는 대루 못 추는 춤이 읎는
순전 <u>딴따라</u> 고기닝께. 물고기두 <u>꼬랑지</u> 흔들어서 먹구 사는 물고기가 있다는 건 이번에 그 집에서 츰 봤구먼."」
     '연예인'을 낮잡아 이르는 말   '꽁지'를 낮잡아 이르는 말   「 」: 유자의 말하기에서 해학과 풍자적 성격이 드러남.

---

*하꾸라이: '외래(外來)'를 뜻하는 일본 말.

그런데 이 비단잉어들이 어제 새벽에 떼죽음을 한 거였다. 자고 일어나 보니 죄다 허옇게 뒤집어진 채로 떠 있는 것이었다.

총수가 실내화를 꿴 발로 뛰어나왔지만 아무 소용 없는 일이었다.

"어떻게 된 거야?"

한동안 넋 나간 듯이 서 있던 총수가 하고많은 사람 중에 하필이면 유자를 겨냥하며 물은 말이었다.

"글쎄유. 아마 밤새에 <u>고뿔</u>이 들었던 개비네유."
감기

_{비단잉어가 감기로 죽었다는 엉뚱한 말로 웃음을 유발함.}

<u>유자는 부러 딴청을 하였다.</u>
_{총수의 행동이 마음에 들지 않았기 때문에}

"뭐야? 물고기가 물에서 감기 들어 죽는 물고기두 봤어?"

<u>총수는 그가 마치 혐의자나 되는 것처럼 화풀이를 하려 드는 것이었다.</u>
_{유자에게 비단잉어의 죽음으로 인한 화를 풀고 있음.}

그는 <u>비위</u>가 상해서 「"그야 팔자가 사나서 이런 후진국에 시집와 살라니께 여라 가지루다 *객고(客苦)가 쌓여서 <u>조시</u>
_{마음에 거슬리어 아니꼽고 속상해서}   _{일본어에서 유래된 말로, '몸 상태가 좋지 않음.'을 의미함.}

두 안 좋았을 테구…… 그런디다가 <u>부룻쓰구 지루박이구</u> 가락을 트는 대루 <u>디립다</u> 쳐 댔으니께 과로해서 몸살끼두
_{블루스, 지르박 – 당대에 유행하던 춤}   _{'들입다'의 방언. 세차게 마구}

다소 있었을 테구…… 본래 받들어서 키우는 새끼덜일수록이 다다 탈이 많은 법이니께…….」
_{「」: 유자가 비꼬는 어투를 통해 총수의 허영심을 풍자하고 있음.}

그는 <u>시멘트의 독성을 충분히 우려내지 않고 고기를 넣은 것이 탈이었으려니</u> 하면서도 부러 *배참으로 *의뭉을 떨
_{비단잉어가 죽은 실제 원인}

었다.

"하는 말마다 저 말 같잖은 소리…… 시끄러 이 사람아."

<u>총수는 말 가운데 어디가 어떻게 듣기 싫었는지 자기 성질을 못 이기며 돌아섰다.</u>
_{유자가 물고기의 죽음을 두고 총수의 허영과 사치를 비꼬기 때문에 총수의 기분이 상함.}

그는 총수가 그랬다고 속상해할 만큼 속이 <u>옹색한</u> 편이 아니었다.
_{생각이 막혀서 답답하고 옹졸한}

그렇지만 오늘 아침에 들은 말만은 쉽사리 <u>삭일</u> 수가 없었다.
_{긴장이나 화를 풀어 마음을 가라앉힐}

총수는 오늘도 연못이 텅 빈 것이 못내 아쉬운지 식전마다 하던 정원 산책도 그만두고 연못가로만 맴돌더니,

"유 기사, 어제 그 고기들은 다 어떡했나?"

또 그를 <u>지명</u>하며 묻는 것이었다.
_{여러 사람 가운데 누구의 이름을 지정하여 가리킴.}

*객고: 객지에서 고생을 겪음. 또는 그 고생.   *의뭉: 겉으로는 어리석은 것처럼 보이면서 속으로는 엉큼함.
*배참: 꾸지람을 듣고 그 화풀이를 다른 데다 함.

그는 아무렇지 않게 대답했다.

「"한 마리가 황소 너댓 마리 값이나 나간다는디, 아까워서 그냥 내뻗지기두 거시기허구, 비싼 고기는 맛두 괜찮겄다 싶기두 허구…… 게 <u>비눌</u>을 대강 긁어서 된장끼 좀 허구, 꼬치장두 좀 풀구, 마늘두 서너 통 다져 늫구, <u>멀국</u>두 좀 있게 지져서 한 <u>고뿌</u>덜씩 했지유."」
비늘   국물
컵
「」: 값비싼 비단잉어를 끓여 먹음. → 총수의 화를 돋우는 원인이 됨.

"뭣이 어쩌구 어째?"

"왜유?"

"왜애유? 이런 <u>잔인무도</u>한 것들 같으니……."
더할 수 없이 잔인함.

총수는 *분기탱천(憤氣撑天)하여 부쩌지를 못하였다. 보아하니 아는 문자는 다 동원하여 호통을 쳤으면 하나 혈압을 생각하여 참는 눈치였다.

"<u>달리 처리힐 방법두 읎잖은감유.</u>"
능청스럽고 태연함. → 총수의 눈치를 보거나 주눅 들지 않고 할 말을 다함.

총수의 성깔을 *덧들이려고 한 말이 아니었다. 그가 할 수 있는 것이 그 방법 말고는 없었기 때문에 그렇게 *뒷동을 달은 거였다.

「총수는 <u>우악스럽고</u> 무식하기 짝이 없는 <u>아랫것들</u>하고 *따따부따해 봤자 공연히 <u>위신</u>이나 흠이 가고 득될 것이 없다고 판단했는지,」숨결이 웬만큼 고루 잡힌 어조로,
① 보기에 미련하고 험상궂은 데가 있고 ② 보기에 무지하고 포악하며 드센 데가 있고   직원들   위엄과 신망
「」: 체면을 중시하는 총수의 성격

"<u>그 불쌍한 것들</u>을 저쪽 잔디밭에다 고이 묻어 주지 않고, 그래 그걸 술안주해서 처먹어 버려? 에이…… 에이…… <u>피두 눈물두 없는 독종들…….</u>"
비단잉어를 먹은 직원들을 가리킴.   「」: 잉어를 먹은 직원들을 몰인정하다며 비판함. → 직원들에게는 인색하면서 물고기를 위하는 총수의 위선과 허영심이 드러남.

하고 혼잣말처럼 중얼거리면서 들어가 버리는 것이었다.

"그리, 지져 먹어 보니 맛이 워떻타?"

내가 물은 말이었다.

"워떻기는 뭬가 워뗘…… 살이라구 <u>허벅허벅헌</u> 것이, 별맛도 읎더구만그려." 하고 그는 다시 말을 이었다.
과일 따위가 너무 익었거나 딴 지 오래되어 물기가 적고 퍼석퍼석한

*분기탱천: 분한 마음이 하늘을 찌를 듯 격렬하게 북받쳐 오름.
*덧들이려고: 남을 건드려서 언짢게 하려고.
*뒷동: 일의 뒷부분. 또는 뒤토막.

*따따부따: 딱딱한 말씨로 따지고 다투는 소리. 또는 그 모양.
*칙살맞고: 하는 짓이나 말 따위가 얄밉게 잘고 더럽고.

「"내가 독종이면 저는 말종인디…… 좌우지간 맛대가리 읎는 서양 물고기 한 사발에 국산 욕을 두 사발이나 먹구
'맛'을 낮잡아 이르는 말

났더니, 지금지금허구 해감내가 나더래두 이런 붕어 지지미 생각이 절루 나길래 예까장 나오라구 했던겨."」
음식에 섞인 잔모래나 흙 따위가 거볍게 자꾸 씹히고   여기까지

총수는 그 뒤로 그를 비롯하여 비단잉어를 나눠 먹었음 직한 대문 경비원이며, 보일러실 화부며, 자녀들 등·하교
기관이나 난로 따위에 불을 때거나 조절하는 일을 맡은 사람

용 승용차 운전수며, 자택에서 근무하는 종업원들에게는 조석으로 눈을 흘기면서도, 비단잉어 회식 사건을 빌미로
종업원들을 못마땅하게 여기는 총수의 모습

인사이동을 단행할 의향까지는 없는 것 같았다.

그는 하루바삐 총수의 승용차 운전석을 떠나고 싶었다. 남들은 그룹 소속 운전수들의 정상(頂上)이나 다름없는 그
위선자인 총수를 모시고 싶지 않아서

자리에 서로 못 앉아서 턱주가리가 떨어지게 올려다보고들 있었지만, 그는 총수가 틀거지만 그럴듯한 보잘것없는 위
'아래턱'을 속되게 이르는 말   총수에 대한 유자의 평가

선자로 비치기 시작하자, 그동안 그런 줄도 모르고 주야로 모셔 온 나날들이 그렇게 욕스러울 수가 없었고, 그런 위

선자에게 이렇듯 매인 몸으로 살 수밖에 없는 구차스러운 삶이 *칙살맞고 가련하지 않을 수가 없었다.
말이나 행동이 떳떳하지 못하거나 버젓하지 못한 데가 있는

*칙살맞고: 하는 짓이나 말 따위가 얄밉게 잘고 더럽고.

⊙ 핵심정리

갈래	단편 소설, 풍자 소설
성격	비판적, 해학적, 풍자적, 전기(傳記)적
시점	1인칭 관찰자 시점(일부 전지적 작가 시점 혼용)
배경	• 시간적 배경: 1970년대 • 공간적 배경: 서울
제재	유자의 일대기
주제	유자의 인격적 면모와 물질 만능 주의에 빠진 현대 사회 비판
특징	• 전통적 '전'의 양식을 차용함. • 사투리를 사용하여 향토적 정서를 드러냄.

01 '나'는 이 글의 주인공으로 유재필과 어릴적 고향 친구이다. ○☐ ×☐

02 '나'는 유재필에 대한 존경의 의미로 그를 '유자(兪子)'라 부른다. ○☐ ×☐

03 이 작품은 비속어를 사용하여 주인공을 친근하게 드러내고 비판의 대상을 더욱 우스꽝스럽게 표현하고 있 ○☐ ×☐

04 총수가 비단잉어를 소중하게 대하고, 유자에게는 고압적 태도를 취하는 것을 통해 총수의 위선적 면모가 강조된다.
○☐ ×☐

05 '유자소전'이란 제목을 통해 이 소설이 한 인물의 일생에 관한 이야기라는 것을 알 수 있다. ○☐ ×☐

06 유자는 총수의 승용차 운전수로서의 어려움을 제보하기 위해 잡지사와 연락하여 '나'를 찾아왔다. ○☐ ×☐

07 총수는 직원들의 복지를 위해 값비싼 가격의 수입 고기인 비단잉어를 구입하였다. ○☐ ×☐

08 유자가 비단잉어의 폐사 원인을 몸살과 과로라고 대답한 것은 총수를 비꼬기 위함이다. ○☐ ×☐

09 분기탱천한 총수는 비단잉어 회식 사건을 빌미로 유자를 자녀들 등하교용 운전수로 좌천시켰다. ○☐ ×☐

10 윗글은 인물의 외양 묘사를 통해 성격을 드러내고 있다. ○☐ ×☐

11 윗글은 서술자가 객관적 시각으로 인물과 사건을 서술하고 있다. ○☐ ×☐

12 윗글은 인물의 성격이 변화하는 양상을 구체적으로 보여 주고 있다. ○☐ ×☐

13 윗글은 중심 인물에 얽힌 일화를 나열하여 속도감 있게 전개하고 있다. ○☐ ×☐

14 윗글은 인물의 내적 갈등과 그에 대한 주변 인물들의 반응을 제시하고 있다. ○☐ ×☐

15 '나'와 유자는 오랜만에 재회한 친구이다. ○☐ ×☐

16 '나'와 유자는 자주 술잔을 기울이는 친구이다. ○☐ ×☐

17 '나'는 유자의 사연을 들어 주는 좋은 상대이다. ○☐ ×☐

18 '나'는 경험을 통해 유자의 성격을 잘 알고 있다. ○☐ ×☐

19 독서광인 유자는 '나'의 책을 좋아하는 독자이다. ○☐ ×☐

20 주인공과 서술자의 대화를 통해 사건을 전개하고 있다. ○☐ ×☐

21 사투리와 비속어를 사용하여 사실성과 현장감을 높이고 있다. ○☐ ×☐

22 대립적인 인물형을 제시하여 작품의 주제 의식을 강조하고 있다. ○☐ ×☐

23 상징적 소재를 활용하여 대상에 대한 비판 의식을 드러내고 있다. ○☐ ×☐

24 시대적 배경과 밀접한 어휘를 활용하여 사회현실의 문제를 부각하고 있다. ○☐ ×☐

[01~04] 다음 글을 읽고 물음에 답하시오.

(가) 그의 이름은 유재필(俞哉弼)이다. ㉠1941년 홍성군 광천에서 태어나 보령군 대천에 와서 자라고 배웠다. 그리고 그 나머지는 서울에서 살았다. 그는 어려서부터 타고난 총기와 숫기로 또래에서 별쫑맞고 무리에서 두드러진 바가 있어, 비색(否塞)한 가운과 불우한 환경 속에서도 여러모로 일찍 터득하고 앞서 나아감에 따라 소년 시절은 장히 숙성하고, 청년 시절은 자못 노련하고, 장년에 들어서서는 속절없이 노성(老成)하였으니, 무릇 이것이 그가 보통 사람 가운데서도 항상 깨어 있는 삶을 살게 된 바탕이었다.

그의 생애는 풀밭에서 뚜렷하고 쑥밭에서 우뚝하였다.

㉡그는 애초에 심성이 밝고 깔끔하였다. 매사에 생각이 깊고 침착하였으며, 성품이 곧고 굳은 위에 몸소 겪음한 바와 힘써 널리 보고 애써 널리 들은 것을 더하여, 스스로 갖추어진 줏대와 나름껏 이루어진 주견(主見)으로 갈피 있는 태도를 흩트리지 아니하였다.

그러므로 주변머리 없이 기대거나 자발머리없이 나대어서 남을 폐롭히거나 누를 끼치는 자는 반드시 장마의 물걸레처럼 쳐다보기를 한결같이 하였고, 분수없이 남을 제끼거나 밟고 일어서서 섣불리 무엇인 척하고 으스대는 자는 "삼국지"에서 조조 망하기를 기다리듯 미워하여 매양 속으로 밑줄을 그어 두기에 소홀함이 없었다. 또 모름지기 세상의 일에 알면 아는 대로 힘지게 말하고, 모르면 모르는 대로 숫지게 말하여 마땅한 자리임에도 불구하고 어딘지 떳떳지 못하게 주눅부터 들어서 좌우의 눈치에 딱 부러지게 흑백을 하지 못하는 자가 있으면, 마치 말만 한 딸을 서울 가게 하는 데에 힘입어 그날로 이자 돈을 놓는 매몰스런 구두쇠를 보듯이 으레 가래침을 멀리 뱉기에 이력이 난 터이었다.

그의 됨됨이는 물론 그것이 전부는 아니었다. 체취는 그윽하고 체온은 따뜻하며 체질이 묵중한 사내였다. 또한 남의 아픔이 자신의 아픔임을 깨달아 아픔을 나누고 눈물을 나누되, 자기가 아는바 사람 사는 도리에 이르기를 진정으로 바라던 위인이었으니, 짐짓 저 옛말을 빌려서 말한다면 그야말로 때아닌 특립독행(特立獨行)의 돌출이요, 이른바 "세상 사람들의 걱정거리를 그들보다 앞서서 걱정하고, 세상 사람들이 즐거워함을 본 연후에야 즐거움을 누린다[先天下之憂而憂 後天下之樂而樂]."라고 말한 선비적인 덕량(德量)의 본보기라 하지 않을 수 없는 친구였다.

"이간감? 나 유가여."

그가 내게 전화를 할 때마다 매번 거르지 않던 첫마디였다. 그렇지만 유가는 이미 다른 사람을 이르는 말이었다.

그는 유자(俞子)였다.

(나) ㉢1970년, 내가 지금의 세종 문화 회관 자리에 있던 예총 회관의 문인 협회 사무실에서 협회 기관지를 편집하고 있을 어름이었다. 어느 날 난데없이 유자가 불쑥 찾아왔다. 10년도 넘어 된 해후였다. 이산(怡山)의 시처럼 "어디서 무엇이 되어 다시 만나랴." 했더니, 그는 재벌 그룹 총수의 승용차 운전수가 되고, 나는 글이라고 끄적거려 봤자 누구 하나 알아주는 이가 없는 무명작가가 되어서 다시 만나게 된 것이었다. 그가 잡지를 보다가 우연히 나를 알아보고, 그 잡지사에 전화로내 소재를 찾는 번거로운 절차를 무릅쓰고 찾아온 데에는 그 나름의 속셈이 한 가지 있었기 때문이었다. 지금은 대학교수의 부인이된 자기 누이동생을 내게 중매해 봤으면 하고 찾아본 것이었다. 아니, 결혼을 하면 처자를 굶길 놈인지 먹일 놈인지 우선 그것부터 슬쩍 엿보려고 온 것이었다. ㉣그는 해가 바뀌어 그 누이동생을 여의고 난 뒤에야 비로소 그 말을 내게 하였다. 그는 처음 만났던 날 저녁에 내가 말술을 마시고도 양에 안 차 하는 데에 질려서 대번에 가위표를 쳐 버리고 말았다는 것이었다.

한번은 다 본 책이 있으면 달라고 하여 번역판 "사기(史記)"를 한 질 주었더니, 그 후부터는 올 때마다 책 탐을 드러내는 것이었다. 잡지사 편집실에는 사시장철 기증본으로 들어오는 책만 해도 이루 주체를 못 하도록 더미로 답쌓이기 마련이었다. 그는 오는 족족 자기 욕심껏 그 책 더미를 헐어 갔다. 장근 17년 동안 밥상 머리에서도 책을 놓지 않았던 그의 열정적인 독서 생활이야말로 실은 그렇게 출발한 것이었다.

또 책 때문에 오는 것만도 아니었다. ㉤직장에서 답답한 일이 있으면 터놓고 하소연할 만한 상대로서 나를 택했던 것도 비일비재의 경우에 속하였다.

— 이문구, 「유자소전」 —

01 (가)~(나)의 서술상 특징으로 적절한 것은?

① 공간의 이동에 따른 인물 간의 갈등을 보여 주고 있다.
② 주인공과 관련된 여러 일화를 삽화 형식으로 제시하고 있다.
③ 대화와 행동을 통해 인물 간의 대립 양상을 보여주고 있다.
④ 작품 외부의 서술자가 주인공에 대해 관찰한 내용을 서술하고 있다.
⑤ 동시에 진행되는 사건을 번갈아 제시하며 사건 간의 인과 관계를 보여 주고 있다.

02 〈보기〉를 참고하여 (가)~(나)를 감상한 내용으로 적절한 것은?

─┤ 보기 ├─

선생님 : 이 작품은 인물의 일대기와 업적을 서술하면서 이에 대한 교훈적인 내용이나 비판을 덧붙인 갈래인 '전(傳)'의 형식을 차용하고 있습니다. 또한 '유자(俞子)'에서 '자(子)'는 '공자(孔子)', '맹자(孟子)'처럼 성인에게 붙이는 존칭이기도 하지요. 즉, 제목 '유자소전(俞子小傳)'은 '유 씨 성을 가진 인물의 간략한 전기'라는 의미로 이해할 수 있어요.

① '나'가 주인공을 '유자(俞子)'라고 부르는 것은 그가 과거를 지향하는 구시대적 인물이기 때문이야.
② '전(傳)'이라는 형식을 볼 때 '유자(俞子)'의 일대기와 함께 그에 대한 비판을 담고 있음을 알 수 있어.
③ 주인공을 '유자(俞子)'라고 부르는 것을 볼 때, 주인공에 대한 '나'의 긍정적인 태도가 드러나 있음을 알 수 있어.
④ 주인공에게 '자(子)'라는 호칭을 붙인 것은 그가 1970년대 당시 사회적 책임을 다하기 위해 헌신한 인물이기 때문이야.
⑤ 주인공의 이름을 구체적으로 제시하지 않고 '유자(俞子)'라고 한 것은 주인공이 당대 사회의 보통 사람을 상징하고 있기 때문이야.

03 ㉠~㉤에 대한 설명으로 적절하지 <u>않은</u> 것은?

① ㉠: 구체적인 시간과 장소를 제시하여 사실성을 높이고 있다.
② ㉡: 서술자 '나'가 '유자'의 성격을 직접적으로 제시하고 있다.
③ ㉢: '나'가 '유자'와의 일화를 회상하고 있음을 알 수 있다.
④ ㉣: '유자'는 누이동생이 죽고 나서야 자신의 속마음을 '나'에게 털어놓고 있다.
⑤ ㉤: '유자'가 다양한 이유로 '나'를 자주 찾아왔음을 알 수 있다.

04 주인공 '유자'가 싫어하는 인물에 대한 예로 적절하지 <u>않은</u> 것은?

① 행동이 가볍고 참을성이 없이 나대는 인물
② 주눅이 들어서 자기 결정을 내리지 못하는 인물
③ 다른 사람을 밟고 일어서서 자신을 과시하는 인물
④ 거짓말을 자주 하여 상대에게 신뢰감을 주지 못하는 인물
⑤ 주변머리 없이 기대어 남을 성가시게 하거나 귀찮게 하는 인물

[01~06] 다음 글을 읽고 물음에 답하시오.

한 친구가 있었다.

㉠그냥 보면 그저 그렇고 그런 보통 사람에 불과한 친구였다.

그러나 여느 사람처럼 이 땅에 그런 사람이 있는지 마는지 하게 그럭저럭 살다가 제물에 흐지부지하고 몸을 마친 예사 허릅숭이는 아니었다.

그의 이름은 유재필(兪哉弼)이다. ㉡1941년 홍성군 광천에서 태어나 보령군 대천에 와서 자라고 배웠다. 그리고 그 나머지는 서울에서 살았다. 그는 어려서부터 타고난 총기와 숫기로 또래에서 별쭝맞고 무리에서 두드러진 바가 있어, 비색(否塞)한 가운과 불우한 환경 속에서도 여러모로 일찍 터득하고 앞서 나아감에 따라 소년 시절은 장히 숙성하고, 청년시절은 자못 노련하고, 장년에 들어서서는 속절없이 노성(老成)하였으니, 무릇 이것이 그가 보통 사람 가운데서도 항상 깨어 있는 삶을 살게 된 바탕이었다.

㉢그의 생애는 풀밭에서 뚜렷하고 쑥밭에서 우뚝하였다.

그는 애초에 심성이 밝고 깔끔하였다. 매사에 생각이 깊고 침착하였으며, 성품이 곧고 굳은 위에 몸소 겪음한 바와 힘써 널리 보고 애써 널리 들은 것을 더하여, 스스로 갖추어진 줏대와 나름껏 이루어진 주견(主見)으로 갈피 있는 태도를 흩트리지 아니하였다.

그러므로 주변머리 없이 기대거나 자발머리없이 나대어서 남을 폐롭히거나 누를 끼치는 자는 반드시 ㉣장마의 물걸레처럼 쳐다보기를 한결같이 하였고, 분수없이 남을 제끼거나 밟고 일어서서 섣불리 무엇인 척하고 으스대는 자는 ㉤"삼국지"에서 조조 망하기를 기다리듯 미워하여 매양 속으로 밑줄을 그어 두기에 소홀함이 없었다. 또 모름지기 세상의 일에 알면 아는 대로 힘지게 말하고, 모르면 모르는 대로 숫지게 말하여 마땅한 자리임에도 불구하고 어딘지 떳떳지 못하게 주눅부터 들어서 좌우의 눈치에 딱 부러지게 흑백을 하지 못하는 자가 있으면, 마치 말만한 딸을 서울 가게 하는 데에 힘입어 그날로 이자 돈을 놓는 매몰스런구두쇠를 보듯이 으레 가래침을 멀리 뱉기에 이력이 난 터이었다.

그의 됨됨이는 물론 그것이 전부는 아니었다. 체취는 그윽하고 체온은 따뜻하며 체질이 묵중한 사내였다. 또한 남의 아픔이 자신의 아픔임을 깨달아 아픔을 나누고 눈물을 나누되, 자기가 아는 바 사람 사는 도리에 이르기를 진정으로 바라던 위인이었으니, 짐짓 저 옛말을 빌려서 말한다면 그야말로 때아닌 특립독행(特立獨行)의 돌출이요, 이른바 "세상 사람들의 걱정거리를 그들보다 앞서서 걱정하고, 세상 사람들이 즐거워함을 본 연후에야 즐거움을 누린다[先天下之憂而憂後天下之樂而樂]."라고 말한 선비적인 덕량(德量)의 본보기라 하지 않을 수 없는 친구였다.

"이간감? 나 유가여."

그가 내게 전화를 할 때마다 매번 거르지 않던 첫마디였다.

그렇지만 유가는 이미 다른 사람을 이르는 말이었다. 그는 유자(兪子)였다.

〈중략〉

총수의 자택에 연못이 생긴 것은 그 며칠 전의 일이었다. 뜰 안에다 벽이고 바닥이고 시멘트를 들이부어 만들었으니 연못이라기보다는 수족관이라고 하는 편이 알맞은 시설이었다. 시멘트가 굳어지자 물을 채우고 울긋불긋한 ㉮비단잉어들을 풀어 놓았다.

비단잉어들은 화려하고 귀티나는 맵시로 보는 사람마다 탄성을 자아내게 하였으나, 그는 처음부터 흘기눈을 떴다. 비행기를 타고 온 수입 고기라서가 아니었다. 그 회사 직원의 몇 사람 치 월급을 합쳐도 못 미치는 상식 밖의 몸값 때문이었다.

"대관절 월매짜리 고기간디 그려?"

내가 물어보았다.

"마리당 팔십만 원씩 주구 가져왔댜."

그 회사 직원들의 봉급 수준을 모르기에 내 월급으로 계산을 해 보니, 자그마치 3년 4개월 동안이나 봉투째로 쌓아야 겨우 한 마리 만져 볼까 말까 한 값이었다.

"웬 늠으 잉어가 사람버덤 비싸다나?"

내가 기가 막혀 두런거렸더니,

"보통 것은 아닐러먼그려. 뻬어낸메네또(베토벤)라나 뭬라나를 틀어 주면 그 가락대루 따러서 허구, 차에코풀구싶어(차이콥스키)라나 뭬라나를 틀어 주면 또 그 가락대루 따러서 허구, 좌우간 곡을 틀어 주는 대루 못 추는 춤이 읎는 순전 딴따라 고기닝께. 물고기두 꼬랑지 흔들어서 먹구 사는 물고기가 있다는 건 이번에 그 집에서 츰 봤구먼."

그런데 이 비단잉어들이 어제 새벽에 떼죽음을 한 거였다. 자고 일어나 보니 죄다 허옇게 뒤집어진 채로 떠 있는 것이었다.

총수가 실내화를 꿴 발로 뛰어나왔지만 아무 소용 없는 일이었다.

"어떻게 된 거야?"

한동안 넋 나간 듯이 서 있던 총수가 하고많은 사람 중에 하필이면 유자를 겨냥하며 물은 말이었다.

"글쎄유, 아마 밤새에 고뿔이 들었던 개비네유."

유자는 부러 딴청을 하였다.

"뭐야? 물고기가 물에서 감기 들어 죽는 물고기두 봤어?"

총수는 그가 마치 혐의자나 되는 것처럼 화풀이를 하려 드는 것이었다.

그는 비위가 상해서

"그야 팔자가 사나서 이런 후진국에 시집와 살라니께 여라 가지루다 객고(客苦)가 쌓여서 조시두 안 좋았을 테구…… 그런디다가 부룻쓰구 지루박이구 가락을 트는 대루 디립다 춰 댔으니께 과로해서 몸살끼두 다소 있었을 테구…… 본래 받들어서 키우는 새끼덜일수록이 다다 탈이 많은 법이니께……."

그는 시멘트의 독성을 충분히 우려내지 않고 고기를 넣은 것이 탈이었으려니 하면서도 부러 배참으로 의뭉을 떨었다.

"하는 말마다 저 말 같잖은 소리…… 시끄러 이 사람아."

총수는 말 가운데 어디가 어떻게 듣기 싫었는지 자기 성질을 못 이기며 돌아섰다.

그는 총수가 그랬다고 속상해할 만큼 속이 옹색한 편이 아니었다.

그렇지만 오늘 아침에 들은 말만은 쉽사리 삭일 수가 없었다.

총수는 오늘도 연못이 텅 빈 것이 못내 아쉬운지 식전마다 하던 정원 산책도 그만두고 연못가로만 맴돌더니,

"유 기사, 어제 그 고기들은 다 어떡했나?"

또 그를 지명하며 묻는 것이었다.

그는 아무렇지 않게 대답했다.

"한 마리가 황소 너댓 마리 값이나 나간다는디, 아까워서 그냥 내뻔지기두 거시기허구, 비싼 고기는 맛두 괜찮겄다 싶기두 허구…… 게 비눌을 대강 긁어서 된장끼 좀 허구, 꼬치장두 좀 풀구, 마늘두 서너 통 다져 늫구, 멀국두 좀 있게 지져서 한 고뿌덜씩 했지유."

"뭣이 어쩌구 어째?"

"왜유?"

"왜애유? 이런 잔인무도한 것들 같으니……."

총수는 분기탱천(憤氣撑天)하여 부쩌지를 못하였다. 보아하니 아는 문자는 다 동원하여 호통을 쳤으면 하나 혈압을 생각하여 참는 눈치였다.

"달리 처리헐 방법두 읎잖은감유."

총수의 성깔을 덧들이려고 한 말이 아니었다. 그가 할 수 있는 것이 그 방법 말고는 없었기 때문에 그렇게 뒷동을 단 거였다.

– 이문구, 「유자소전(兪子小傳)」중에서 –

01 윗글에 대한 설명으로 가장 적절한 것은?

① 인물 간의 대화를 통해 고조된 갈등이 해소되는 과정을 보여주고 있다.

② 사건 내부 서술자가 자신의 내적 갈등을 드러내는 데 초점을 맞추고 있다.

③ 인물의 성격이 변화하는 양상을 제시하여 긴장감을 고조시키고 있다.

④ 동시에 벌어진 사건을 병렬적으로 배치하여 이야기의 흐름을 지연시키고 있다.

⑤ 현실의 부정적 현상이나 모순 따위를 빗대어 비웃으면서 폭로하고 공격하고 있다.

02 윗글의 서술상 특징에 대한 설명으로 적절하지 <u>않은</u> 것은?

① 비속어를 사용하여 주인공을 친근하게 느끼게 하고 있다.

② 현재형 어미를 사용하여 사건을 생동감 있게 제시하고 있다.

③ 비꼬는 어투를 사용하여 인물의 태도에 대해 비아냥거리고 있다.

④ 언어유희를 통해 인물에 대한 비판적 태도를 드러내고 있다.

⑤ 사투리를 사용하여 토속적인 정감과 이야기의 사실성을 획득하고 있다.

03 [A]~[E] 중 〈보기〉의 밑줄 친 내용이 가장 잘 표현된 것은?

┤ 보기 ├

　전(傳)이란 한 인물의 일생을 기록하여 후세에 전하고자 하는 전통적 서사물로, 인물의 생애와 그에 대한 필자의 평가를 포함하는 역사적 기록이다.

　우리나라 초기 소설 중 일부는 이러한 전의 양식을 빌려 실제 인물의 생애를 흥미진진한 이야기로 풀어내는 데에서 출발하였다. 특히 위인이 아닌 평범한 인물들이 이러한 이야기의 대상이 되는 경우가 많았는데, 대표적으로 허균이 자신의 스승이었던 이달의 인물됨과 행적을 한문 단편으로 창작한 '손곡산인전'과 같은 작품이 있다.

① [A]　　　　② [B]　　　　③ [C]　　　　④ [D]　　　　⑤ [E]

04 ⊙~⑩에 대한 이해로 적절하지 <u>않은</u> 것은?

① ⊙ : 겉으로 보기에는 특별한 점이 없음을 표현하고 있다.

② ㉡ : 구체적인 연도와 지명을 제시하여 사실성을 부여하고 있다.

③ ㉢ : 인물의 존재감이 두드러짐을 드러내고 있다.

④ ㉣ : 주변에서 익숙하게 만날 수 있는 존재임을 부각하고 있다.

⑤ ㉤ : 얄미워서 망하기를 기다리듯 속으로 벼른다는 의미를 제시하고 있다.

05 윗글에 제시된 어휘의 의미 풀이로 가장 적절한 것은?

① 허룹숭이 : 스스로 믿는 바를 행하는 사람

② 비색(否塞)한 : 많은 경험을 쌓아 세상일에 익숙한

③ 노성(老成)하였으니 : 순박하고 인정이 두터우니

④ 폐롭히거나 : 성가시고 귀찮게 하거나

⑤ 특립독행(特立獨行) : 마음이 급하여 참을성이 없이 행함

06 ㉮에 대한 이해로 적절하지 <u>않은</u> 것은?

① 유자와 총수 간의 갈등을 유발한다.

② 서민의 삶과 괴리되는 비상식적인 가격이다.

③ 총수의 사치스러움과 허영, 이기심을 보여준다.

④ 총수의 인식에 불만을 품은 유자의 인간적 면모를 드러낸다.

⑤ 총수의 의뭉스러움을 부각하여 현대인의 위선적인 삶을 비판한다.

단원 종합평가

[01~09] 다음 글을 읽고, 물음에 답하시오.

(가)

생사 길은
㉠예 있으매 머뭇거리고,
㉡나는 간다는 말도
몯다 이르고 어찌 갑니까.
어느 가을 이른 바람에
이에 저에 떨어질 잎처럼,
한 가지에 나고
㉢가는 곳 모르온저.
아아, ㉣미타찰에서 만날 나
㉤도 닦아 기다리겠노라

－ 월명사, 「제망매가」 －

(나)

십 년(十年)을 경영(經營)ᄒ여 초려 삼간(草廬三間) 지여 내니
나 ᄒ 간 둘 ᄒ 간에 청풍(淸風) ᄒ 간 맛져 두고
ⓐ강산(江山)은 들일 듸 업스니 둘러 두고 보리라.

－ 송순의 시조 －

(다)

ⓑ동지(冬至)ㅅᄃ 기나긴 밤을 한 허리를 버혀 내여
춘풍(春風) 니불 아레 서리서리 너헛다가
어론 님 오신 날 밤이여든 ⓒ구뷔구뷔 펴리라.

－ 황진이의 시조 －

(라)

개를 여라믄이나 기르되 요 개ᄀ치 얄믜오랴.
뮈온 님 오며ᄂ 쇠리를 ⓓ홰홰치며 쒸락 ᄂ리쒸락 반겨셔 내ᄃ고 고온 님 오며ᄂ 뒷발을 ⓔ버동버동 므르락 나으락
ⓕ캉캉 즈져셔 도라가게 흔다.
ⓖ쉰밥이 그릇그릇난들 너 머길 줄이 이시랴.

－ 작자미상 －

01 (가)작품의 갈래인 향가에 대한 설명으로 적절하지 않은 것은?

① 한자의 음과 훈을 빌려서 우리말의 실질적 의미 부분만을 기록하는 독특한 표기 형식으로 기록 되었다.
② 신라 시대부터 고려 시대 초기까지 향유되었던 향찰로 표기된 우리 고유의 시가 형식을 말한다.
③ 향가(鄕歌)는 넓은 의미로 중국 한시(漢詩)에 대응되는 우리 노래의 총칭이다.
④ 향가의 종류 중 (가) 작품이 속한 형태를 가장 완성도 높은 향가로 평가한다.
⑤ 향가의 또 다른 명칭으로는 사뇌가(詞腦歌), 도솔가(兜率歌)라고도 불리었다.

02 〈보기〉의 작품들과 (가)를 비교한 내용으로 옳지 <u>않은</u> 것은?

┌─ 보기 ├─

붉은 바위 끝
암소 잡은 (나의) 손을 놓게 하시고
나를 부끄러워하시지 않으신다면
꽃을 꺾어 바치겠습니다.

- 노옹, 「헌화가」 -

서울 밝은 달밤에
밤 늦도록 놀고 다니다가
들어와 잠자리를 보니
다리가 넷이로구나.
둘은 내 아내의 것이지마는
둘은 누구의 것인고
본디 내 것이었지마는
빼앗긴 것을 어찌하리오

- 처용, 「처용가」 -

.紫布岩乎邊希
執音乎手母牛放教遣
吾肹不喻慚肹伊賜等
花肹折叱可獻乎理音如
東京明期月良
夜入伊遊行如可
入良沙寢矣見昆
脚烏伊四是良羅…
二肹隱吾下於叱古
二肹隱誰支下焉古
本矣吾下是如馬於隱
奪叱良乙何如爲理古

① '처용가'는 '헌화가'의 형식에서 (가)의 형식으로 넘어가는 과도기적 성격의 향가 갈래로 본다.

② '헌화가'는 화자의 의지가 나타나 있다는 점에서 (가)와 유사하다고 할 수 있다.

③ '헌화가'의 형식은 민요나 동요에서 정착된 것으로 보기도 하며 (가)에 비해 향가의 초기 형식으로 본다.

④ '헌화가'와 '처용가'는 향가가 (가)의 형식으로 발전해 나가는 단계의 형식들이며 이러한 형식의 향가는 (가)의 형식이 형성된 이후에는 도태되어 소멸하였다.

⑤ '처용가'는 아내를 범한 역신을 쫓아 내기 위해 지은 노래라는 것에 근거하여 병을 물리치는 노래로 해석할 경우 (가)에 비해 실용적인 목적을 가진 작품으로 볼 수 있다.

03 (가)의 ㉠~㉤에 대한 설명으로 적절하지 <u>않은</u> 것은?

① ㉠-죽음에 대한 두려움을 담고 있다.

② ㉡-문장의 주체는 죽은 누이이다.

③ ㉢-삶의 무상감을 느끼고 있다.

④ ㉣-극락정토에서 만날 화자(나)라는 의미로 윤회 사상이 바탕에 깔려 있다.

⑤ ㉤-화자가 도를 닦겠다는 의지를 보이는 것은 절망으로 인한 체념 때문이다.

04 다음 중 (가)와 (나)의 형식을 비교한 설명으로 알맞지 <u>않은</u> 것은?

① (가)와 (나)는 시상이 전환 되는 부분이 있다는 공통점을 가지고 있다.

② (가)와 (나)는 전체를 세 의미 단락으로 나눌 수 있다는 공통점을 가지고 있다.

③ (나)의 주제는 끝부분에 드러나며 (가)의 주제인 재회의 희망은 첫머리에 드러난다.

④ (가)의 형식적 특징은 '감탄사'를 통해 구현되지만 (나)에서 형식적 제약이 가장 심한 부분은 글자 수에 근거해 제약된다.

⑤ (나)의 두 번째 의미 단락이 시작되는 곳이 '나 흔 간'이라면 (가)의 두 번째 의미 단락이 시작되는 곳은 향가의 발전 과정을 고려할 때 '어느 가을'로 볼 수 있다.

05 (다)와 (라)에 대한 설명으로 알맞지 <u>않은</u> 것은?

① (다)보다 (라)에 언급된 사람의 수가 더 많다.

② (라)는 (다)에는 사용되지 않은 설의법이 사용되었다.

③ (다)에는 대조적 이미지를 지닌 시어가 나타난 반면에 (라)에는 대조적 의미의 시어가 없다.

④ (다)와 (라) 모두 인간적인 감정에 대해 진솔하게 표현했다는 점을 공통점으로 볼 수 있다.

⑤ (다)는 여성작가임을 작가명으로 확인할 수 있고 (라)는 작자미상이지만 표현된 내용을 통해 여성 작가라는 것을 짐작케 한다.

06 (나)~(라)의 갈래에 대한 설명 중 적절하지 <u>않은</u> 것은?

① 고려말에 창작되기 시작해 조선 시대 때에만 창작되고 향유되었던 문학 양식이다.

② 시조라는 명칭은 시절가조(時節歌調)에서 유래해 이 시절에 유행한 곡조란 의미이다.

③ 정형시로서 평시조의 형식은 3장 6구 12음보 45자내외의 특징을 지닌다.

④ 시조의 내용은 충효와 같은 유교사상과 자유롭고 한가로운 삶 등이 주를 이루었으며 조선후기에 들어서면서 그 내용이 다양해졌다.

⑤ 조선 중기 이후에는 평시조의 형식에서 장형화된 사설시조가 조선 전기에 비해 많이 창작되었다.

07 (나)~(라)에 대한 설명으로 적절하지 <u>않은</u> 것은?

① (나)와 (다)는 형식적으로는 유사하나 작가의식이나 작가의 신분은 차이가 있다.

② (다)는 대조적인 계절적 이미지를 활용하여 시적 분위기를 조성하고 있다.

③ (다)에서는 발상의 전환을 통해 유형의 소재를 무형의 소재로 변환 시키고 있다.

④ (라)는 (다)에 비하여 음보율이 많이 파괴된 작품이다.

⑤ (라)와 같은 형식의 시조는 작가가 평민이나 부녀자인 작품이 많다.

08 작품에 나타난 시어의 해석으로 가장 적절하지 <u>않은</u> 것은?

① ⓐ-병풍을 의미하며 대유법이 사용되었다.

② ⓑ-화자에게는 임이 부재한 부정적 시간이다.

③ ⓒ-의태어로 우리말의 묘미를 잘 살리고 있다.

④ ⓓ, ⓔ, ⓕ-ⓓ"Eⓔ"Eⓕ 3곳 모두 음성상징어의 표현이다.

⑤ ⓖ-시조의 보편적인 형식적 제약 부분이다.

09 다음 중 (나)와 〈보기〉에 대한 설명으로 알맞지 <u>않은</u> 것은?

┌─┤ 보기 ├─

누고셔 삼공(三公)도곤 낫다 ᄒ더니 만승(萬乘)이 이만ᄒ랴.

이제 헤어든 소부(巢父) 허유(許由)ㅣ 냑돗더라.

아마도 님천한흥(林泉閑興)을 비길 곳이 업세라

- 윤선도 「만흥」 제4수 -

① (나)와 〈보기〉의 작가 신분은 비슷하나 형식상 〈보기〉는 연시조에 해당한다.

② 〈보기〉의 소부(巢父) 허유(許由)는 영리한 사람들로 자연에 대한 태도를 기준으로 볼 때 (나)의 화자와 상반된 삶의 태도를 가진 사람들이다.

③ (나)는 집 안과 밖의 구별을 허무는 상상력을 통해 자신이 바라는 삶을 표현하였고 〈보기〉는 고사에 나오는 인물들을 언급하여 표현하였다.

④ (나)와 〈보기〉 모두 자연친화적 태도를 표현하고 있다.

⑤ (나)는 자연물을 함께 집에 사는 대상으로 표현하여 의인화하여 시상을 전개하였으며 〈보기〉는 세상의 권력과 자연에서 느끼는 흥을 비교하여 전개하고 있다.

[10~18] 다음 글을 읽고 물음에 답하시오.

(가) 강호(江湖)애 병(病)이 깁퍼 듁님(竹林)의 누엇더니,
　　　관동(關東) 팔빅(八百) 니(里)에 방면(方面)을 맛디시니,
　　　어와 셩은(聖恩)이야 가디록 망극(罔極)ᄒ다.
　　　연츄문(延秋門) 드리ᄃ라 경회(慶會) 남문(南門) ᄇ라보며,
　　　하직(下直)고 믈너나니 옥졀(玉節)이 알ᄑ l 셧다.
　　　평구역(平丘驛) 믈을 ᄀ라 흑슈(黑水)로 도라드니,
　　　셤강(蟾江)은 어듸메오 티악(雉岳)이 여긔로다.
　　　쇼양강(昭陽江) ᄂ린 믈이 어드러로 든단 말고.
　　　ⓐ고신거국(孤臣去國)에 빅발(白髮)도 하도 할샤.
　　　동쥬(東州) l 밤 계오 새와 븍관뎡(北寬亭)의 올나ᄒ니,
　　　삼각산(三角山) 뎨일봉(第一峰)이 ᄒ마면 뵈리로다.

(나) 힝장(行裝)을 다 썰티고 셕경(石逕)의 막대 디퍼,
　　　빅쳔동(百川洞) 겨틱 두고 만폭동(萬瀑洞) 드러가니,
　　　ⓧ은(銀) ᄀ튼 무지게 옥(玉) ᄀ튼 룡(龍)의 초리,
　　　셧돌며 ᄲᆷᄂ 소리 십(十) 리(里)의 ᄌ자시니,
　　　들을 제는 우레러니 보니는 눈이로다.

(다) 금강듸(金剛臺) 민 우층(層)의 션학(仙鶴)이 삿기 치니,
　　　츈풍(春風) 옥뎍셩(玉笛聲)의 첫ᄌ을 ᄭᆡ돗던디,
　　　호의현샹(縞衣玄裳)이 반공(半空)의 소소 ᄯᅳ니,
　　　셔호(西湖) 녯 쥬인(主人)을 반겨셔 넘노ᄂ 듯.

(라) 부용(芙蓉)을 고잣ᄂ 듯 빅옥(白玉)을 믓것ᄂ 듯,
　　　동명(東溟)을 박ᄎᄂ 듯 북극(北極)을 괴왓ᄂ 듯.
　　　놉흘시고 ⓑ망고듸(望高臺) 외로올샤 ⓒ혈망봉(穴望峰)이
　　　하늘의 추미러 므ᄉ 일을 ᄉ로리라,
　　　쳔만(千萬) 겁(劫) 디나ᄃ록 구필 줄 모르ᄂ다.
　　　어와 너여이고 ⓓ너 ᄀ트니 ᄯᅩ 잇ᄂ가.
　　　ᄀ심듸(開心臺) 고텨 올나 듕향셩(衆香城) ᄇ라보며,
　　　만(萬) 이쳔봉(二千峰)을 녁녁(歷歷)히 혀여ᄒ니,
　　　봉(峰)마다 및쳐 잇고 긋마다 서린 긔운,
　　　ᄆᆰ거든 조티 마나 조커든 ᄆᆰ디 마나.
　　　뎌 긔운 흐터 내야 인걸(人傑)을 ᄆᆫ들고쟈.
　　　형용(形容)도 그지업고 톄셰(體勢)도 하도 할샤.

(마) 산듕(山中)을 미양 보랴 동히(東海)로 가쟈ᄉ라.
　　　남여완보(籃輿緩步)ᄒ야 산영누(山映樓)의 올나ᄒ니,
　　　녕농(玲瓏) 벽계(碧溪)와 수셩(數聲) 뎨됴(啼鳥)ᄂ 니별(離別)을
　　　원(怨)ᄒᄂ 듯,
　　　졍긔(旌旗)를 썰티니 오ᄉ(五色)이 넘노ᄂ 듯,
　　　고각(鼓角)을 섯부니 히운(海雲)이 다 것ᄂ 듯.

명사(鳴沙)길 니근 몰이 취션(醉仙)을 빗기 시러,
바다홀 겻틱 두고 히당화(海棠花)로 드러가니,
빅구(白鷗)야 ᄂᆞ디 마라 네 버딘 줄 엇디 아ᄂᆞᆫ.

(바) 샤양(斜陽) 현산(峴山)의 텩튝(躑躅)을 므니불와,
우개지륜(羽蓋芝輪)이 경포(鏡浦)로 ᄂᆞ려가니,
십(十) 리(里) 빙환(氷紈)을 다리고 고텨 다려,
댱숑(長松) 울흔 소개 슬ᄏᆞ장 펴뎌시니,
믈결도 자도 잘샤 모래ᄅᆞᆯ 혜리로다.
고쥬(孤舟) 히람(解纜)ᄒᆞ야 뎡ᄌᆞ(亭子) 우희 올나가니,
강문교(江門橋) 너믄 겨틱 대양(大洋)이 거긔로다.
동용(從容)ᄒᆞ댜 이 긔샹(氣像) 활원(闊遠)ᄒᆞ댜 뎌 경계(境界),
이도곤 ᄀᆞ준 ᄃᆡ 쏘 어듸 잇닷 말고.
홍장(紅粧) 고ᄉᆞ(古事)ᄅᆞᆯ 헌ᄉᆞ타 ᄒᆞ리로다.
강능(江陵) 대도호(大都護) 풍쇽(風俗)이 됴흘시고.
졀효졍문(節孝旌門)이 골골이 버러시니,
비옥가봉(比屋可封)이 이제도 잇다 ᄒᆞ다.
진쥬관(眞珠館) 듁셔루(竹西樓) 오십쳔(五十川) ᄂᆞ린 믈이,
태빅산(太白山) 그림재ᄅᆞᆯ 동히(東海)로 다마 가니,
출하리 한강(漢江)의 목멱(木覓)의 다히고져.
왕뎡(王程)이 유흔(有限)ᄒᆞ고 풍경(風景)이 못 슬믜니,
유회(幽懷)도 하도 할샤 긱수(客愁)도 둘 듸 업다.
션사(仙槎)ᄅᆞᆯ 씌워 내여 두우(斗牛)로 향(向)ᄒᆞ살가,
션인(仙人)을 ᄎᆞ즈려 단혈(丹穴)의 머므살가.

(사) 숑근(松根)을 볘여 누어 풋ᄌᆞᆷ을 얼픗 드니,
ᄭᅮᆷ애 흔 사ᄅᆞᆷ이 날ᄃᆞ려 닐온 말이,
그듸ᄅᆞᆯ ⓔ내 모ᄅᆞ랴 샹계(上界)예 진션(眞仙)이라.
황뎡경(黃庭經) 일ᄌᆞ(一字)ᄅᆞᆯ 엇디 그릇 닐거 두고,
인간(人間)의 내려와셔 우리ᄅᆞᆯ ᄯᆞ오ᄂᆞᆫ다.
져근덧 가디 마오 이 술 흔 잔 머거 보오.
븍두셩(北斗星) 기우려 챵히슈(滄海水) 부어 내여,
저 먹고 날 머겨늘 서너 잔 거후로니,
화풍(和風)이 습습(習習)ᄒᆞ야 냥익(兩腋)을 추혀드니,
구만(九萬) 리(里) 댱공(長空)애 져기면 ᄂᆞᆯ리로다.
이 술 가져다가 ᄉᆞ히(四海)예 고로 ᄂᆞ화,
억만챵ᄉᆡᆼ(億萬蒼生)을 다 취(醉)케 밍ᄀᆞᆫ 후(後)의,
그제야 고텨 맛나 쏘 흔 잔 ᄒᆞ잣고야.
말 디쟈 학(鶴)을 ᄐᆞ고 구공(九空)의 올나가니,
공듕(空中) 옥쇼(玉簫) 소ᄅᆡ 어제런가 그제런가.
나도 ᄌᆞᆷ을 ᄭᆡ여 바다홀 구버보니,
기픠ᄅᆞᆯ 모ᄅᆞ거니 ᄀᆞ인들 엇디 알리.
명월(明月)이 쳔산만낙(千山萬落)의 아니 비쵠 ᄃᆡ 업다.

10 윗글에 대한 설명으로 옳지 <u>않은</u> 것은?

① 윗글을 통해 작자가 강원도로 부임하는 과정에 말[馬]을 이용하였음을 알 수 있다.

② 윗글을 통해 작자가 관동지방을 여행하는 과정에 가마를 이용하였음을 알 수 있다.

③ 작자는 윗글을 통해 관동지방의 자연뿐만 아니라 미풍양속에 대해서도 언급하였다.

④ 윗글을 통해 작자가 강원도에서 이동할 때에 자신의 신분을 철저히 숨겼음을 알 수 있다.

⑤ 작자는 관동지방을 여행할 때 산을 먼저 본 후에 바다 쪽으로 이동했음을 윗글을 통해 알 수 있다.

11 〈보기〉 중 (나)의 ㉠에 사용된 표현법이 나타난 것으로 가장 알맞게 짝지어진 것은?

┤ 보기 ├

ⓐ - 어와 뎌 디위를 어 이흐면 알 거이고

ⓑ - 들을 제눈 우레러니 보니눈 눈이로다.

ⓒ - 동산(東山) 태산(泰山)이 어느야 놉돗던고

ⓓ - 정긔(旌旗)를 썰티니 오식(五色)이 넘노는 듯,

① ⓐ, ⓑ 　　② ⓐ, ⓒ 　　③ ⓑ, ⓒ 　　④ ⓑ, ⓓ 　　⑤ ⓒ, ⓓ

12 〈보기〉는 윗글의 일부분이다. (나)~(바) 중 〈보기〉에서 밝힌 화자의 포부가 실현된 것으로 볼 수 있는 부분이 가장 잘 나타나 있는 것은?

┤ 보기 ├

회양(淮陽) 녜 일홈이 마초아 ᄀᆞ틀시고.

급댱유(汲長孺) 풍치(風彩)를 고려 아니 볼 게이고.

① (나) 　　② (다) 　　③ (라) 　　④ (마) 　　⑤ (바)

13 (가)에 대한 설명으로 옳지 <u>않은</u> 것은?

① '병'은 자연을 사랑하는 마음을 의미한다.

② 작자는 임금님에게 감사함을 표현하고 있다.

③ 작자가 왕에게 임명장을 받는 장면이 자세히 묘사되어 있다.

④ 당시 사용된 산과 강의 이름을 통해 작자가 지나는 지역을 알 수 있다.

⑤ '삼각산 뎨일봉'은 임금님이 계신 곳으로 임금님을 생각하는 신하로서의 면모가 나타나 있다.

14 ⓐ~ⓔ 중 궁극적으로 뜻하는 대상이 <u>다른</u> 하나는?

① ⓐ 고신(孤臣)
② ⓑ 망고딕(望高臺)
③ ⓒ 혈망봉(穴望峰)
④ ⓓ 너
⑤ ⓔ 내

15 (사)에 대한 설명으로 알맞지 <u>않은</u> 것은?

① '흔사 룸'의 말을 통해 화자 자신에 대해 도를 성취한 신선이라고 인식하는 내용을 나타내고 있다.
② '흔사 룸'은 화자와 대립함으로써 주제를 대조적으로 부각시키는 역할을 하고 있다.
③ 현실에서 꿈으로, 꿈에서 현실로 전환되는 과정이 나타나 있다.
④ 등장 인물의 행동을 표현 하는 가운데 호방한 기상을 담고 있다.
⑤ 임금님의 은총이 온 세상에 가득함을 나타내는 부분이 있다.

16 다음 중 〈보기〉와 관련이 가장 <u>적은</u> 것은?

┤ 보기 ├

신선 사상 : 속세를 떠나 선계에 살며 젊음을 유지한 채 장생불사한다는 신선의 존재에 이를 수 있다고 여기는 도교교리이다. 사람은 본래 한번 태어나면 반드시 늙어 죽게 마련이나, 그런숙명에서 벗어나 젊게 오래 살기를 바라는 마음이 생기고, 그 마음이 확대되어 불로장생을 갈구하는 신선 사상을 형성하기에 이르렀다.

① 비옥가봉(比屋可封)이 이제도 잇다 홀다.
② 우개지륜(羽蓋芝輪)이 경포(鏡浦)로 ᄂ려가니,
③ 명사(鳴沙)길 니근 물이 취션(醉仙)을 빗기 시러,
④ 구만(九萬) 리(里) 댱공(長空)애 져기면 ᄂ리로다.
⑤ 금강딕(金剛臺) 믿 우층(層)의 션학(仙鶴)이 삿기 치니

17 다음 중 〈보기〉의 밑줄 친 부분과 같은 정서가 드러나는 표현이 있는 것은?

┤ 보기 ├

딕심거 울을 삼고 솔심거 정자(亭子)ㅣ로다
백운(白雲) 덥힌 곳듸 날 잇는 줄 제 알니
정반(庭畔)에 학(鶴) 배회(徘徊)ᄒ니 긔 벗인가 ᄒ노라

우리 문학의 전통은 자연에 대한 태도에서도 드러난다. 서양의 문학이 자연을 이용의 대상이나 두려움의 대상으로본 반면 우리나라는 자연을 친화의 대상으로 보았다. 그중에서도 돋보이는 것은 자연과 내가 하나라는 생각이 작품에 나타나는데 이는 자연친화적인 태도 중에서도 가장 높은 경지로 볼 수 있다.

① (가) ② (나) ③ (라) ④ (마) ⑤ (바)

18 (다)~(사) 중 〈보기〉의 [A], [B]에 해당하는 부분으로 가장 알맞게 짝지어진 것은?

┤ 보기 ├

사람은 개인과 사회인으로서의 모습을 동시에 지닌다. 관동별곡의 작가인 송강 정철은 관리로서 좋은 정치를 펼치고 싶다는 유교적·사회적 가치를 추구하는 모습과 속세의 의무와 질서에 얽매이지 않고 자유로운 삶을 살고 싶다는 도교적·개인적 가치를 추구하고 있다. 이런 이유로 [A]공적이고 이상적인 자아와 사적이고 감성적인 자아는 갈등을 나타낸다. 이러한 자아의 충돌로 인한 갈등을 해결하는 방법으로 작가는 [B]선정을 펼친 후 자유로운 삶을 살겠다는 결론에 도달함으로써 갈등을 극복하고 있다.

   [A]   [B]
① (다) (마)
② (라) (바)
③ (라) (사)
④ (마) (사)
⑤ (바) (사)

MEMO

MEMO

고등
국어
HIGH SCHOOL

실전기출 문제은행

정답 및 해설

2A
2학기중간

신사고 | 민현식

(1) 어떻게 읽을까

확인학습
P.12

01 × 02 ○ 03 × 04 × 05 ○ 06 ○ 07 ○ 08 ○
09 × 10 ○ 11 × 12 × 13 × 14 × 15 × 16 ○
17 ○ 18 ○ 19 ○ 20 ○

객관식 기본문제
P.13~14

01 ②   02 ④   03 ③
04 윤두서의 '자화상'은, 지정되어 있다.

01 1~2문단에서 필자가 '자화상'을 처음 보고 느낀 점을 주관적으로 드러내고 있다.

02 좌우대칭으로 그려져 있으나, 얼굴 전체에서 바깥으로 뻗어 난 수염이 표정을 화면 위로 떠오르듯 하고 부드러운 곡선을 이루며 휘어진 탕건이 머리 전체에 부피감을 주고 있다. 이로 인해 '자화상'이 입체감이 상실되었다고는 할 수 없다.

03 '눈에 가득 보이는 것이라고는 귀가 없는 사실적인 얼굴 표현뿐인데 그 시선은 정면을 뚫어져라 응시하고 있다. 이러한 초상이 무섭지 않다면 오히려 이상한 일이다.'를 통해 알 수 있다.

객관식 심화문제
P.15~23

01 ⑤   02 ③   03 ④   04 ③
05 ②   06 ③   07 ②   08 ①
09 ①   10 ③   11 ②   12 ⑤
13 ②   14 ②   15 ①   16 ①
17 ①   18 ⑤   19 ④   20 ①

01 다른 대상과 비교하여 가설을 입증하고 있는 부분은 확인할 수 없다.

02 본문에서 확인할 수 없는 내용이다. 또한 본문에 따르면 화면상에는 인물에 대한 구체적인 정보가 전혀 나타나 있지 않다.

03 본문의 "화면상에는 이분이 누구인지 알려 주는 글씨가 한 자도 없다."라는 내용을 통해 확인할 수 있다.

04 낙인 = 쇠붙이로 만들어 불에 달구어 찍는 도장

05 제목에서 알 수 있듯이 이 글의 글쓴이는 '자화상'을 예찬하고 있고, 국보로 지정되어 있는 것에 대해 부정적 견해를 띠고 있지 않다.

06 옥에 갇혀 칼을 쓴 인물처럼 머리만 따로 허공에 들려 있는 느낌을 주는 것은 사진이 아니라 그림에 해당한다.

07 본문에서 확인할 수 없는 내용이다.

08 "그러므로 다시 한 번 찬찬히 '자화상'을 살펴보기로 하자."에서 확인할 수 있다.

09 읽기의 전, 중, 후에서 선택한 읽기 방법에 따라 읽기의 결과는 달라질 수 있다. 그러나 읽기의 방법이 각각에 고정되어 있지는 않다.

10 인물이나 필자의 개인적, 시대적 배경 등과 관련지어 감상하며 읽기 = 깨달음이나 즐거움을 얻기 위한 읽기
전체 내용을 훑어 읽으면서 필요한 정보를 파악하기 = 지식이나 정보를 얻기 위한 읽기

11 이 글은 우리나라 최고의 초상화로 평가받는 윤두서 '자화상'에 관한 미술 비평문이다. 윤두서 '자화상'에 관한 정보와 작품에 대한 필자의 감상과 평가가 담긴 글이다.

12 첫 단락에서 초상화는 자기 얼굴을 직접 그린 자화상이라고 했기 때문에 화가가 윤두서의 얼굴을 관찰했다는 설명은 적절하지 않다.

13 본문에서 "그런데 극사실로 그려진 이 작품 속의 인물은 놀랍게도 귀가 없다. 목과 상체도 없다~"라는 구절을 통해 확인할 수 있다.

14 문맥을 살펴보면 앞 내용과 다른 내용을 말할 때 쓰여 앞뒤 문장을 이어 주는 말인 '그러나'가 들어가야 적절하다.

15 (마)단락에서 "이상의 의문점들은 먼저 '자화상'을 꼼꼼히 살펴보고, 또 옛 분들이 남긴 윤두서에 대한 기록을 자세히 대조해 봄으로써 풀어 나갈 수 있다."라는 구절을 통해 확인할 수 있다.

16 신체는 터럭과 피부까지(신체발부) 다 부모님으로부터 받은 것이니(수지부모) 감히 다치고 상하게 할 수 없다.(불감훼상) 이것이 효도의 시작이다.(효지시야) 그리고 몸을 세워 도를 행하여(입신행도) 후세까지 이름을 드날림으로써 부모님을 드러나게 할 것이니,(이현부모) 이것이 효도의 마지막이니라.(효지종야)

17 〈보기〉에서 언급한 "그가 그림을 그릴 때는 먼저 대상을 면밀히 관찰하고, 털끝 하나까지 그 참모습에 의심이 없다고 생각하였을 때 ~"라는 구절이 (다)단락의 극사실주의로 그려졌다는 내용과 부합한다.

18 동정 : 한복의 저고리 깃 위에 조금 좁은 듯하게 덧대어 꾸미는 하얀 헝겊 오리.

19 본문에서 확인할 수 없는 내용이다.

20 (나) 단락에서 비극적인 최후를 맞이했던 인물인지도 모른다고 추측을 하였지, 실제 윤두서가 비극적 최후를 맞이했는지는 확인할 수 없다.

(2) 토론과 논증

P.31

확인학습

01 ○   02 쟁점   03 ○   04 ×   05 ×   06 ○   07 ×   08 ○
09 주장, 이유, 근거   10 ×   11 ○   12 ×   13 ○   14 ○
15 ○   16 ○   17 ○   18 ×   19 ×   20 ○

객관식 기본문제

P.32~36

01 ④   02 ④   03 ③   04 ③
05 ③   06 ②

01 양측의 정책 시행으로 인한 결과를 예측하는 부분은 드러나지 않는다.

02 '하지만 고당류 음료에 부과된 세금이 직접적으로 국민 건강을 위해 쓰일지는 확신할 수 없습니다. 세금의 징수와 집행은 별개의 문제이며, 국민 건강을 위한 예산을 꼭 '설탕세'와 같은 정책을 통해 마련해야 하는 것도 아닙니다.' 통해 국민의 건강을 저해하는 요인에서 확보하는 것이 필요 하지 않음을 말하고 있다.

03 (나)의 내용은 가공식품을 통한 당류 섭취량이 상승했다는 통계자료이다. 이 자료를 바탕으로는 당과 비만의 상관성이 미흡함을 지적할 수 없다.

04 ① 찬성 측의 입론에서 전문가의 말을 인용하는 부분은 찾을 수 없다.
② '비만율이 증가하고 있다는 것은 저희도 알고 있습니다.'로 근거가 사실과 다름을 지적하고 있지 않음을 알 수 있다.
④ 감정에 호소하고 있는 부분은 알 수 없다.
⑤ 당의 순기능에 대해 반대 측의 입론이었으므로 그에 대한 역기능은 새로운 쟁점 제시라고는 볼 수 없다.

05 위 자료는 6~29세 사이에 있는 청소년층이 탄산음료를 통해 당을 가장 많이 섭취함을 제시하는 자료이다. 따라서 C의 활용 방안으로 가장 적절하다.

06 ㄱ: '최근 세계 각국이 설탕과의 전쟁을 선언하고 '당 줄이기' 운동을 펼치고 있습니다. 우리나라 역시 '제1차 당류 저감 종합 계획'을 발표하여 2020년까지 가공식품을 통한 당 섭취량을 하루에 섭취하는 총열량의 10퍼센트 이내로 낮추겠다는 목표를 밝혔습니다.'를 통해 논제가 제시된 배경을 설명하고 있음을 알 수 있다.
ㄷ: 사회자의 말의 끝부분에서 토론자들의 발언 순서와 성격을 지정해 줌을 알 수 있다.

객관식 & 서술형 심화문제

P.37~47

01 ①   02 ③

03 올바르다.
그렇게 판단한 이유는 교차조사는 상대측 입론의 논증에 대해 타당성과 적절성을 판단하여 논리적 오류를 부각시켜야 하는데, ㉠ 질문은 전체 유기견 중 10%도 안 되는 유기동물만 주인을 찾았다는 사실을 부각시켜, 찬성측이 주장하는 동물등록제의 효과가 실제로는 부족하다는 것을 보여주기 때문이다.

04 ⑤   05 ④   06 ⑤   07 ④
08 ③   09 ③   10 ③   11 ③
12 ⑤   13 ②   14 ①   15 ⑤
16 ③   17 가공음료를 통한 당 섭취가 건강을 위협하는가?

01 ㄱ에서 배경 설명을 하는데 이는 토론을 지연하는 것은 아니다.

02 예상 독자의 수준을 고려하여 글을 쓰는 전략이 필요하다. 글의 설득력 보다는 이해가 우선이므로 친구들이 예상 독자라면 알기 쉬운 말을 써야 한다.

04 고당류 음료의 가격을 높여 소비를 줄여 당 섭취를 낮추자는 주장에서 주장이 관철될 경우의 기대효과는 없다.

05 사회자가 토론의 원만한 진행을 위해 갈등을 중재하는 모습은 보이지 않는다.

06 양측은 모두 우리나라 국민의 비만율이 증가하는 추세인 것은 인정하고 있다. 다만 그것이 온전히 당때문인지에 대해 의견이 갈리고 있다.

07 논제는 3가지로 분류된다. 사실논제, 정책논제, 가치논제인데, 사실논제는 말 그대로 사실 여부를 가리는 논제이다. 그 논제가 '사실'이라는 것이 명백하게 드러날 근거가 나타난다면 토론은 끝나게 된다. 아직 진실이 밝혀지지 않은 과거의 역사적 사실이나, 원인과 결과에 대한 논제, 범죄 성립 여부를 두고 법정에서 변호사와 검사 사이의 공방 등이 모두 사실논제에 해당된다. 가치논제는 옳은지 그른지, 바람직한지 아닌지, 좋은지 나쁜지 등의 가치판단이 쟁점이 되는 논제이다. 어떤 것이 가치가 있음을 주장하거나 반대로 가치가 없음을 주장할 수 있다. 또는, 특정 가치가 다른 어떤 가치보다 우선한다고 주장하는 등의 내용을 다룰 수 있다. 정책논제는 현 상황, 현 정책, 현 행동에 변화를 추구하는 문제를 논한다. 주로 '~을 해야 한다'는 형태의 논제가 된다. 논제는 변화해야 한다는 주장을 담아 표현한다. 그래서 변화를 주장하는 측이 '찬성측', 현 상황의 유지를 주장하는 측이 '반대측'이 되도록 논제를 만든다. 정책논제는 결국 사실과 가치에 대한 논의도 포함하기 때문에 교육 목적으로도 많이 활용된다.

08 상대방이 제기하는 문제점을 해결할 수 있는 대안으로 다른 성공 사례를 제시하고 있지 않다.

09 식품회사의 편법을 막기 위한 가격 규제에 대한 내용은 논제와 쟁점에 어긋난다.

10 찬성2의 교차조사에서는 다른 나라의 사례를 들어 반대측의 주장에 대해 반론을 제기하고 있다. 이 부분에서 성급한 일반

화의 오류를 범하고 있지 않다.

11 논제는 3가지로 분류된다. 사실논제, 정책논제, 가치논제인데, 사실논제는 말 그대로 사실 여부를 가리는 논제이다. 그 논제가 '사실'이라는 것이 명백하게 드러날 근거가 나타난다면 토론은 끝나게 된다. 아직 진실이 밝혀지지 않은 과거의 역사적 사실이나, 원인과 결과에 대한 논제, 범죄 성립 여부를 두고 법정에서 변호사와 검사 사이의 공방 등이 모두 사실논제에 해당된다. 가치논제는 옳은지 그른지, 바람직한지 아닌지, 좋은지 나쁜지 등의 가치판단이 쟁점이 되는 논제이다. 어떤 것이 가치가 있음을 주장하거나 반대로 가치가 없음을 주장할 수 있다. 또는, 특정 가치가 다른 어떤 가치보다 우선한다고 주장하는 등의 내용을 다룰 수 있다. 정책논제는 현 상황, 현 정책, 현 행동에 변화를 추구하는 문제를 논한다. 주로 '~을 해야 한다'는 형태의 논제가 된다. 논제는 변화해야 한다는 주장을 담아 표현한다. 그래서 변화를 주장하는 측이 '찬성측', 현 상황의 유지를 주장하는 측이 '반대측'이 되도록 논제를 만든다. 정책논제는 결국 사실과 가치에 대한 논의도 포함하기 때문에 교육 목적으로도 많이 활용된다.

12 반대 측의 입장으로서 식습관이 바뀌지 않는다는 근거는 문제 해결의 가능성이 낮다는 것의 근거가 될 수 있다.

13 인기있는 품목의 경우 가격이 올라도 줄어들지 않는다는 내용이다. 이는 과시적 소비와는 관련이 없다.

14 가공음료를 통해 당을 섭취한다는 내용은 있으나, 가공 음료를 청소년이 많이 마신다는 객관적 근거 자료는 없다.

15 보통 교차 신문식 토론에서는 찬성측은 현상 유지, 반대 측은 현상 변화의 측면에서 토론을 진행한다.

16 위의 토론에서는 토론자의 발언 내용을 요약하고 정리하는 부분은 없으며, 논제에 대한 의견을 제시하여 토론 참여를 유도하는 부분도 보이지 않는다.

(3) 힘 있는 설득

확인학습　　　　　　　　　　　　　　　　　　　　　　　　　　　　　P.50

01 ○　02 ○　03 ○　04 ×　05 ○　06 ×　07 ○　08 ×
09 ○　10 ○

객관식 기본문제　　　　　　　　　　　　　　　　　　　　　　　　　P.51~53

01 ④　　　02 ②　　　03 ②　　　04 ①

01 실제 심폐 소생술 교육을 받은 사람의 말을 인용한 부분은 찾을 수 없다.

02 영상의 제시는 고쳐 쓰기 과정이 아니다.

03 심폐 소생술 비율이 증가함에도 심정지 환자의 생존률이 낮아진다는 것은 위 글과 맞지 않는 근거 자료이다.

04 윗 글의 심폐 소생술을 배우자는 주장은 글의 목적과 부합하므로 점검 결과는 o가 되어야 한다.

객관식 심화문제　　　　　　　　　　　　　　　　　　　　　　　　　P.54~58

01 ①　　　02 ④　　　03 ③　　　04 ④
05 ②　　　06 ②　　　07 ⑤　　　08 ④
09 ④

01 첫 번째 문단에 사례가 등장하고, 두 번째 문단에서 질문을 던지는 방식을 사용했다.

02 자료 2에서는 일반인이 실시한 심폐 소생술 비율이 높아지고 있음을 알 수 있다.

03 '차라리'는 '예상한 것과 달리'의 뜻이 아니라 '저렇게 하는 것보다 이렇게 하는 것이 나음을 나타내는 말'이다.

04 '심폐 소생술'이 글쓴이의 관심 분야라고는 보기 어렵다.

05 주제가 글의 첫머리 부분에 나오지 않는다. 첫머리에는 흥미를 유발하기 위한 사례가 등장한다.

06 전문가 견해를 인용하여 자신의 주장이 타당함을 강조하고 있는 것은 찬성 측이다.

07 반대측의 입론의 내용 중 '국내 여론 역시 아직까지는 통일에 대한 부정적인 의견이 많습니다.'라는 주장에 대한 반박 근거로는 ⑤가 적절하다.

08 통일비용보다 통일 후 편익이 더 크므로 통일을 단기적으로 이룰지 장기적으로 이룰지에 대해 양측의 주장이 갈리고 있다.

09 교차조사토론의 다른 명칭은 CEDA토론이다.

서술형 심화문제　　　　　　　　　　　　　　　　　　　　　　　　　P.59~60

01 찬성 주장 측 입론자의 입론으로 시작한다.

02 (1) ㉡–문맥에 맞도록 단어가 적절히 제시되었는가.
　　　㉢–문장의 필요한 성분을 모두 갖추고 있는가?
　　(2) ㉠–문맥에 맞도록 단어가 적절히 제시되었는가?
　　　㉡–문장의 필요한 성분을 모두 갖추고 있는가?
　　　㉢–조사나 어미가 적절하게 사용되었는가?

03 (1) 내가 전하고 싶은 말은 너희가 포기하지 않고 최선을 다하기를 바란다는 것이다.
　　(2) 비록 우리가 우승을 못 했지만 최선을 다했으니 경기는 이긴 것이나 다름 없다.
　　(3) 이 가구는 최고급 제품으로서 100% 인도네시아산 원목으로써 만들어졌습니다.
　　(4) 우리는 세상에 순응하기도 하고 때로는 세상을 바꾸기도 한다.
　　(5) 이 세상에는 다양한 사람들이 있으며 성격도 제각각 다르다.

01 ⑤　　　　02 ③　　　　03 ③

04 윤두서 '자화상'은 자신에 대한 심오한 상념이 전개되는 과정과 생생한 자기 성찰의 흔적을 그대로 보여 주고 있기 때문이다.

05 ③　　　　06 ①　　　　07 ⑤　　　08

09 ④　　　　10 ②　　　　11 ③

01 윤두서 '자화상'이 초상화로서 지닌 시대적 한계에 대해서는 언급하고 있지 않다.

02 '자화상에 대한 필자의 생각에 반박할 부분을 찾아 필자의 생각을 평가하며 읽었다.'는 깨달음이나 즐거움을 얻기 위한 읽기 활동이 아니라, 내용이나 주장의 적절성을 평가하기 위한 읽기 활동이다.

03 '자화상'에 대한 필자의 생각에 반박할 부분을 찾아 필자의 생각을 평가하며 읽는 것은 내용이나 주장의 적절성을 평가하기 위한 읽기 목적에서 적용할 수 있는 읽기 방법이다.

05 ㄴ. 교차 조사 토론은 정해진 절차가 있으며 준비된 말하기 자세가 필요하다.

ㄷ. 상대방의 의견이나 제안도 수용할 줄 알며 무조건 물리치기보다는 논리적으로 반박하는 자세가 필요하다.

06 현상 유지와 현상 변화에 대한 주제로 쓰기에 적절한 답은 ①이다.

07 반대 측의 '비만율이 증가하고 있다는 것은 저희도 알고 있습니다. 그런데 비만의 원인이 당 섭취에 있다고 단정하는 근거가 있나요?'라는 교차 조사를 하고 있다.

09 예상되는 반박에 대비한 해결방안의 제시는 나타나지 않는다.

10 청소년의 고카페인 음료 섭취량이 늘어나고 있는 상황에서 과도한 당의 섭취를 문제 삼고 있다. 이는 어떤 유익한 정보의 제공에 대한 내용은 아니다.

11 많은 가공 음료를 통해 당섭취를 하는 것이 쟁점이므로 음료의 종류는 이 토론의 내용과 상관이 없다.

(1) 문학을 보는 다양한 눈
-그 사람의 손을 보면

확인학습　　　　　　　　P.71

01 ○　02 ○　03 ×　04 ×　05 ×　06 ×　07 ○　08 ○

09 ○　10 ○　11 ×　12 ×　13 ×　14 ×　15 ○　16 ×

17 ×　18 ○　19 ○　20 ○

객관식 기본문제　　　　　　　P.72~75

01 ①　　　02 ③　　　03 ④　　　04 ②

05 무언가를 닦거나 깨끗하게 하는 사람이며, 모두 빛을 내는 사람들이다.

06 ①　　　07 ⑤

01 화자는 구두 닦는 사람, 창문 닦는 사람, 청소하는 사람을 관찰해서 얻은 깨달음을 통해서 시상을 전개하고 있다.

02 무언가를 닦거나 깨끗하게 하는 사람들을 보고 그 사람들에 대한 연민을 느끼고 있지는 않다.

03 독자에 초점을 맞추어 작품을 감상하는 '효용론적 관점'은 작품에 대한 감상을 독자 자신의 삶에 적용할 줄 알아야 한다. 4번 보기의 '빛을 내는 사람이 되어야겠다'라는 독자의 생각으로 보아 4번이 적절하다.

04 위 시에 제시된 무언가를 닦거나 깨끗하게 하는 사람들은 모두 긍정적인 대상이다. 때문에 가장 긍정적인 인물로 평가될 수 있는 것은 ②의 김노인이다.

05 대상을 바라보며 느낀 깨달음이나 감정 따위가 서술 되어야 하므로 정답은 ①이다.

07 대상의 가치를 파악했으나 그것을 통해 자신의 삶을 성찰하거나 반성하는 것은 아니다.

객관식 & 서술형 심화문제　　　　P.76~81

01 ⑤　　　02 ⑤　　　03 ①　　　04 ①

05 ②　　　06 ①　　　07 ④　　　08 ③

09 ③　　　10 ③

11 김 씨의 선행은 눈에 잘 띄지 않을 수 있는 작은 행위일 수도 있지만 자신이 할 수 있는 위치에서 다른 사람에게 보탬이 되기 위해 최선을 다하는 빛이 나는 행동으로, 김 씨는 '마음 닦는 사람'이라고 볼 수 있다.

12 ②　　　13 ④

01 시적 대상들이 변하는 과정은 보이지 않는다.

02 창문 닦는 일은 다른 사람들의 선망의 대상이 되는 직업이 아니다.

03 원경에서 근경으로의 시선의 이동에 주목하면 정답은 ①이다.

04 ①은 사회 현실을 바탕으로 작품을 감상하는 외재적 관점 중 하나인 '반영론적 관점'이다. 나머지 4개의 보기는 오로지 작품만을 두고 감상하는 내재적 방법인 '절대론적 관점'이다.

05 구두 닦는 사람이나, 창문 닦는 사람, 청소하는 사람이라는 대상을 관찰하며 대상이 지닌 고귀한 성자같은 모습이라는 참된 가치에 대해 성찰하고 있다.

06 검은 것과 흰 것, 비누 거품과 맑은 것, 쓰레기와 깨끗한 것 등의 대립적인 시어를 통해 대상이 지닌 가치를 부각하고 있다.

07 반어적 표현은 드러나지 않는다.

08 자신이 하는 일과 대조되는 세계를 추구한다는 사실은 알 수 없다.

09 지수는 자신을 위해서 공부를 열심히 하는 것이다. 나머지는 누군가를 위해서 무엇인가를 하는 인물들이다.

10 구두 닦는 이, 창문 닦는 이, 청소하는 이에게서 참된 가치에 대해 깨닫고 성찰하고 있다.

12 수미상관 기법이 쓰이지 않았다.

13 원경에서 근경으로, 구두 닦는 모습에서 구두 끝까지의 시선의 이동과 가장 유사한 것은 ④의 시이다.

(1) 문학을 보는 다양한 눈 -엄마의 말뚝 2

확인학습 P.83

01 × 02 ○ 03 ○ 04 × 05 ×

확인학습 P.85

01 ○ 02 × 03 × 04 ○ 05 ×

확인학습 P.87

01 × 02 ○ 03 × 04 ○

05 틀니를 빼 놓아 잇몸만으로 이를 가능 시늉을 하는 게 얼마나 처참한 것인지 나 말고 누가 또 본 사람이 있을까.

확인학습 P.89

01 × 02 ○ 03 × 04 ○ 05 ×

확인학습 P.91

01 어머니의 장례 준비에 대한 생각을 하지 않고 있었기 때문

02 × 03 ○ 04 ○ 05 ×

객관식 기본문제 P.93~100

01 ① 02 ③ 03 ① 04 ②
05 돌아가시다 06 분단이라는 괴물을 무화시키는 길이었기 때문에
07 어머니는 아직도 투병중이시다. 08 ③ 09 ②
10 ③ 11 ④ 12 ① 13 ③
14 ① 15 ③ 16 ② 17 ①
18 ⑤ 19 ②

01 이 글은 어머니의 사후 문제와 오빠의 비극적인 죽음에 대한 내용이 주를 이룬다.

02 ㉠은 일종의 관용적 표현에 해당한다.

04 ㉡는 김소월의 '진달래꽃'으로, 이별을 담담하게 받아들이는 은 명 순응적 태도가 나타나 있다. ① 윤동주 '서시' ③ 김상옥 '사향' ④ 윤동주 '쉽게 씌어진 시' ⑤ 신석정 '슬픈 구도'

06 어머니는 자신의 시신을 화장하여 유골을 고향 쪽에 뿌리는 것이 그리운 고향을 찾아가는 길이라고 생각하고 있다.

07 개인의 고통이 민족의 고통이라는 점에 착안한다.

08 엄마 본인의 마음이나 당시 심리상태이므로 엄마가 자신의 이야기를 하는 구조라면 더욱 자세히 알 수 있다.

09 반 아이들끼리 편을 나누고 싸우고 하는 것도 문 안 아이들끼리만 가능한 것이라고 하였다.

10 엄마의 우월 의식으로 인하여 문 안 학교에 다니는 것이 문 안 아이들로부터 따돌림을 당하는 결과를 낳았다.

11 문 밖에도 교육의 기회는 주어지고 있다.

12 엄마의 자식에 대한 교육열과 한맺힘, 문 안이 아닌 문 밖이지만 서울에 말뚝을 박았음에 안도하는 모습이 느껴지는 부분이다.

13 ㉢은 좋지 못한 사람과 가까이하면 악에 물들게 된다는 뜻이다.

14 이 소설은 '말뚝'이라는 상징적인 소재를 바탕으로, 엄마에 대한 서술자의 복합적인 내면의 심리를 섬세하고 묘사한 작품이다.

15 '말뚝'은 '나'에게는 구속적인 의미를 지닌 것이기도 하다.

17 과거의 기억을 떠올리며 과거의 생활을 그리워하고 있다.

18 엄마의 희생적인 태도는 비합리적인 태도로 이해될 수도 있다.

19 엄마는 문 안에서의 생활보다는 문 밖에서의 생활을 중요시했다.

객관식 & 서술형 심화문제 P.101~109

01 ⑤ 02 ⑤ 03 ①
04 자신의 아들을 찾아내지 못하기를 바라고 있다.
05 ⑤ 06 ③ 07 ① 08 ①
09 '나'는 저승사자를 보는 일 없이 온전한 정신으로 자식들과 작별의 과정을 거치며 임종하기를 바랄 것이다.
10 ④ 11 ④ 12 ① 13 ⑤
14 끈질긴 생명력으로 역사에 맞서 현실 참여적인 행동을 하려는 의지를 가리킨다.
15 ⑤ 16 ① 17 ③ 18 ④
19 전짓불
20 아들이 잡혀갈지도 모른다는 공포심과 사랑하는 아들을 병신자식이라고까지 말하면서 아들이 잡혀가지 않기를 애원하는 비굴함이 동시에 나타나 있다.

01 이 글은 '나'와 어머니의 대화를 통해 어머니가 두려워하는 대상에 대해 설명하고 있다.

02 이 글에서 아들을 잃은 슬픔을 극복하려는 어머니의 의지는 찾아보기 어렵다.

03 '사시나무 떨 듯'은 몹시 떠는 것을 비유적으로 표현한 말이다. '능청스럽다'는 속으로는 엉큼한 생각을 숨기고 겉으로는 천연덕스럽게 행동하는 것을 뜻하므로 바꾸어 쓸 수 없다.

04 "군관 나으리, 우리 집엔 여자들만 산다니까요." 등에 담겨 있는 어머니의 심정을 파악하여 서술하도록 한다.

05 병원에 입원한 고령의 어머니가 이상 행동을 보이자 '나'는 어머니가 저승사자를 보고 있다고 믿고 두려워하고 있다.
① 어머니는 겉으로는 세 들어 사는 주인집에 쩔쩔매지만 속으로는 첩을 들인 주인집을 경멸하고 있다. ② '나'는 가게 진열장을 깨트렸지만 어머니는 꾸중하지 않는다. ③ 어머니는 집도 없고 경제적으로 여유가 있는 것은 아니지만 고향의 재산과 시아버지에 대한 긍지를 가지고 있다. ④ '나'는 어머니가 병원에서 최고령의 환자일 것이라고 추측하고 있지만 사실인지는 알 수 없다.

06 서술자인 '나'는 어머니의 모습을 관찰하고 이에 대한 자신의 생각과 감정을 표현함으로써 어머니가 '나'에게 미친 영향을 함께 보여 준다.

07 '나'는 유리를 깨트려서 혼이 나는 과정에서 '나'와 닮은 엄마의 얼굴을 보며 마음이 뭉클해진다. 그리고 유리를 깬 일에 대해 혼이 나지 않아 안도했을 것이다.

08 어머니는 자녀의 교육을 위해 도시에 살면서도 물질적이고 세속적인 도시 사람들의 삶을 경멸하는 태도를 보인다. 따라서 돈 몇 푼 때문에 인간의 존엄성을 잃지 않기 위해 '나'를 혼내지 않는 것이라고 추측할 수 있다.

09 [A]에서 '나'는 저승사자가 모습을 보이지 않고 생을 다하게 하는 것이 도리이자 자비라고 말하고 있다. 이를 통해 '나'는 온전한 정신으로 가족들과 차분하게 이별을 준비하며 임종하기를 바랄 것임을 알 수 있다.

10 (가)는 가족이 겪은 전쟁의 비극을, (나)는 이념의 차이로 인한 갈등을 이야기하고 있다.

11 어머니의 뺨을 때린 행동은 어머니를 환각으로부터 깨우기 위한 것이다. 어머니의 말뚝을 제거하거나, 어머니에게 반항하기 위해서 저지른 패륜이라고 보기는 어렵다.

12 '나'는 어머니의 이상 행동을 몹시 안타까워하지만, 어머니의 광분에 어쩔 수 없이 힘을 써서 제압하고 있다.
② 무슨 일이든 너무 오래 끌면 그 일에 대한 성의가 없어서 소홀해짐. ③ 그럴 리 없을 것이라고 마음을 놓거나 요행을 바라는 데에서 탈이 난다. ④ 마음속으로만 애태울 것이 아니라 시원스럽게 말을 해야 한다. ⑤ 처음에는 달콤한 말로 꾀어서 위로해 주는 체하다가 결국은 위험한 처지에 몰아넣는 경우.

13 '현'은 투쟁을 통한 결과보다는 인간의 생명을 중요하게 여기고 있다. 따라서 생명의 본질을 찾으려는 유치환의 '생명의 서'가 인물의 태도와 가장 유사하다.
①은 소박한 전원생활의 여유로움과 즐거움을 표현한 작품이다. ②는 조국 독립에의 의지를 드러내고 있는 작품이다. ③은 지식인으로서의 부끄러움을 쓴 작품이다. ④는 암울한 시대의 비극적 인식이 담겨 있는 작품이다.

14 (나)에는 작가의 현실 참여 의식이 담겨 있다.

15 '전짓불'은 박준이 느끼는 공포의 원인이자, 작가의 양심을 위협하는 상징적 소재이다. 그러므로 박준이 전짓불과 같이 세상을 밝히고 싶어 한다는 설명은 적절하지 않다.

16 소설은 작가의 상상력을 바탕으로 한 이야기이므로 실제 삶과 관련이 있을 필요는 없다.

17 오빠를 본 인민 군관이 이 집에는 여자들만 살고 있다고 한 어머니의 말을 비꼬기 위해 물은 것이다.

18 이 글에서 '박준'은 작가의 양심을 지녔지만, 전짓불의 기억으로 정신적 충격을 받게 된다. 인터뷰에 따르면 '작가는 결국 그 정체가 보이지 않는 전짓불의 공포를 견디면서 죽든 살든 자기의 진술을 계속해 나'가는 존재라고 밝히고 있다. 이를 통해 작가는 양심적 진술을 하는 사람들이지, 압력과 양심 사이에서 진술을 적절하게 만들어 내는 사람은 아니라는 점을 알 수 있다.

19 전짓불은 용서와 자비 없이 선택을 강요한다는 박준의 말을 통해 (나)에서 외부의 압력이 전짓불임을 알 수 있다.

20 어머니는 오빠가 끌려갈까 봐 전전긍긍하고 있다.

(2) 책으로 찾는 길
─책 한 권으로 인생이 바뀐 이야기

확인학습 P.113

01 ×	02 ○	03 ×	04 ×	05 ○	06 ○	07 ×	08 ○
09 ×	10 ×	11 ×	12 ○	13 ○	14 ○	15 ×	16 ○
17 ○	18 ○	19 ○	20 ○				

단원 종합평가 P.114~120

01 ②	02 ④	03 ⑤	04 ①
05 ②	06 ②	07 ③	08 ②
09 ③	10 ①	11 ①	

01 위 시는 주로 평서형 종결 어미가 사용되었다. 명령형 어미를 사용한 부분은 찾을 수 없다.

02 자기를 내세우기 위한 행동은 위 시에서 마음을 닦는 사람들의 행동과는 거리가 멀다.

03 반어적 표현은 쓰이지 않았다.

04 구두 끝은 구체적인 대상이지만 마음 끝은 눈에 보이지 않는 추

상적인 대상이다.

05 이 작품은 현재 일어난 '어머니'의 발작이 과거 '오빠'의 죽음과 관련되어 있다는 사실이 '나'의 과거 회상을 통해 조금씩 밝혀지도록 구성되어 있다.

⊠ ① '나'와 '어머니' 모두 과거의 기억에서 벗어나지 못하는 인물은 맞지만, 대화를 통해 이러한 심리가 나타났다고 보기는 어렵다. ③ 인물의 성격 변화가 나타나 있거나 암시되고 있지 않다. ④ 비극적 사건에 대한 안타까움이 나타나 있지만 비판적 인식이 과장된 행동을 통해 드러나 있다고 보기는 어렵다. ⑤ 인물이 살아온 삶이 다각적으로 조명되고 있지는 않다.

06 보위군관은 피난을 가지 않고 서울에 남아 있는 오빠를 의심하며 바른대로 말할 것을 강요하였다. 하지만 실어증에 빠져 있던 '오빠'는 총상을 입고 기절하는 순간까지도 '으, 으, 으, 으, 짐승 같은 소리'로 신음하는 게 고작이었다고 하였다. 실어증을 회복하지 못한 것이다.

⊠ ① '오빠'는 해방 후 한때 좌익 운동에 가담했다가 전향한 적이 있는데 그것 때문에 남하를 못 하고 적 치하에 서울에 남은 걸 극도로 불안해했다. ③ 무자비한 모녀의 힘의 대결에서 결국 '어머니'가 패색을 보이기 시작했다고 하였다. ④ '어머니'는 서울이 다시 적의 치하가 되었을 때 현저동 꼭대기를 은신처로 삼았다. ⑤ '나는 이를 악물고 어머니에게로 돌진했다. 다시는 아무의 도움도 청하지 않고 어머니와 맞서리라 마음먹었다.'를 통해 '나'는 '어머니'의 발작을 혼자서 감당해야 한다고 느끼고 있음을 알 수 있다.

07 '어머니'가 부처님께 귀의하여 누구보다 화평하고 아름답게 살아왔다는 것은, '어머니'가 아픈 과거의 기억에서 벗어나기 위해 종교에 의지했음을 보여 주는 것이다. '어머니'가 개인적으로 잠재된 무의식을 떠올리기 위해 노력해 왔다는 것은 적절하지 않다. ⊠ ① 〈보기〉에서 의식의 차단이 잠재된 기억을 떠오르게 하는 계기로 작용할 수 있다고 하였다. ② '어머니'가 보여 주는 '불가사의한 괴력'은 상식적으로는 이해될 수 없는 것으로, 정신적 외상으로 인한 기이한 신체 현상이 정신적 병증에 동반된 것으로 볼 수 있다. ④ '어머니'의 정신적 외상의 원인인 '오빠'와 관련된 사건은 '어머니'와 '나'가 공유하고 있는 사건이다. ⑤ '어머니'의 정신적 외상은 '오빠'의 죽음과 관련되어 있다는 점에서, 우리 민족이 겪은 전쟁에서 비롯된 것으로 볼 수 있다.

08 ⓒ은 갑자기 발작을 일으킨 '어머니'를 힘으로 제압하기 위한 것이지, '어머니'의 고통에 공감하였기 때문에 한 행동이 아니다. 또한 의도하지 않은 행동으로 표현된 것도 아니다. ⊠ ① ㉠은 갑작스러운 '어머니'의 발작으로 인해 '나'의 몸과 마음이 지쳐 있음을 보여 주는 행동이다. ③ ㉢에서는 가까워지는 포성을 통해 전선이 가까워졌음을 알 수 있으며, '눈에 핏발이 서기 시작했다.'를 통해 보위군관 일행의 공격성이 더욱 날카로워지고 있음을 짐작할 수 있다. ④ ㉣은 '오빠'의 죽음을 막아 보려는 '어머니'의 간절함이 절박한 음성과 행동으로 나타난 것이다. ⑤ ㉤은 탈진한 '어머니'의 모습을 비유적으로 묘사한 것이다.

09 내용 상 올케도 함께 갔었음을 추론할 수 있다.

10 과거에 오빠의 화장한 재를 뿌리러 가던 과거의 이야기가 서술되어 있고 현재의 이야기로 진행이 되고 있다.

11 잘하다는 1. 옳고 바르게 하다. 2. 좋고 훌륭하게 하다. 3. 익숙하고 능란하게 하다. 4. 버릇으로 자주 하다. 5. 음식 따위를 즐겨 먹다. 등의 뜻이 있다. ⓐ에 쓰인 문맥적 의미는 좋고 훌륭하게 하다의 의미로 ①이 가장 잘 어울린다.

(1) 우리의 노래 – 향가와 시조

확인학습
P.124

01 ○   02 ○   03 ○   04 ○   05 ○   06 ×   07 ○   08 ×

09 ×   10 ○   11 ○   12 ○   13 ×

14 대유법   15 의인법

16 추상적 개념의 구체화, 추상적 개념인 시간(밤)을 눈에 보이는 사물을 표현하
듯 시각적으로 형상화 함.

17 ○   18 ○   19 ×   20 ○

객관식 기본문제
P.125~129

01 ①   02 ④   03 ③   04 ②

05 ②   06 ①   07 ③   08 ③

09 ①   10 ④   11 ①

01 시조는 고려 중기에 발생하여 고려 말엽에 완성된 형태가 나타
나 조선시대를 거쳐 현대까지 불리어지는 우리 고유의 대표적인
정형시를 가리킨다.

02 '훼훼', '버동버동'등의 의성어도 함께 쓰이고 있으므로 의태어만
사용한 것은 아니다.

03 화자의 심리는 님에 대한 그리움으로 시간이 흘러도 변화하지
않고 있다.

04 달과 청풍으로 자연을 표현하는 대유법은 찾을 수 있으나 직유
법은 찾을 수 없다.

05 (가)의 화자는 대상인 누이에 대한 안타까움의 정서를 드러내고
있다.

06 (가)의 제망매가는 누이의 죽음으로 인한 부재, (다)의 시조에서
는 사랑하는 임과의 이별로 인한 부재를 모티프로 하고 있다.

07 '떨어질 잎'은 시적 대상과의 이별로 상심한 화자의 처지를 비유
적으로 나타낸 것이 아닌, 누이의 죽음을 의미한다.

08 누이의 죽음의 제재이므로 슬프고 경건한 느낌으로 낭송한다.

09 두 작품 모두 자연속에서 소박하게 지내는 삶(안분지족, 안빈낙
도)에 대해서 노래하고 있다.

10 (다)의 밤에는 님이 현재 부재하는 부정적시간으로서의 밤이므
로 외로움이 느껴지며, 〈보기〉의 밤은 밝지 않고 어두운 시간,
남에게 내 모습이 잘 비춰지지 않는 시간으로 우스운 모습을 보
일뻔 했던 것이 밤이기에 안보였으므로 안도감을 드러낸다.

11 동짓달 기나긴 밤을 한 허리를 베어낸다는 추상적 개념의 구체
화 부분이 1번 보기의 '전원(田園)에 나믄 흥(興)을 전나귀에 모
도 싯고'에서 '흥'(즐거움)이라는 추상적 개념을 당나귀에 모두
싣는다하는 구체화하는 부분이 나타난다.

객관식 심화문제
P.130~139

01 ①   02 ②   03 ⑤   04 ④

05 ②   06 ⑤   07 ④   08 ④

09 ⑤   10 ②   11 ①   12 ②

13 ①   14 ⑤   15 ④   16 ③

17 ③   18 ④   19 ⑤   20 ①

21 ①   22 ⑤   23 ⑤

01 '한 가지에 나고'는 잎으로 상징되는 화자와 누이가 한 부모에게
서 났다는 것을 암시한다.

02 '예'는 '여기'라는 뜻이다.

03 '도 닦아 기다리겠노라.'에 나타난 화자의 태도는 의지적이다.

04 (가)시의 작자는 미타찰에서 만날 것을 기대하는 것으로 미루어
보아 불교임을 알 수 있고, (나)시의 화자는 '주여'라는 행이나,
성경으로 미루어 보아 기독교임을 유추할 수 있다. 때문에 둘의
종교는 일치하지 않는다.

05 청각적인 심상은 나타나지 않았다.

06 밤은 고독의 시간. 성찰의 시간을 의미한다.

07 (가)의 어조는 주체적이고 의지적인 어조이며, (나)의 어조는 영
탄적이고 성찰적인 어조이다.

08 (나)에는 음성 상징어가 나타나있지 않다.

09 임에 대한 원망이 아니라 그리움을 나타내고 있다.

10 평시조의 형식은 3장 6구 4음보이다.

11 추상적인 대상인 '밤(시간)'을 구체적 사물처럼 표현하고 있다.

12 임에 대한 그리움과 연정을 표현하고 있다.

13 허리는 '한 가운데'라는 의미로 '밤'과 대조적이지 않다.

14 '너헛다가'=넣었다가, 로 펴리라와 의미상 대비를 보이고 있는
부분이 적절하다.

15 이 작품의 음성 상징어들은 생동감을 부여하고 우리말의 묘미를
살린다.

16 교술갈래는 수필, 극 갈래에는 시나리오, 희곡이 포함된다. 또
서사갈래는 소설, 서정갈래는 시를 얘기하므로 ③이 적절하다.

17 음성 상징어를 통해 내면 심리를 표현하고 있지 않다.

18 시적 자아와 임은 대립관계가 아니다.

19 ⑤는 부모에 대한 효에 관한 내용으로 가장 거리가 멀다.

20 (나) 시는 인간 존재에 대한 사색과 친밀한 관계 회복에 대한 소
망을 나타낸다.

21 서정갈래는 시어를 섬세하게 사용하고 비유, 상징, 이미지, 운
율 등을 통해 정서를 집약하여 표현하는 문학이다.

22 '너헛다가'=넣었다가, 로 펴리라와 의미상 대비를 보이고 있는
부분이 적절하다.
윗글에서 의성어를 사용하나, 화자의 정서를 드러내지는 않는다.

23 답답함보다는 허무함의 정서가 드러난다.

(1) 우리의 노래 – 관동별곡(關東別曲)

확인학습 P.151

01 ○　02 ○　03 ○　04 ×　05 ×　06 ○　07 ○　08 ○
09 ○　10 ○　11 ×　12 ○　13 ○　14 ○　15 ○　16 ×

객관식 기본문제 P.152~157

01 ③　　02 ⑤　　03 ⑤　　04 ⑤
05 ⑤　　06 ③　　07 ②

08 시어 왕명과. 시어 풍경 사이에서의 갈등으로 볼 수 있으며 이는 임금의 일과 자연 풍경 구경. 화자의 책임 의식과. 인간 본연의 모습간에서 갈등하는 화자의 모습을 나타낸다.

01 관동별곡은 4음보의 율격을 띄고 있다.
02 읍참마속은 큰 목적을 위하여 자기가 아끼는 사람을 버린다는 뜻의 한자성어인데, 위 ⑮부분은 급장유의 고사를 인용하여 선정의 포부를 드러낸 것이므로 읍참마속과는 거리가 멀다.
03 부용은 연꽃을 의미한다.
04 여산의 폭포가 아닌 금강산의 십이 폭포를 비유한 말이다.
05 관동별곡은 4음보의 운율을 형성한다.
06 비로봉 상상두에 올랐을 때 화자는 공자의 넓고 큰 정신적 경지를 찬양했다.
07 인걸(특히 뛰어난 인재)를 만들고쟈 하는 모습에서 우국지정의 모습을 볼 수 있다.

객관식 심화문제 P.158~162

01 ③　　02 ①　　03 ②　　04 ②
05 ④　　06 ④　　07 ③　　08 ③
09 ④

01 여정의 변화가 나타나는 부분으로 수성 뎨됴(여러 가지 아름다운 소리로 우는 새)가 이별을 원망하는 듯하다고 표현하여 의인화했음을 알 수 있으며 이별을 원망하는 태도는 곧 화자의 내면 심리를 표현하고 있다.

02 ⓐ의 계절은 늦봄이다. 이와 동일한 계절은 1번의 화암의 춘만(봄이 완연함)에서 같은 계절임을 알 수 있다.
03 ⓛ의 뉵농은 '신하'를 의미한다.
04 ⓑ의 화자의 정서는 '연군지정' 즉, 임금에 대한 사랑이다. 이와 같은 정서는 ② 시조에서 가장 잘 드러난다. ②의 '님'은 임금을 상징하며 임금을 향한 나의 마음이 밤낮으로 흐르는 물처럼 멈출 수가 없음을 비유하고 있다.
05 ① '활원(闊遠)ᄒ댜 뎌 경계(境界)'에서 알 수 있다.
　　② 우개지륜: 깃을 단 신선의 수레→화자 자신을 신선에 비유함.(도교적 신선 사상)
　　③ 빙환(氷紈): 경포 호수의 잔잔한 수면을 비유한 말임.
　　⑤ '비옥가봉(比屋可封)이 이제도 잇다 ᄒ다.'에서 화자의 선정을 과시함을 알 수 있다.
06 ① 고래: 거칠고 성난 파도
　　② 은산(銀山): 높이 솟아 부서지는 흰 파도, 빅셜(白雪): 하얗게 부서지는 물보라
　　③ '션사(仙槎)ᄅ 씌워 내여 두우(斗牛)로 향(向)ᄒ살가, 선인(仙人)을 ᄎᄌ려 단혈(丹穴)의 머므살가.'에서 화자의 심리적 갈등이 심화된 부분으로, 속세로 돌아가기 싫어 차라리 신선이 되어 살고 싶다는 소망을 표현함(초월적 세계를 추구함.)을 알 수 있다.
　　⑤ 작품 전체적으로 관찰사로서의 책임감과 인간 본연의 욕망 사이에서 갈등하는 화자의 심리가 드러난다.
07 ㉮에는 선정에 대한 포부와 애민 정신이 나타나 있다. ㉢에서 모든 백성을 취하게(기분 좋게) 만들고 싶다는 애민 정신이 드러나 있다.
08 ③ 보기만 화자를 지시하고 나머지는 신선을 지시한다.
09 자연 말고는 부러울 것이 없다는 만흥의 마지막 종장 부분에서 설의적 표현이 쓰였고, '기픠ᄅ 모ᄅ거니 ᄀ인들 엇디 알리.'에서 설의적 표현이 쓰였음을 알 수 있다.

서술형 심화문제 P.163

01 애! 공재(님)의 그 높은(넓은) 경지를 어찌하면 알 수 있겠는가
02 (1) 예 사흘 머믄 후
　　(2) 사선
03 [A] 안분지족 – 편안한 마음으로 제 분수를 지키며 만족함을 앎
　　[B] '관동별곡'과 '만흥'은 모두 구성상 세 부분으로 이루어진다는 공통점을 가지고 있다. 가사는 '서사, 본사, 결사'로 구성되며 시조는 '초장, 중장, 종장'으로 이루어진다.
　　또한 두 작품 모두 음보율이 4음보로 같다. 끝으로 두 작품은 맨 마지막 줄의 형식이 같은데 가사의 마지막 구와 시조의 종장은 3••을 기본으로 하는 점이 공통점이다.

(2) 우리의 이야기 - 유자소전

P.171

확인학습

01 ×	02 ○	03 ○	04 ○	05 ○	06 ×	07 ×	08 ○
09 ×	10 ×	11 ×	12 ×	13 ○	14 ×	15 ○	16 ○
17 ○	18 ○	19 ×	20 ○	21 ○	22 ○	23 ○	24 ×

객관식 기본문제 P.172~173

01 ②	02 ③	03 ④	04 ④

01 유자와 관련된 일화들을 나열하고 있다.

02 〈보기〉의 '또한 '유자(俞子)'에서 '자(子)'는 '공자(孔子)', '맹자(孟子)'처럼 성인에게 붙이는 존칭이기도 하지요.'를 근거로 '나'가 유자를 긍정적으로 평가함을 알 수 있다.

03 '여의고'는 위 작품에서는 죽었다는 뜻이 아니라 시집보내고의 뜻이다.

04 거짓말을 자주 하여 상대에게 신뢰감을 주지 못하는 인물 상은 본문에서 찾을 수 없다.

객관식 심화문제 P.174~177

01 ⑤	02 ②	03 ②	04 ④
05 ④	06 ⑤		

01 인물이 싫어하는 인간상이나, 부정적 인물에 대한 주인공의 태도로 비판하는 태도를 가지고 있다.

02 현재형 어미가 아닌 과거형 어미를 사용하고 있다.

03 ⓒ의 늙농은 '신하'를 의미한다.

04 쓸모 없는 존재임을 나타내는 말이다.

05 ① 허릅숭이: 일을 실답게 하지 못하는 사람을 낮잡아 이르는 말.
② 비색한: 운수가 꽉 막힌.
③ 노성하였으니: 많은 경험을 쌓아 세상일에 익숙하였으니.
⑤ 특립독행: 세속(世俗)에 따르지 않고 스스로 믿는 바를 행함.

06 비단 잉어를 통해 총수의 겉과 속이 다른 의뭉스러움이나 위선적인 삶은 알 수 없다.

단원 종합평가 P.178~186

01 ①	02 ④	03 ⑤	04 ③
05 ③	06 ①	07 ③	08 ①
09 ②	10 ④	11 ④	12 ⑤
13 ③	14 ⑤	15 ②	16 ①
17 ④	18 ⑤		

01 우리말의 실질적 의미 부분 뿐만 아니라 형식적 의미 부분도 같이 기록한 표기이다.

02 4구체의 헌화가나, 8구체의 헌화가는 가장 완성된 형태인 10구체 이전의 작품들이 맞지만, 10구체 향가의 등장으로 이후 도태되어 소멸하지는 않았다.

03 체념이 아닌, 죽은 누이에 대한 재회의 의지이다.

04 (가)의 재회의 희망은 끝부분에 드러난다.

05 (다)에서의 동짓달 기나긴 밤이라는 부정적 시간과, 어론님 오신 날 밤이라는 긍정적 시간의 대립이 나타나며, (라)에서는 좋아하는 임이 오면 캉캉 짖어서 내쫓고, 싫어하는 임이 오면 꼬리를 홰홰 치며 반기는 모습에서 대조적 부분이 있음을 알 수 있다.

06 조선 시대때에만 창작되고 향유되진 않았다. 이후로도 창작되며 향유되고 있다.

07 (다)에서는 발상의 전환을 통해 무형의 소재를 유형의 소재로 변환 시키는 추상적 개념의 구체화가 드러난다.

08 강산은 자연을 의미하는 대유법이 쓰인 시어이며, 이러한 강산을 병풍처럼 둘러 놓겠다는 의미이다.

09 소부와 허유 역시 자연 친화적 태도를 보이는 고사 속의 인물들이다.

10 자신의 신분을 철저히 숨기지는 않았다.

11 ㉠에 쓰인 표현법은 대구법이다.

12 〈보기〉의 부분은 화자의 선정의 포부가 드러나는 부분이다. 이는 (바)에 가장 잘 드러난다.

13 관동별곡은 임금을 뵙고 하직하는 장면과 부임을 위한 행사 준비 절차가 과감하게 생략되어, 관찰사로 부임하는 과정이 속도감 있게 전개된다.

14 ⓐ~ⓓ까지는 늙은 신하, 즉 화자를 뜻하며, ⓔ에서의 내는 꿈에서 만난 신선이다.

15 흔사 룸은 꿈에서 만난 신선으로 화자와 대립하는 존재가 아니며, 신선적 풍모를 지니고 싶은 화자의 마음이 표현되어 있는 부분이다.

16 '비옥가봉(比屋可封)이 이제도 잇다 홀다.'은 화자의 선정을 과시하는 부분으로 도교 신선 사상과는 거리가 멀다.

17 (마) 부분에서는 산에서 바다로 여정의 변화가 나타나며 자연의 풍경을 보며 감탄하는 화자의 정서가 드러난다. 특히 '빅구(白鷗)야 느디 마라 네 버딘 줄 엇디 아는'에서 갈매기와 벗하면서 자연 속에서 노닐고자 하는 물아일체의 자연 친화 사상이 드러난다.

18 (바)에서 특히 '왕명(王程)이 유흔(有限)ᄒ고 풍경(風景)이 못 슬믜니'에서 관찰사로서의 지위와 자연을 즐기고 싶은 인간 본연의 감성과의 갈등을 잘 드러내며, (사)에서 '이 술 가져다가 ᄉ희(四海)에 고로 ᄂ화, 억만창싱(億萬蒼生)을 다 취(醉)케 밍근 후(後)의, 그제야 고텨 맛나 쏘 흔 잔 ᄒ잣고야.'에서 화자가 꿈에서 만난 신선에게 한 말로, 백성들을 모두 취하게 한 후에 술을 먹겠다는 의미로서 애민 정신을 보여주고 선우후락의 태도를 보여 준다.

MEMO

MEMO

고등국어

HIGH SCHOOL

실전기출 문제은행